Gwyddoniaeth

Cyfnod Allweddol Tri

Y Llyfr Adolygu

Paddy Gannon

Addasiad Cymraeg gan Lynwen Jones
Golygwyd gan Richard Parsons

Cynnwys

Prosesau Bywyd a Phethau Byw

Defnyddiau a'u Priodweddau

Cynnwys

Prosesau Ffisegol

Y fersiwn Saesneg:
Testun: © P. D. Gannon 1998.
Dylunio a gosod: © Richard Parsons, 1998.
Gwaith celf: © Richard Parsons, P. D. Gannon a Sandy Gardner, 1998.
Cyhoeddwyd gyntaf yn 1998 gan The Science Coordination Group.

Ail-argraffiad, Tachwedd 2000
Trydydd argraffiad, Tachwedd 2001

Y fersiwn Cymraeg:

Cyhoeddwyd y fersiwn Cymraeg gan:
Y Ganolfan Astudiaethau Addysg, Prifysgol Cymru Aberystwyth.

ISBN: 1 85644 523 2
Addasiad Cymraeg gan Lynwen Jones
Golygwyd a pharatowyd ar gyfer y wasg gan Janice Williams, Dafydd Kirkman a Glyn Saunders Jones

Dyluniwyd gan Ceri Jones

Ar ran ACCAC: Dr John Lloyd

Aelodau'r Pwyllgor Monitro: Gwen Aaron, Helen Baker, Ian Morris Jones.

Argraffwyd gan Argraffwyr Cambria, Aberystwyth, Ceredigion.

Prosesau Bywyd a Chelloedd

Byw neu Farw?

Mae saith peth y gall pob organeb byw ei wneud – fe'u gelwir yn "Brosesau Bywyd". Dim ond os bydd yn gwneud pob un o'r saith proses bywyd y bydd organeb yn fyw.

Saith Proses Bywyd

S – Symudiad	Symud rhannau o'r corff.
A – Atgenhedliad	Cynhyrchu epil.
S – Sensitifedd	Ymateb ac adweithio.
M – Maethiad	Cael bwyd i aros yn fyw.
Y – Ysgarthiad	Cael gwared o wastraff.
R – Resbiradaeth	Newid bwyd yn egni.
T – Twf	Cyrraedd maint oedolyn.

Dim ond Pethau Byw yw Organebau

1) Mae pob peth byw wedi ei wneud o flociau adeiladu bychain a elwir yn gelloedd.
2) Gellir gweld y rhain trwy ficrosgop – ond mae eu staenio yn gyntaf yn help.
3) Mae dau fath o gelloedd y dylech wybod amdanyn nhw: CELLOEDD ANIFEILIAID a CHELLOEDD PLANHIGION.

Mae Tri Gwahaniaeth rhwng Celloedd Anifeiliaid a Chelloedd Planhigion

Cell Anifail

MAINT: oddeutu 1/100 mm.

MAE GAN Y DDWY:

1) Niwclews:
Dyma ymennydd y gell – mae'n rheoli popeth mae'r gell yn ei wneud.
2) Cytoplasm:
Deunydd tebyg i jeli yw hwn lle mae'r adweithiau cemegol i gyd yn digwydd.
3) Cellbilen:
Dyma'r croen tenau o amgylch y gell – mae'n dal y gell at ei gilydd a hefyd yn rheoli popeth sy'n mynd i mewn ac allan.

Cell Planhigyn

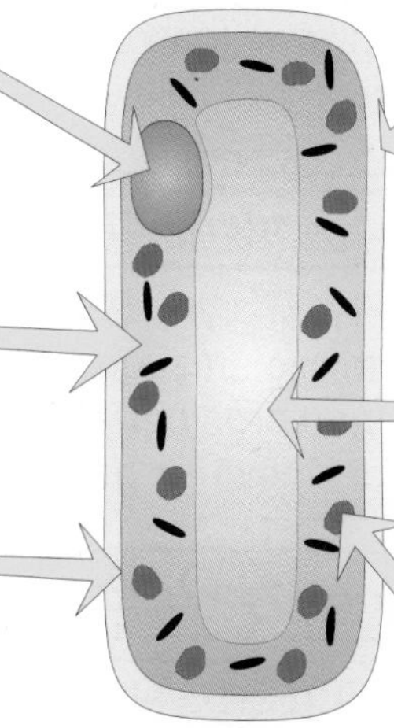

MAINT: 40 gwaith yn fwy na chell anifail.

DIM OND MEWN PLANHIGION Y CEIR:

1) Cellfur:
Haen anhyblyg wedi ei wneud o gellwlos – mae'n cynnal y gell.
2) Gwagolyn:
Gwagle mawr wedi ei lenwi â chellnodd – hydoddiant gwan o siwgr a halwynau.
3) Cloroplastau:
Mae'r rhain yn cynnwys cloroffyl a ddefnyddir mewn ffotosynthesis.

Croeso i Wythfed Proses Bywyd – Adolygu...

Wn i, anghofiais i sôn am hon ar ddechrau'r dudalen. Nawr mae'n rhaid i chi ddysgu popeth sydd ar y dudalen hon – a'r unig ffordd o wneud hynny yw trwy guddio'r dudalen ac ysgrifennu'r cyfan i lawr. Os na fedrwch chi wneud hynny – dydych chi dim wedi dysgu'r gwaith. Felly daliwch ati nes y medrwch chi. A chofiwch wenu. ☺

Pum Cell Arbenigol

Mae pob cell wedi ei chynllunio i wneud rhyw waith penodol mewn organeb. Caiff ei alw'n ARBENIGEDD CELL.

1) Cell Sberm – wedi ei chynllunio i Ffrwythloni Wyau

1) Mae cell sberm yn hynod o fach ac mae ganddi gynffon sy'n ei galluogi i symud er mwyn iddi nofio a dod o hyd i wy i'w ffrwythlonni.
2) Mae'r pen yn cynnwys ensymau sy'n caniatáu iddi dreulio pilen yr wy er mwyn mynd trwyddi i alluogi'r ddau niwclews i gyfuno.
3) Mae cromosomau yn ei niwclews – ynddyn nhw mae gwybodaeth enetig gan y tad a gaiff ei throsglwyddo i'r epil.

Gwagolyn yn cynnwys ensymau
Cynffon
Niwclews yn cynnwys Cromosomau

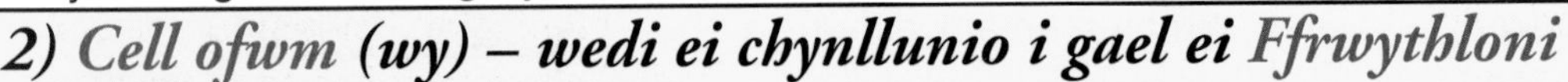

2) Cell ofwm (wy) – wedi ei chynllunio i gael ei Ffrwythloni

1) Mae cell ofwm yn fawr a swmpus gan nad oes angen iddi wneud unrhyw symudiad actif – dim ond eistedd yno ac aros i'r sberm ddod ar ei thraws.
2) Mae'n cynnwys melynwy sy'n darparu storfa fwyd fawr i'r organeb ifanc sy'n datblygu wedi iddi gael ei ffrwythloni.
3) Mae'n cynnwys cromosomau sy'n dal gwybodaeth enetig gan y fam – caiff ei throsglwyddo i'r epil.

Cytoplasm yn cynnwys Melynwy
Haen o Jeli
Niwclews yn cynnwys Cromosomau

3) Cell Balis – wedi ei chynllunio ar gyfer Ffotosynthesis

1) Mae cell balis yn dal ac mae iddi arwynebedd arwyneb mawr. Fe'u ceir ar wyneb uchaf deilen – lle perffaith ar gyfer amsugno CO_2 a golau – mae angen y ddau ar gyfer ffotosynthesis.
2) Maent yn llawn cloroplastau sy'n cynnwys y pigment gwyrdd cloroffyl sy'n angenrheidiol ar gyfer ffotosynthesis.

Niwclews
Cloroplastau

4) Cell Gilia – wedi ei chynllunio i atal Niwed i'r Ysgyfaint

1) Mae celloedd cilia yn leinio pob pibell aer yn eich ysgyfaint.
2) Mae ganddyn nhw flew bychain sy'n hidlo'r aer wrth iddo chwythu trwyddo.
3) Mae'r blew yn sgubo mwcws (baw trwyn) ynghyd â llwch wedi ei ddal a bacteria i gefn y gwddf lle caiff ei lyncu.

Mwcws
Cilia yn sgubo mwcws yn ei flaen
Cell gobled yn gwneud mwcws
Cell giliedig
Niwclews

5) Cell Wreiddflew – wedi ei chynllunio ar gyfer Amsugno

1) Mae'r gell wreiddflew hir yn cynyddu arwynebedd arwyneb y gwreiddyn ac mae hyn yn cynorthwyo amsugno dŵr a mwynau.
2) Mae ganddi gellfur tenau dros ben, sy'n galluogi i'r mwynau basio trwyddi i mewn i'r gwreiddyn yn haws.

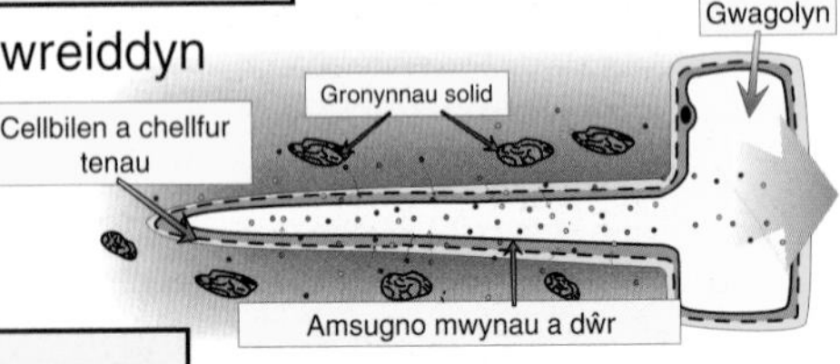

Celloedd, Meinweoedd, Organau a Systemau Organau

Daw grŵp o GELLOEDD TEBYG at ei gilydd i wneud MEINWE.
Mae grŵp o WAHANOL FEINWEOEDD yn gweithio gyda'i gilydd i wneud ORGAN.
Mae grŵp O ORGANAU yn gweithio gyda'i gilydd i wneud SYSTEM ORGANAU neu hyd yn oed ORGANEB gyfan. E.e. mae celloedd gwreiddflew yn gwneud meinwe gwreiddyn, sy'n gwneud system "organ" y gwreiddyn, sy'n gweithio gyda systemau eraill i wneud planhigyn.

Meinwe – beth yw hynny tybed...

Mae pum cell arbenigol ar y dudalen hon. Rhaid i chi ddysgu pob un o'r pwyntiau ar gyfer pob un – a'r unig ffordd o wneud hynny yw trwy eistedd i lawr a'u dysgu yn gyntaf, ac yna cuddio'r dudalen ac ysgrifennu'r cyfan i lawr eto. Dydw i ddim yn dweud ei fod yn ffordd hawdd – ond dyna'r unig ffordd.

Organau Planhigion

Mae Pedwar Prif Organ Planhigyn yn caniatáu i'r Prosesau Bywyd Ddigwydd

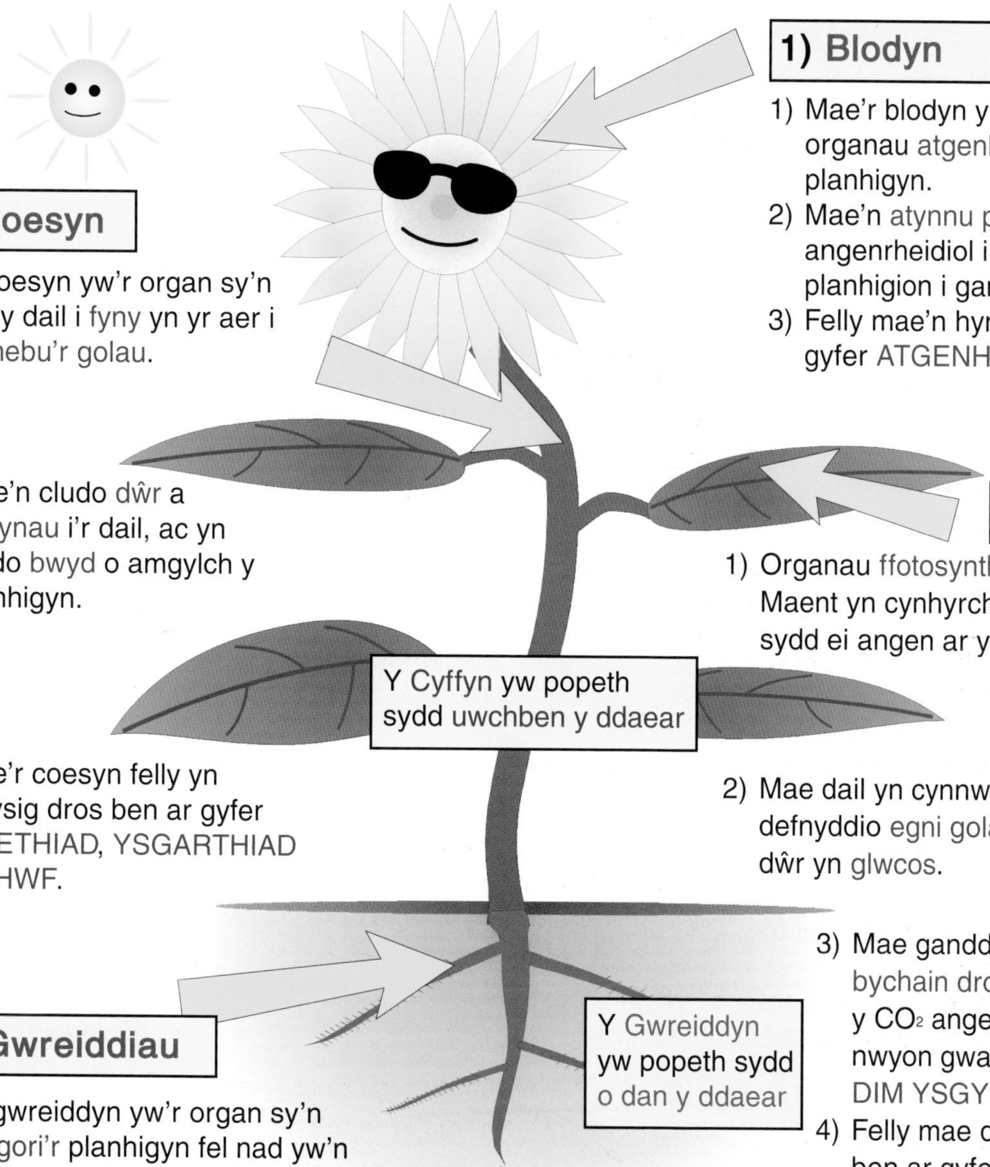

1) Blodyn

1) Mae'r blodyn yn cynnwys organau atgenhedlu rhywiol planhigyn.
2) Mae'n atynnu pryfed sy'n angenrheidiol i gludo paill rhwng planhigion i ganiatáu peilliad.
3) Felly mae'n hynod o bwysig ar gyfer ATGENHEDLU.

2) Coesyn

1) Y coesyn yw'r organ sy'n dal y dail i fyny yn yr aer i wynebu'r golau.
2) Mae'n cludo dŵr a mwynau i'r dail, ac yn cludo bwyd o amgylch y planhigyn.
3) Mae'r coesyn felly yn bwysig dros ben ar gyfer MAETHIAD, YSGARTHIAD a THWF.

Y Cyffyn yw popeth sydd uwchben y ddaear

3) Dail

1) Organau ffotosynthesis yw'r dail. Maent yn cynhyrchu'r holl FWYD sydd ei angen ar y planhigyn.
2) Mae dail yn cynnwys cloroffyl sy'n defnyddio egni golau i newid CO_2 a dŵr yn glwcos.
3) Mae ganddynt fandyllau bychain dros ben sy'n gadael y CO_2 angenrheidiol i mewn a nwyon gwastraff allan – does DIM YSGYFAINT.
4) Felly mae dail yn bwysig dros ben ar gyfer MAETHIAD ac YSGARTHIAD.

Y Gwreiddyn yw popeth sydd o dan y ddaear

4) Gwreiddiau

1) Y gwreiddyn yw'r organ sy'n angori'r planhigyn fel nad yw'n chwythu i ffwrdd neu'n disgyn yn ddamweiniol.
2) Ynghyd â'i wreiddflew mae'n darparu arwynebedd arwyneb mawr er mwyn tynnu dŵr a mwynau o'r pridd – mae'r ddau beth yn hanfodol ar gyfer ffotosynthesis.
3) Mae'r gwreiddyn felly yn hynod o bwysig ar gyfer MAETHIAD.

1) Mae pob rhan yn SENSITIF i'r amgylchynau. Gall y blodyn SYMUD wrth gau gyda'r nos. Mae'r cyffyn yn TYFU ac yn SYMUD er mwyn dod o hyd i olau.
2) Mae pob cell yn y planhigyn yn RESBIRADU ac yn newid glwcos yn egni defnyddiol.

Rhaid i chi ddysgu'r holl fanylion hynny...

Dylai fod yn weddol hawdd i chi weld darlun go glir o'r dudalen yn eich meddwl. Defnyddiwch y ddelwedd wedyn i ailadeiladu'r dudalen yn gyfan gwbl. Gwnewch hyn trwy ysgrifennu pob peth i lawr gam wrth gam. Dechreuwch gyda'r diagram, yna ychwanegwch y pedwar label – yna ceisiwch ddysgu pob manylyn sy'n cydfynd â phob un. Yn gyntaf ceisiwch ddysgu'r cyfan, yna cuddiwch y dudalen ac ysgrifennwch y cyfan i lawr ar bapur. Dyma beth yw sbort a sbri!

Systemau Organau Dynol

Ydych chi'n cofio'r saith proses bywyd? Ydych? Wel yma fe welwch chi'r naw prif "system organau" mewn dyn sy'n gwneud i'r prosesau hynny ddigwydd. Dysgwch nhw...

Y Naw Prif System Organau yn y Corff Dynol

"Tîm o organau'n cydweithio i wneud job o waith" yw "system organau". Dysgwch y naw hyn:

1) Y System Dreulio

1) Wrth ei dreulio caiff bwyd ei dorri i lawr yn sylweddau symlach fel y gall y corff ei ddefnyddio a'i amsugno.
2) Mae'n digwydd yn y llwybr ymborth, (y tiwb bwyd), yn bennaf yn y stumog a'r coluddyn bach.
3) Caiff bwyd sydd wedi ei dreulio ei amsugno i'r system waed.

Llwnc
Stumog
Coluddyn Mawr
Coluddyn Bach
Anws

2) Y System Resbiradol

1) Y pwrpas yw tynnu ocsigen i mewn a chael gwared â gwastraff ar ffurf carbon deuocsid.
2) Mae aer yn mynd i mewn i'r ysgyfaint wrth i gyhyrau'r asennau a'r llengig symud.
3) Caiff ocsigen ei amsugno i'r system waed.

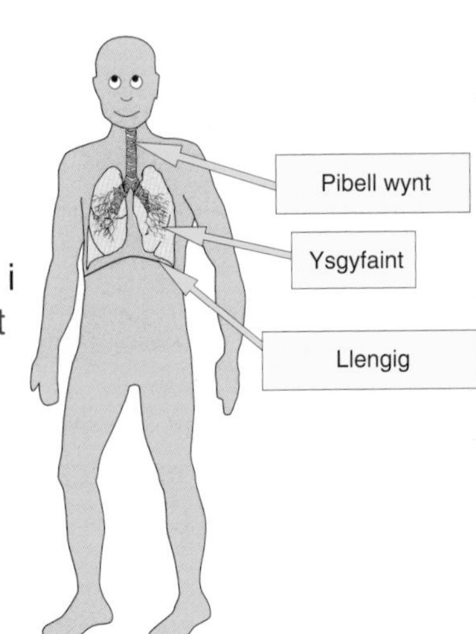

3) Y System Ysgarthu

1) Y pwrpas yw cael gwared â deunyddiau gwastraff cas, rhai ohonynt yn wenwynig, o'r corff.
2) Caiff deunydd gwastraff ei hidlo allan o'r gwaed gan yr arennau a'i newid yn DROETH.
3) Caiff hwn ei storio yn y bledren a'i adael allan trwy'r wrethra.

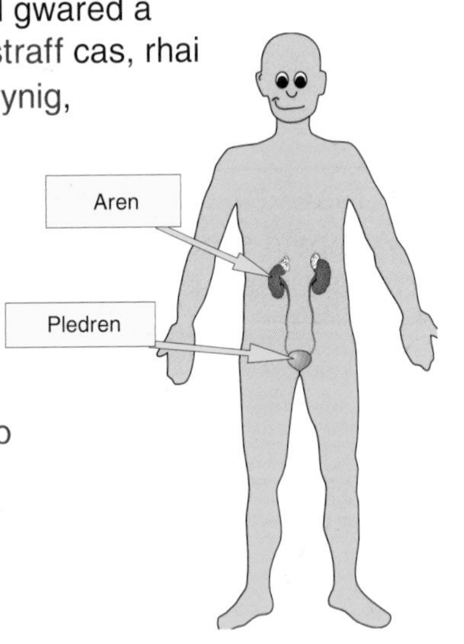

4) System Cylchrediad y Gwaed

1) Mae'r galon yn pwmpio'r gwaed o amgylch y corff.
2) Mae'n cludo ocsigen a bwyd i'r celloedd, ac yna'n cludo'r gwastraff, megis carbon deuocsid, i ffwrdd.

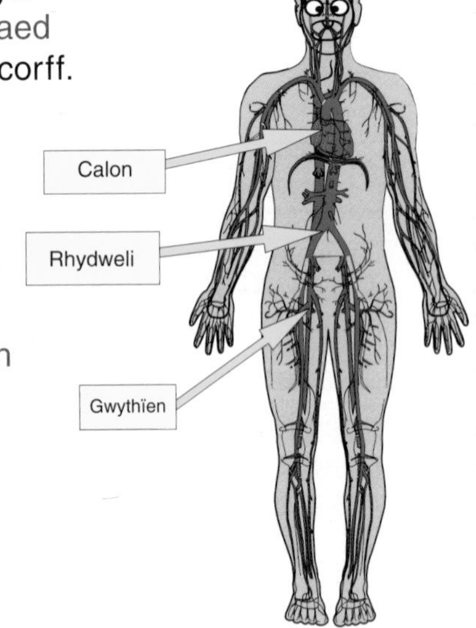

5) Y System Atgenhedlu

1) Mae hon ar gyfer cynhyrchu epil.
2) Caiff wyau eu cynhyrchu gan yr ofarïau mewn benyw.
3) Mae ceilliau gwryw yn cynhyrchu sbermau. Mae'r rhain wedyn yn ceisio ffrwythloni'r wyau.

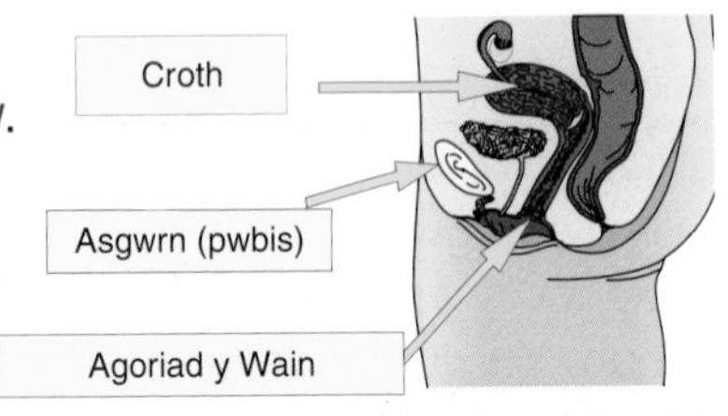

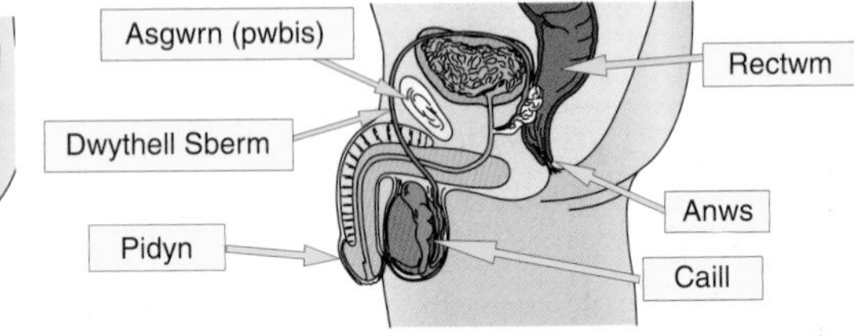

Systemau Organau Dynol

6) Y System Nerfol

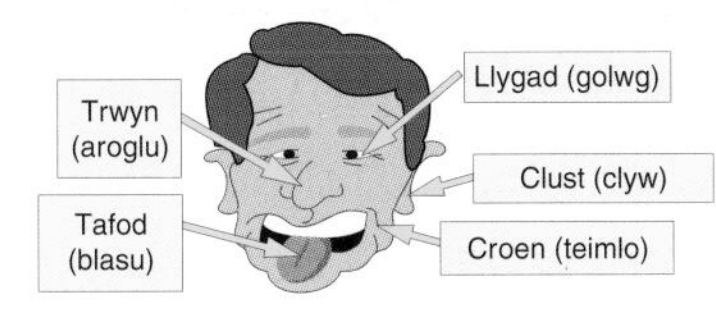

1) Dyma'r pum organ synhwyro: LLYGAID, CLUSTIAU, TRWYN, TAFOD, CROEN.
2) Maen nhw i gyd yn cynnwys nerfau sy'n anfon negeseuon i'r ymennydd ynglŷn â beth sy'n digwydd.
3) Mae'r ymennydd yn cynhyrchu ymateb a'i anfon i'r cyhyrau trwy nerfau eraill.

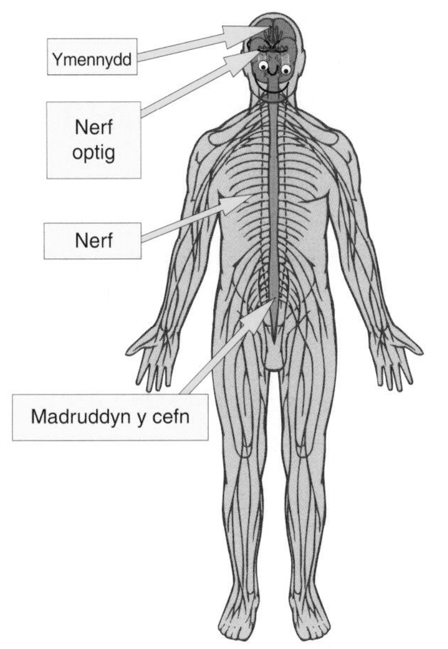

7) Y System Endocrin

1) Mae'r system hon yn cynhyrchu ac yn rhyddhau cemegau o'r enw hormonau.
2) Mae nifer o chwarennau o gwmpas y corff yn cynhyrchu'r hormonau hyn.
3) Mae hormonau yn rheoli pethau fel twf neu nodweddion rhywiol a hefyd gweithredoedd corfforol fel y mislif.

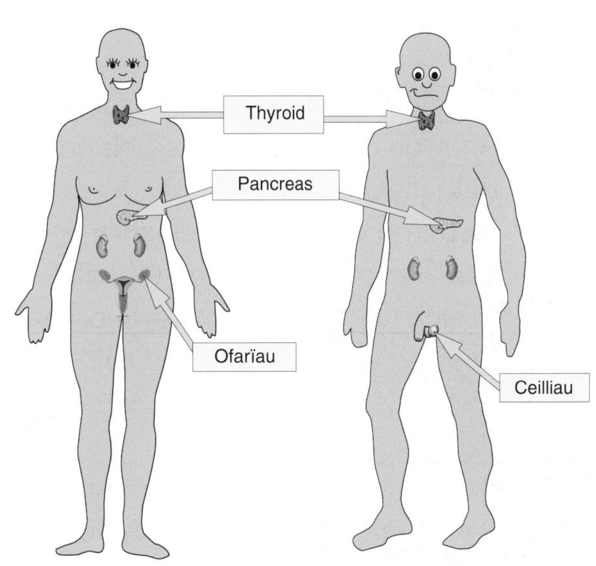

8) Y System Sgerbydol

1) Mae yna 206 asgwrn mewn corff dynol. Eu prif swyddogaeth yw cynnal y corff.
2) Mae rhai esgyrn (e.e. y benglog) yn darparu rhwystr gwydn er mwyn amddiffyn organau bregus fel yr ymennydd.
3) Mae cyhyrau ynghlwm wrth esgyrn ac maent yn cyfangu ac yn ymlacio i ganiatáu symudiad.

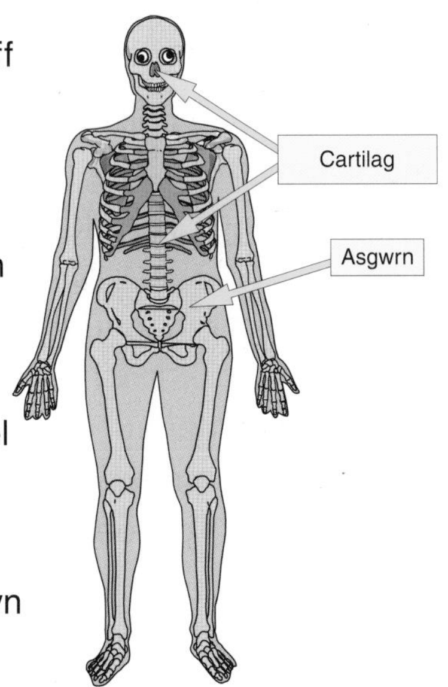

9) Y System Gyhyrol

1) Mae cyhyrau ynghlwm wrth esgyrn.
2) Mae cyhyrau yn peri symudiad wrth iddynt gyfangu ac ymlacio.
3) Mae cyhyrau fel arfer i'w canfod mewn parau o amgylch cymal.

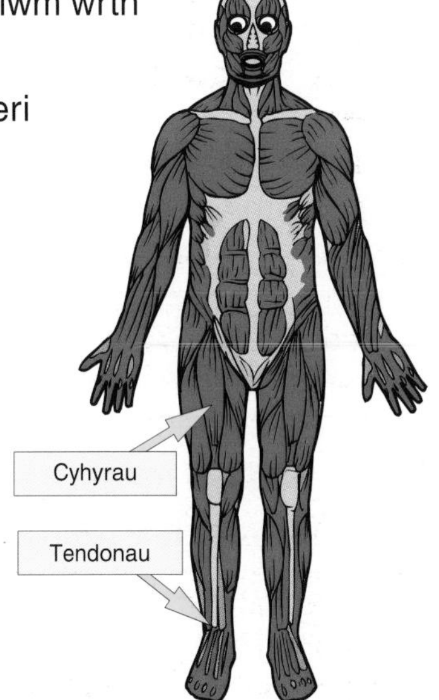

Systemau Organau

Aaaaa! Mae yma dipyn i'w ddysgu ar y ddwy dudalen hyn – a dim ohono'n rhy hawdd. Dewch i ni gael gweld, naw adran – dechreuwch trwy ddysgu'r teitl a'r diagram ar gyfer pob un nes y gallwch chi eu hysgrifennu i gyd ar eich cof. Yna dechreuwch ychwanegu'r manylion. Tipyn o sbort a sbri.

Crynodeb Adolygu ar gyfer Adran Un

Crynodeb Adolygu. Beth mae hynny'n ei olygu tybed? Yn gyntaf ga i ddweud beth nad yw'n ei olygu – nid yw'n golygu mai tudalen i gael cipolwg arni yw hon a synnu cyn lleied o'r cwestiynau y medrwch chi eu hateb cyn symud yn eich blaen heb yr un bwriad o ddod yn ôl. Dim ffiars o beryg! Nid dyma'r cwestiynau hawsaf yn y byd mae'n wir, ond fe'u hysgrifennwyd i weld faint yn union rydych chi'n ei wybod – neu'n bwysicach fyth beth dydych chi ddim yn ei wybod. Ac wedi'r cyfan, dyna'n union yw bwriad adolygu.
Rhaid i chi ymarfer y cwestiynau hyn sydd yn y Crynodeb Adolygu drosodd a thro. Ewch drwyddyn nhw i gyd er mwyn darganfod pa rai na fedrwch chi eu hateb. Yna chwiliwch am yr ateb rywle yn Adran Un a'i ddysgu. Wedyn dechreuwch eto i weld a fedrwch chi ateb mwy na'r tro diwethaf.

1) Beth yw'r saith proses bywyd sy'n rhaid i bob peth byw eu gwneud?
2) Rhowch ddisgrifiad byr o bob proses.
3) Beth yw organeb?
4) Pa ddarn o offer fyddech chi'n ei ddefnyddio i edrych ar gell? Beth allwch chi ei wneud er mwyn gweld celloedd yn well?
5) Enwch dri pheth sydd mewn celloedd anifeiliaid a chelloedd planhigion.
7) Beth yw ystyr "arbenigedd cell"?
8) Rhowch bum enghraifft o gelloedd arbenigol gan nodi at beth y cawsant eu cynllunio.
9) Pam y mae angen cynffon ar sberm?
10) Beth y mae celloedd cilia yn amddiffyn?
11) Pam y mae gan ofa storfa fwyd?
12) Eglurwch ystyr a) meinwe b) organ c) system organau. Rhowch enghraifft o bob un.
13) Enwch bedwar prif organ planhigyn gan nodi eu swyddogaethau.
14) Pam y mae dail mor bwysig i blanhigyn?
15) Beth yw enw'r pigment gwyrdd sy'n bresennol ym mhob deilen?
16) Pa ran o'r planhigyn sy'n bwysig ar gyfer atgenhedlu?
17) Pa ran o'r planhigyn sy'n bwysig wrth angori'r planhigyn yn y ddaear?
18) Pa ddau beth y mae gwreiddiau yn amsugno?
19) Beth yw enw'r broses sy'n digwydd ym mhob cell gan ryddhau egni?
20) Enwch naw prif system organau'r corff dynol.
21) Enwch brif swyddogaeth pob un o'r naw prif system organau.
22) Brasluniwch y naw diagram ar gyfer y systemau organau hyn a'u labeli.
23) Pa system sy'n bwysig wrth dorri bwyd i lawr er mwyn i gelloedd allu amsugno'r maetholynnau?
24) Enwch dair rhan bwysig system cylchrediad y gwaed.
25) Sawl aren sydd gennym? Beth maen nhw'n ei wneud i'r gwaed?
26) Beth yw swydd sberm?
27) Faint o synhwyrau sydd gennym? Rhestrwch nhw.
28) Beth yw hormon?
29) Pa system sy'n amddiffyn ac yn cynnal y corff?
30) Enwch un rhan fregus o'r corff sy'n rhaid ei hamddiffyn.
31) Mae cyhyrau ynghlwm wrth ..... beth?

Maethiad

Maethiad yw'r hyn rydych chi'n ei fwyta – ac mae hynny'n bwysig dros ben i'ch iechyd. Bydd deiet cytbwys yn cynnwys bwyd o bob un o'r saith grŵp isod – gwnewch yn siwr eich bod chithau'n eu cael hefyd!

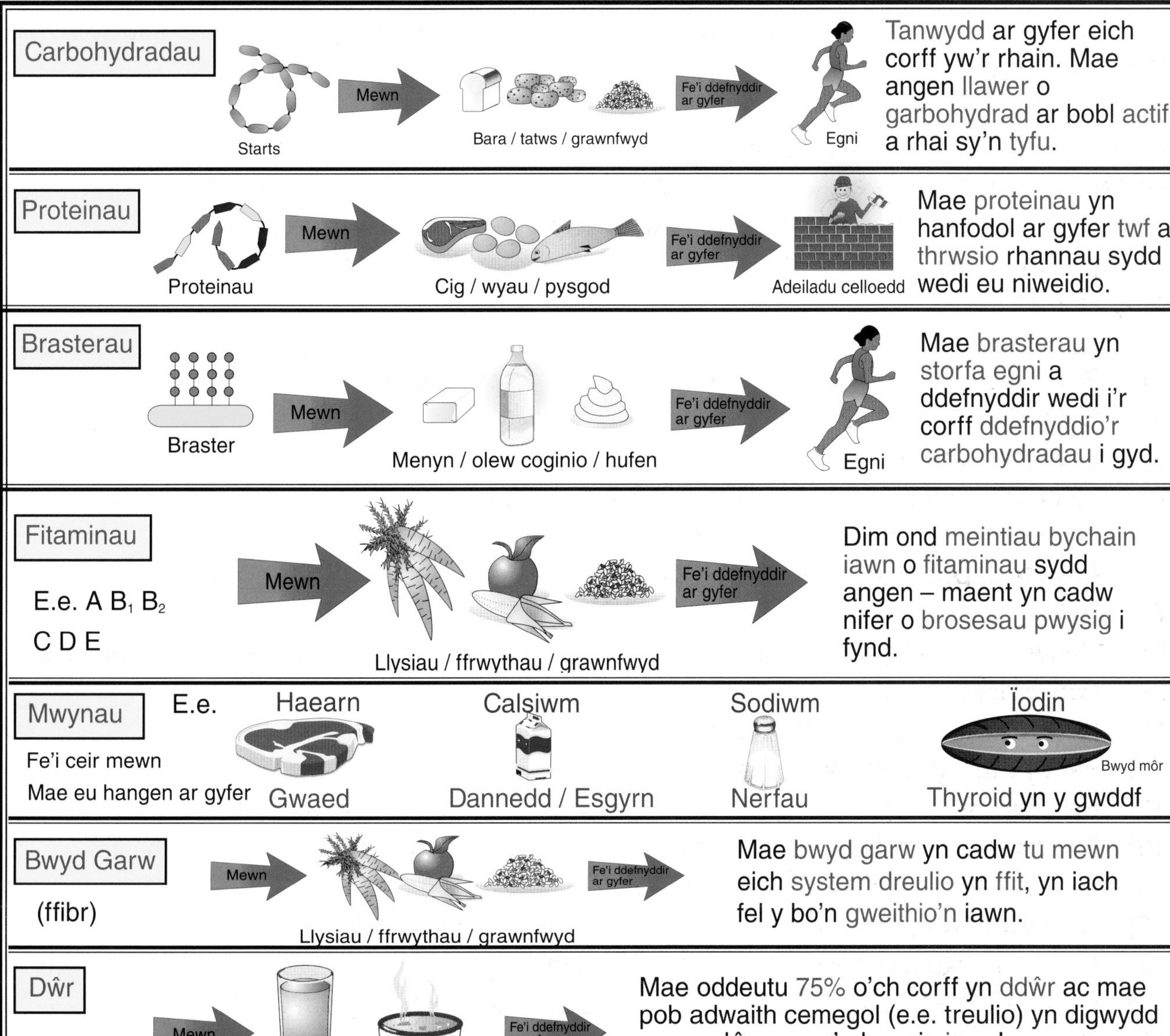

*Pedwar Prawf Bwyd **Diflas***

1) Y Prawf Ïodin ar gyfer STARTS

Wrth ddiferu hydoddiant ïodin brown ar y bwyd fe fydd yn troi'n ddu/las os oes STARTS ynddo.

2) Y Prawf Biuret ar gyfer PROTEIN

Ychwanegwch hydoddiant Sodiwm hydrocsid ac yna hydoddiant copr sylffad gwan. Os yw'r lliw glas golau yn troi'n borffor yna mae'n cynnwys PROTEIN.

3) Prawf Benedict ar gyfer SIWGRAU SYML

Berwch HYDODDIANT BENEDICT gyda'r bwyd – mae gwaddodiad oren yn arwydd bod SIWGRAU SYML yn bresennol.

4) Y Prawf Emwlsiwn-Alcohol ar gyfer BRASTERAU

Cymysgwch y bwyd gydag ethanol yna'i hidlo. Ychwanegwch yr hydoddiant clir at ddŵr. Mae emwlsiwn gwyn yn arwydd bod BRASTER yn y bwyd.

Wrth gwrs dim ond bara a dŵr oedd ar gael pan oeddwn i'n blentyn ...

Saith math o faetholyn, ymhle rydych chi'n debygol o ddod o hyd iddynt a beth yw eu dibenion. Dysgwch bob adran yn ei thro yna profwch eich hun gan ddefnyddio'r unig ddull sy'n gweithio – cuddiwch y dudalen ac ysgrifennwch y cyfan i lawr. Ewch ati am bum munud. Dysgwch y profion bwyd hefyd os ydych chi o ddifri.

Treuliad

Newid moleciwlau bwyd mawr anhydawdd yn rhai llai, hydawdd yw treuliad – er mwyn i'r corff fedru eu hamsugno a'u defnyddio.

Torri Bwyd i Lawr yw Treuliad

Mae dau gam yma. Mae'r cyntaf yn gyflym, dydy'r ail ddim:
1) Torri'r bwyd i lawr yn FECANYDDOL, e.e. ei gnoi gyda'r dannedd:
2) Torri'r bwyd i lawr yn GEMEGOL – gan ddefnyddio asiantau biolegol o'r enw ensymau.

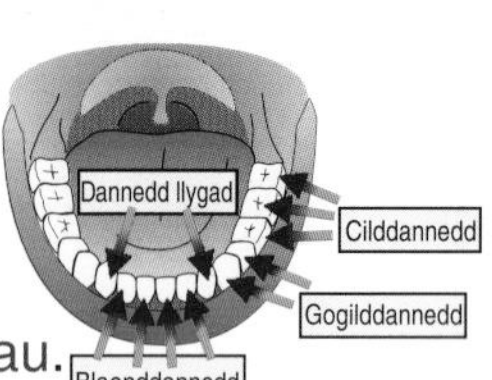

Wyth rhan y Llwybr Ymborth

1) Ceg

1) Mae treuliad yn dechrau yma wrth i'r dannedd gnoi'n dda a chymysgu'r bwyd gyda phoer – sy'n ensym carbohydras.
2) Mae hwn yn treulio starts yn glwcos.

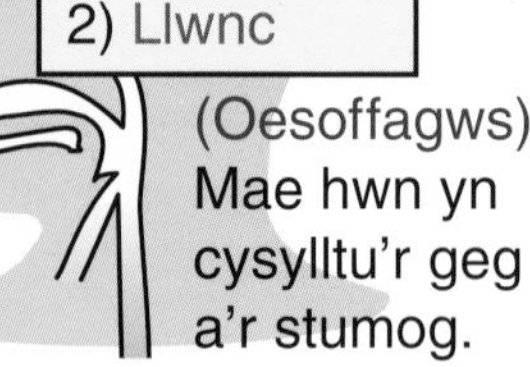

2) Llwnc

(Oesoffagws) Mae hwn yn cysylltu'r geg a'r stumog.

3) Stumog

1) Yma mae'r bwyd yn cymysgu gydag ensymau proteas sy'n treulio'r proteinau.
2) Mae asid hydroclorig yn bresennol er mwyn lladd bacteria a darparu pH isel i'r ensymau gael gweithio.

4) Afu / Iau

Mae'r afu'n cynhyrchu bustl sy'n emwlsio brasterau (eu torri i lawr). Mae'n alcalïaidd er mwyn darparu'r pH cywir ar gyfer yr ensymau yn y coluddyn bach.

5) Pancreas

Mae'r pancreas yn cynhyrchu tri ensym:
1) Mae PROTEas yn treulio PROTEin.
2) Mae CARBOHYDRAs yn treulio CARBOHYDRAdau.
3) Mae LIPas yn treulio LIPidau. – h.y. brasterau.

6) Coluddyn Bach

1) Mae hwn yn cynhyrchu mwy o ensymau er mwyn treulio proteinau, carbohydradau a brasterau ymhellach.
2) Caiff bwyd ei amsugo trwy wal y coludd i'r gwaed hefyd, ac mae hwn yn ei gludo o amgylch y corff at ba le bynnag y mae ei angen.

7) Coluddyn Mawr

Caiff dŵr ei amsugno yma fel na fyddwn ni'n crebachu i gyd.

8) Rectwm

Mae bwyd yn aml yn cynnwys cellwlos (deunydd planhigion na allwn ni ei dreulio), felly caiff ei storio ar ffurf ymgarthion. Yma daw'r stori dreulio i ben wrth iddo ddisgyn allan o'r anws – carthiad.

Ni all Moleciwlau Bwyd Mawr Basio trwy'r Cellfuriau

1) Defnyddir ensymau i dorri'r moleciwlau mawr yn rhai bychain.
2) Gall y moleciwlau bychain hyn basio trwy wal y coluddyn i'r gwaed. Yna maent yn pasio i mewn i'r celloedd i'w defnyddio.

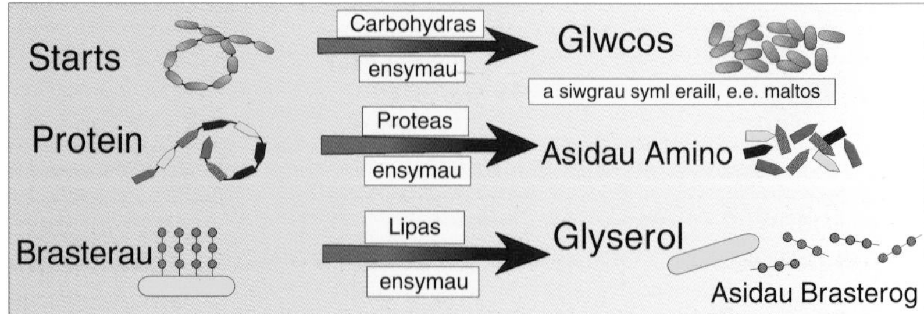

Yn union fel carcharorion, ni all bwyd basio trwy furiau celloedd...

Fel arfer, mae'r penawdau'n rhoi tipyn o wybodaeth, felly'r cam cyntaf yw cofio'r penawdau. Yna does dim ond rhaid i chi ddysgu'r holl fanylion sy'n perthyn i bob un. Ceisiwch gadw llun o'r dudalen gyfan yn eich meddwl yna dysgwch y manylion yn raddol wrth i chi ysgrifennu.

Amsugno a'r Arennau

Amsugno Moleciwlau Bwyd

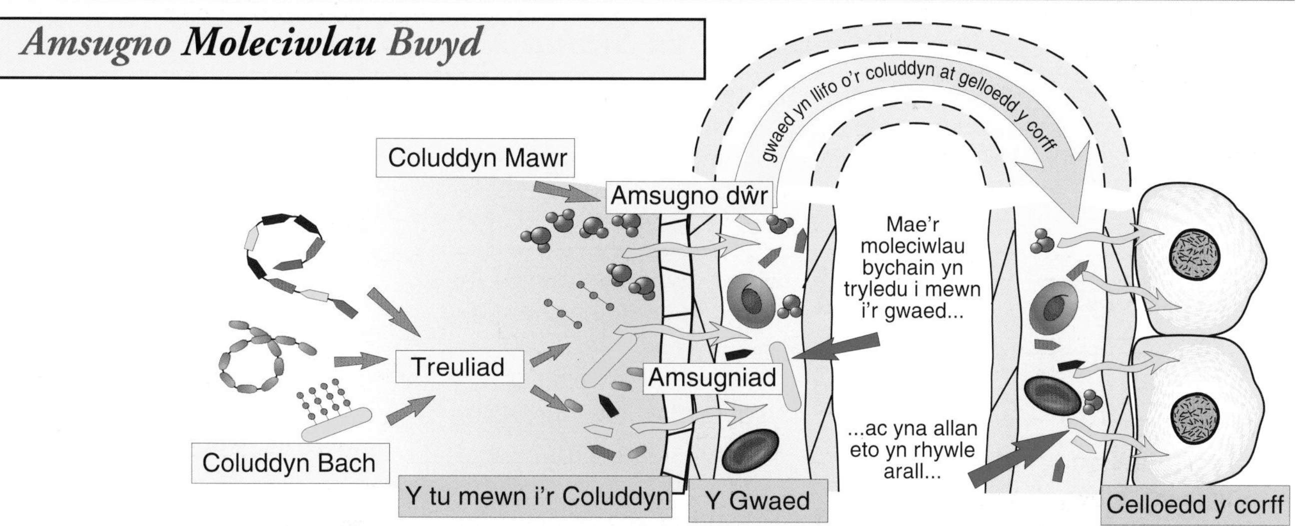

Mae'r Coluddyn Bach wedi ei orchuddio â Miliynau o Filysau

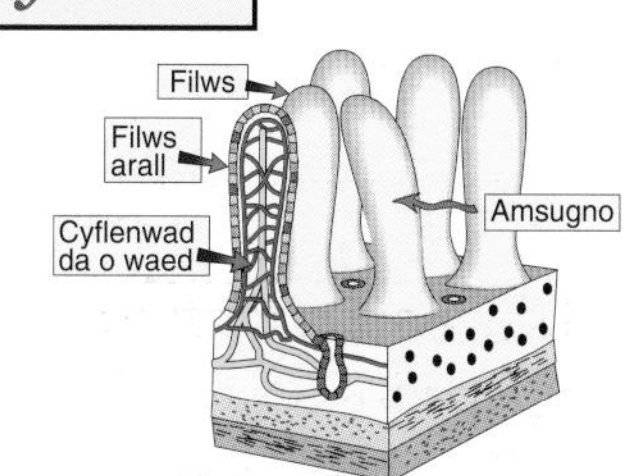

Ymestyniadau byseddol pitw sy'n leinio'r coluddyn bach yw FILYSAU.
Mae filysau'n berffaith ar gyfer amsugno bwyd oherwydd:

1) Bod ganddynt haen allanol denau o gelloedd.
2) Bod ganddynt gyflenwad da o waed.
3) Eu bod yn darparu arwynebedd arwyneb mawr ar gyfer amsugno.

Mae'r Arennau'n Glanhau'r Gwaed

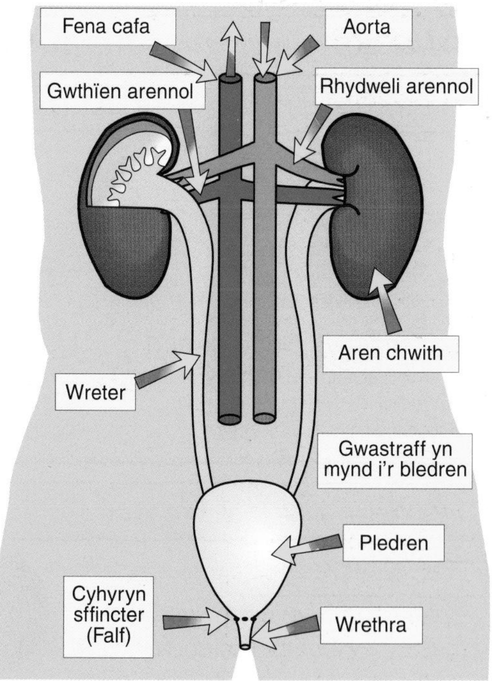

Wedi i'r celloedd ddefnyddio'r holl bethau da a ddaw o'r gwaed, maent yn gollwng y gwastraff i gyd yn ôl i'r gwaed. Swydd yr arennau yw hidlo'r cyfan allan rhag i ni gael ein gwenwyno.
Mae'r arennau'n gwneud tri gwahanol beth:

1) Gwaredu Wrea

1) Ni ellir storio proteinau, felly mae'r afu yn eu newid yn frasterau ac yn garbohydradau.
2) Cynnyrch gwastraff gwenwynig y broses hon yw wrea.
3) Caiff ei symud gan yr arennau a daw allan yn y troeth. (Fe'i ryddheir mewn chwys hefyd.)

2) Tynnu Ïonau allan o'r Gwaed

Mae angen symud ïonau fel sodiwm os oes gormod ohonynt o gwmpas ar ôl bwyta gormod o sglodion hallt.

3) Rheoli dŵr

Caiff faint o ddŵr sy'n mynd i'r bledren ei reoli gan yr arennau.

Rheoli dŵr – mae'n hawdd...

Gwnewch yn siŵr eich bod chi'n sylweddoli bod rhan ucha'r dudalen hon yn ymwneud â threuliad ac amsugno bwyd, tra bo'r hanner gwaelod yn ymwneud â'r pen arall – cael gwared â rhai o gynnyrch gwastraff y corff. Ceisiwch dynnu llun o'r dudalen yn eich pen a dysgwch y penawdau nes y gallwch eu hysgrifennu i lawr yn y mannau cywir ar eich cof. Yna gwnewch yr un fath gyda'r diagramau, yna'r manylion... am bum munud.

System Cylchrediad y Gwaed

Mae System Cylchrediad y Gwaed yn Symud Deunydd o amgylch y Corff

1) Mae system cylchrediad y gwaed yn cynnwys y galon a'r pibellau gwaed.
2) Ei phrif swyddogaeth yw cludo bwyd ac ocsigen i bob cell yn y corff.
3) Mae hefyd yn cludo'r deunydd gwastraff a gynhyrchir yn y corff.

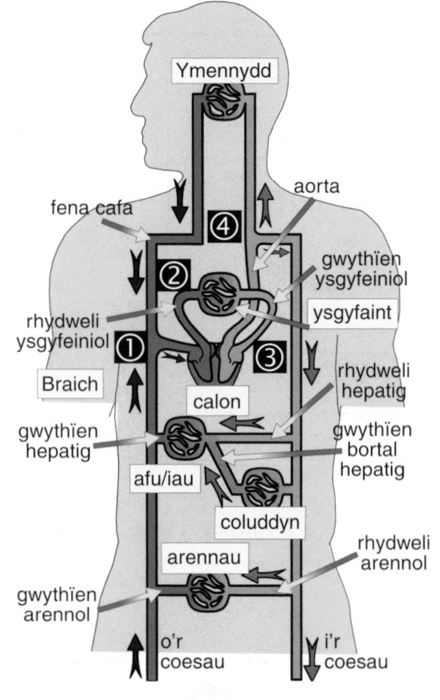

Cael yr Ocsigen

① Mae'r gwaed yn mynd i mewn i'r galon yn ddiocsigenedig.

② Yna caiff ei bwmpio i'r ysgyfaint er mwyn casglu ychydig o ocsigen.

③ Erbyn hyn mae'n ocsigenedig ac mae'n teithio yn ôl i'r galon.

④ Yna caiff ei bwmpio o amgylch y corff fel bod pob cell yn cael ei ocsigen angenrheidiol.

Yna bydd y system yn ailadrodd o gam ①

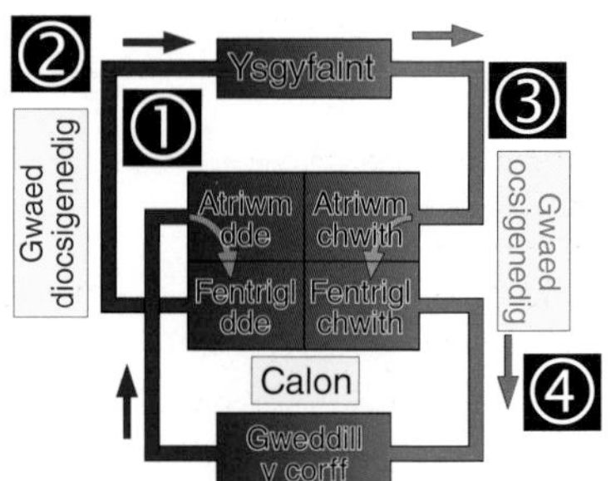

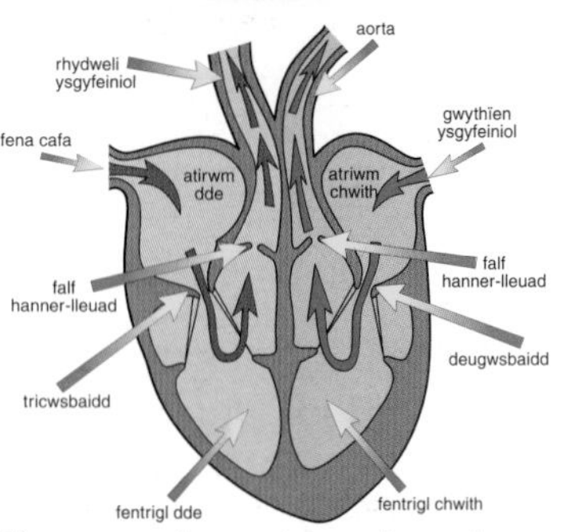

Pwmp arbennig yw'r galon.

Mae Rhydwelïau, Capilarïau a Gwythiennau i gyd yn Bibellau Gwaed

1) Rhydwelïau

Mae'r rhain yn cludo gwaed o dan wasgedd uchel, sy'n llawn ocsigen i ffwrdd o'r galon.

2) Capilarïau

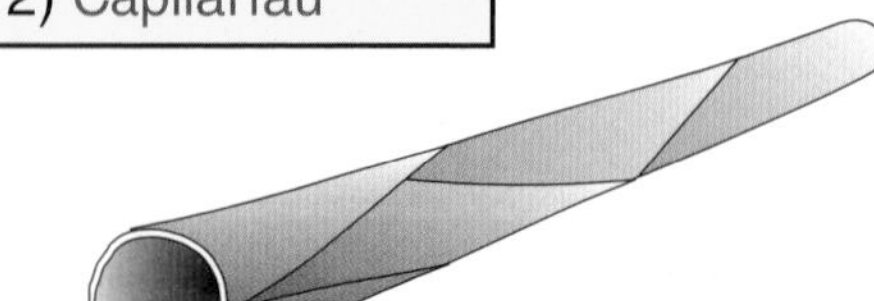

Mae gan y rhain furiau tenau sy'n gymorth wrth i fwyd, ocsigen a gwastraff basio trwyddo.

3) Gwythiennau

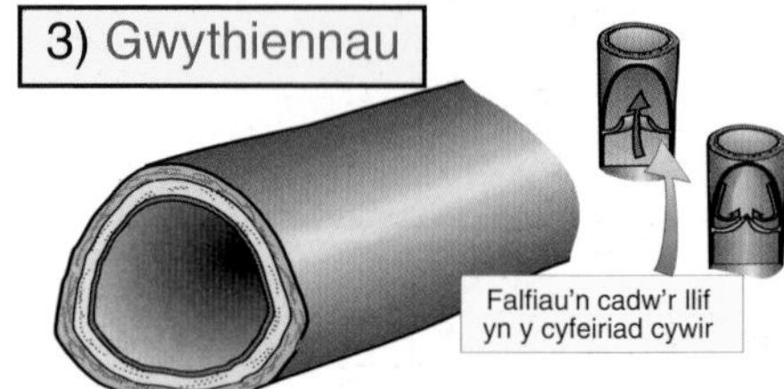

Mae'r rhain yn cludo gwaed ar wasgedd isel yn ôl at y galon. Mae'r gwaed yn y gwythiennau yn ddiocsigenedig (dim O_2).

Pedair rhan y Gwaed

1) Celloedd Coch

Mae'r rhain yn cynnwys haemoglobin sy'n cludo'r ocsigen yn y gwaed.

2) Plasma

Hylif sy'n cynnwys halwynau, siwgrau a phroteinau.

3) Celloedd Gwyn

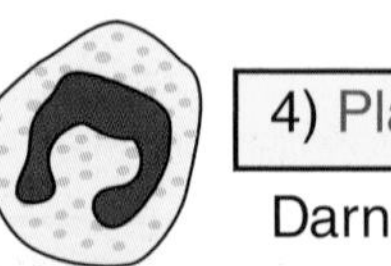

Mae'r rhain yn lladd microbau mewnfudol.

4) Platennau

Darnau o gelloedd marw sy'n helpu ceulo'r gwaed.

Does dim diwedd ar yr holl adolygu yma...

OK. Mae'r dudalen hon mewn tair prif ran, pob un yn cynnwys tri neu bedwar diagram. Ceisiwch gael llun o'r dudalen yn eich pen a dysgwch y penawdau. Yna cuddiwch y dudalen ac ysgrifennwch y cyfan i lawr oddi ar eich cof. Nawr dysgwch rai o'r manylion. Os ydych chi'n meddwl eich bod chi'n gwybod rhai ohonynt, cuddiwch y dudalen ac ysgifennwch...

Sgerbwd, Cymalau a Chyhyrau

Swyddogaethau'r Sgerbwd

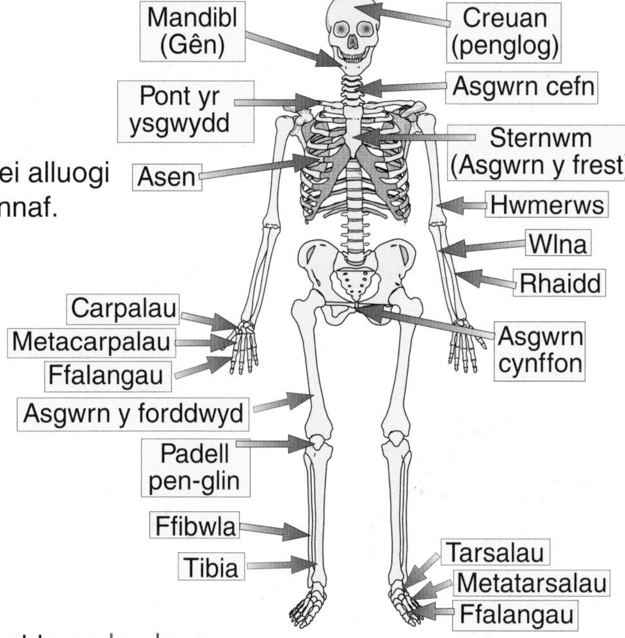

1) Amddiffyn

1) Mae meinwe asgwrn yn galed ac yn hyblyg.
2) Mae'r sgerbwd yn anhyblyg ac yn wydn er mwyn ei alluogi i amddiffyn organau bregus – yr ymennydd yn bennaf.

2) Cynhaliad

1) Mae'r sgerbwd yn darparu ffrâm anhyblyg i weddill y corff cael hongian oddi wrtho – yn union fel cambren ddillad.
2) Cynhelir y meinweoedd meddal i gyd gan y sgerbwd – mae hyn yn caniatáu i ni sefyll.

3) Symudiad

1) Mae esgyrn yn anhyblyg ac yn solid.
2) Mae hyn yn golygu y caiff cyhyrau eu clymu wrthynt trwy dendonau.

Y Cymalau sy'n ein galluogi ni i Symud

Mae tri math y dylech wybod amdanynt:

1) Cymalau ansymudol:

Ni allwch eu symud.

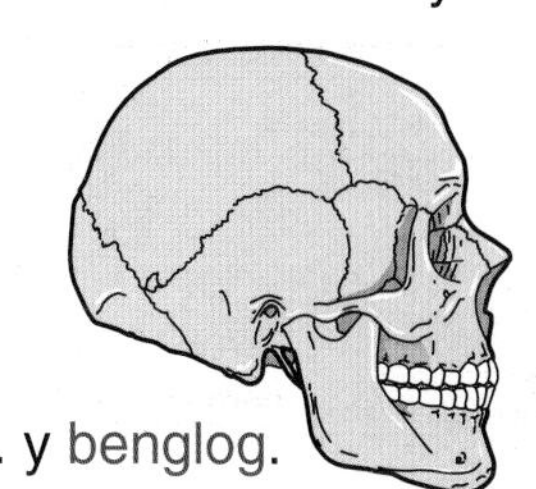

e.e. y benglog.

2) Ychydig yn symudol:

Gallwch eu symud – ychydig.

e.e. yr asgwrn cefn.

3) Cwbl symudol:

Gallwch eu symud – tipyn.
e.e. y ben-glin.

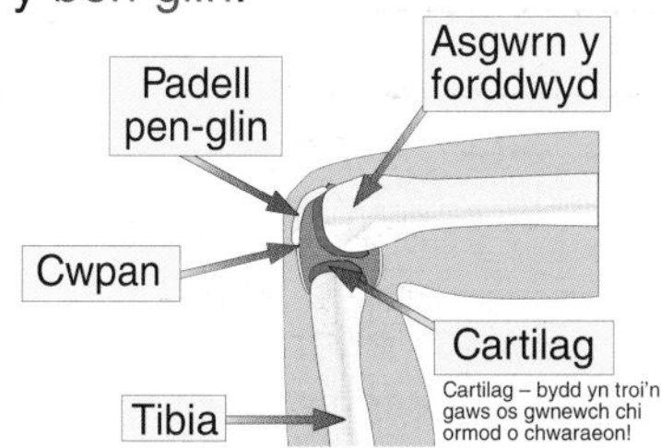

Mae Cyhyrau Gwrthweithiol yn Gweithio mewn Parau

1) Parau o gyhyrau sy'n gweithio yn erbyn ei gilydd yw cyhyrau gwrthweithiol.
2) Mae un cyhyryn yn cyfangu (byrhau) wrth i'r llall ymlacio (mynd yn hwy) ac i'r gwrthwyneb.
3) Cânt eu clymu wrth esgyrn gan dendonau. Mae hyn yn caniatáu iddynt dynnu ar yr asgwrn sydd wedyn yn gweithio fel lifer (gweler tud.84).
4) Mae un cyhyryn yn tynnu'r asgwrn i un cyfeiriad tra bo'r llall yn ei dynnu i'r cyfeiriad croes – gan beri symudiad wrth y cymal.

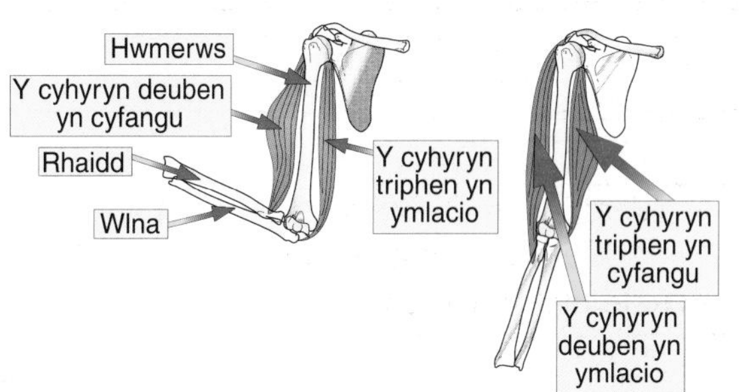

Corff heb esgyrn? – ydych chi erioed wedi gweld pabell heb bolion...

Tudalen arall i'w dysgu sy'n llawn ffeithiau i'ch cynhyrfu at fêr eich esgyrn. Gallech ddysgu enwau rhai o'r esgyrn trwy guddio'r labeli ar y diagramau – ond mae'r hyn y mae'r esgyrn, y cymalau a'r cyhyrau'n ei wneud lawer yn bwysicach – a dyna fyddan nhw'n ei ofyn i chi yn yr arholiad.

Tyfu

Pwy fyddai'n dewis bod yn eu harddegau? – plorod, hormonau, newid siâp, bod yn gas wrth bawb, siafio, gwaith cartref, cerddoriaeth tecno ac ar ben hyn oll – y rhieni gwaethaf YN YR HOLL FYD. Ceisiwch osgoi eich arddegau, da chi.

Hunllef Llencyndod

1) Mae glasoed yn digwydd pan ydych chi rhwng oddeutu 10 a 18.
2) Dyma'r adeg y bydd yr holl bethau hyfryd hyn yn dechrau digwydd i chi:

Bechgyn

1) Mae'r organau rhyw yn dechrau mynd yn fwy.
2) Mae'r ceilliau'n dechrau cynhyrchu sberm a hormonau.
3) Mae blew piwbig yn tyfu.
4) Mae blew yn tyfu ar yr wyneb, y frest a'r ceseiliau.
5) Mae'r llais yn dyfnhau (er mwyn dynwared yr athro'n well!).
6) Mae'r ymddygiad yn newid (e.e. bod yn ddiwardd).

Merched

1) Mae'r ofarïau yn dechrau rhyddhau wyau.
2) Mae'r ofarïau yn dechrau cynhyrchu hormonau.
3) Mae blew piwbig yn tyfu.
4) Mae'r mislif yn dechrau.
5) Mae'r bronnau yn mynd yn fwy.
6) Mae'r ymddygiad yn newid (e.e.tytian).

Mandyllau wedi Blocio sy'n achosi Plorod

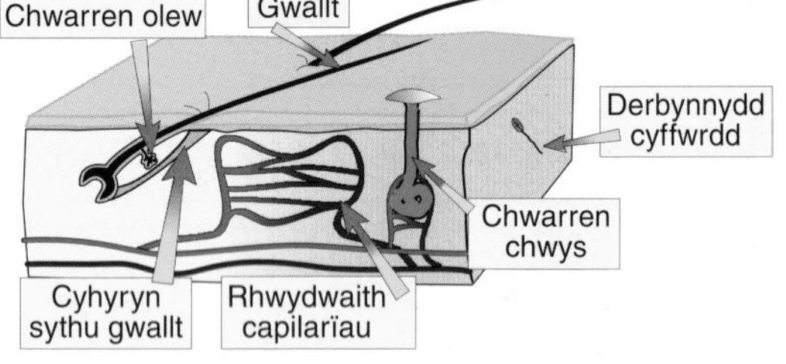

1) Caiff plorod eu hachosi wrth i sebwm flocio mandyllau.
2) Yn ystod llencyndod mae'r chwarennau olew yn tueddu i gynhyrchu llawer o sebwm – sylwedd olewaidd sy'n iro'r croen a'r gwallt. Mae hwn yn tueddu i flocio mandyllau ar yr wyneb gan achosi plorod.
3) Mae golchi'n rheolaidd yn symud sebwm sych a gall hyn leihau nifer y plorod.

Y System Genhedlu Ddynol

Gwryw

Tiwb o'r bledren
Chwarennau
Dwythell sberm
Wrethra
Meinwe sythu
Pen y pidyn
Blaengroen (all gael ei dynnu oddi yno)
Caill
Ceillgwd

1) Gwneir sbermau yn y ceilliau trwy'r amser wedi glasoed.
2) Mae'r pidyn yn codi wrth i waed lifo i'r meinwe sythu. (Gweler y diagram gyferbyn.)
3) Mae'r sbermau'n cymysgu gyda hylif arall i ffurfio semen a gaiff ei alldaflu o'r pidyn yn ystod cyfathrach rywiol.

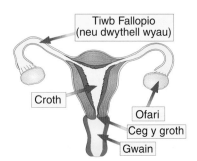

Benyw

Tiwb Fallopio (neu dwythell wyau)
Croth
Ofari
Ceg y groth
Gwain

1) Mae un o'r ddau ofari yn cynhyrchu wy bob 28 diwrnod.
2) Mae'n symud i'r ddwythell wyau (neu'r tiwb Fallopio) lle gall gyfarfod â sberm, sydd wedi mynd i'r wain yn ystod cyfathrach rywiol (a elwir weithiau yn ymgydiad).
3) Os na chaiff ei ffrwythloni gan sberm, bydd yr wy yn marw wedi diwrnod ac yn pasio allan trwy'r wain.

Pwy sydd eisiau bod yn eu harddegau...

Dwi'n amau na fyddwch chi'n cael llawer o drafferth cofio'r rhan fwyaf o hyn. Er hyn, peidiwch â cholli marciau hawdd. Efallai y cewch chi gwestiwn yn gofyn am bum newid sy'n digwydd i fechgyn a merched yn ystod y glasoed. Os na ddysgwch chi'r rhai a restrir uchod, gallech golli marciau hawdd. Yn anffodus, dwi ddim yn meddwl y cewch chi unrhyw ddiolch am geisio bod yn ddoniol.

Y Gylchred Fislifol

Mae'r Gylchred Fislifol yn para 28 Niwrnod

1) Gan ddechrau yn y glasoed, mae cyfres o ddigwyddiadau misol yn digwydd i fenywod – gelwir yr holl ddigwyddiadau hyn yn GYLCHRED FISLIFOL.
2) Mae hyn yn golygu paratoi'r groth rhag ofn iddi dderbyn wy wedi ei ffrwythloni.
3) Os nad yw hyn yn digwydd, yna bydd yr wy a leinin y groth yn torri i lawr a chânt eu colli o'r corff trwy'r wain dros gyfnod o dri i bedwar niwrnod, fel arfer.

Pedwar Cam y Gylchred Fislifol

Caiff y prif ddigwyddiadau eu crynhoi yn y diagram isod. Gwnewch yn siŵr eich bod chi'n gwybod beth sy'n digwydd a pha bryd y mae'n digwydd trwy gydol y gylchred 28 niwrnod.

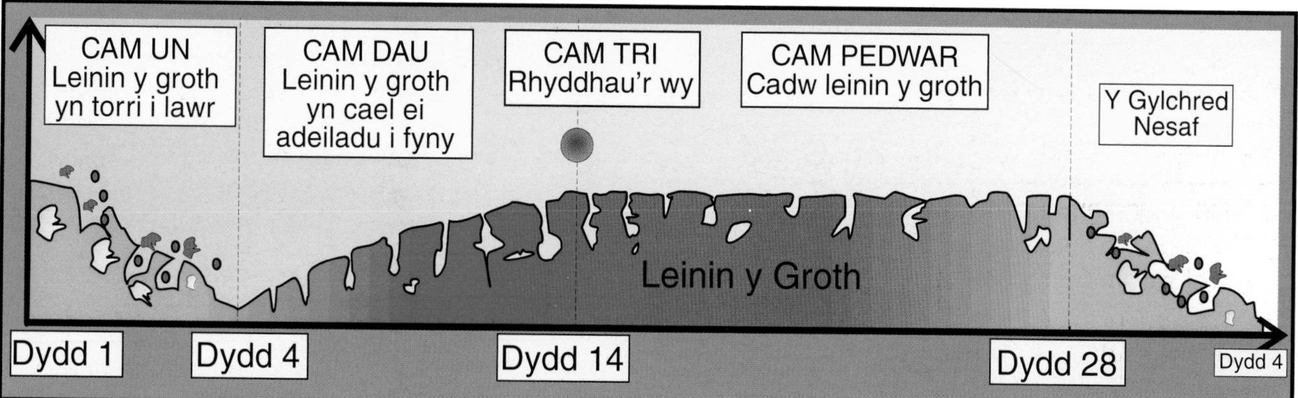

Dydd 1

GWAEDU'N CYCHWYN wrth i leinin y groth dorri i lawr a phasio allan drwy'r wain – dyma'r "MISLIF".

Dydd 4

Mae leinin y groth yn dechrau adeiladu i fyny eto. Mae'n tewhau'n haen sbwngaidd sy'n llawn o bibellau gwaed yn barod ar gyfer MEWNBLANIAD. (Gweler tud. 14)

Dydd 14

Caiff wy ei ryddhau o ofarïau'r fenyw, felly dyma'r adeg FWYAF TEBYGOL y gall y fenyw feichiogi. (Gall y diwrnod hwn amrywio o un fenyw i'r nesaf).

Dydd 28

Mae'r wal yn dal yn drwchus wrth aros am wy wedi ei ffrwythloni. Os nad yw hyn yn digwydd bydd y leinin yn torri i lawr ac yn pasio allan drwy'r wain. Yna bydd y gylchred gyfan yn dechrau eto.

Gofalwch ddysgu'r gylchred fislifol...

Mae tipyn o fanylion i'w dysgu yma. Peidiwch â meddwl y gallwch chi daflu cipolwg drosto i'w ddysgu. Rhaid i chi wneud yn siŵr wedi i chi "orffen" eich bod chi'n gwybod yn union beth yw'r pedwar cam – a pha bryd y maent yn digwydd. Gwnewch yn siŵr hefyd y medrwch chi dynnu'r diagram i gyd gan gynnwys yr holl fanylion ar eich cof. Am hwyl...

Geni Baban

Ffrwythloni a Datblygu

1) Ofylu

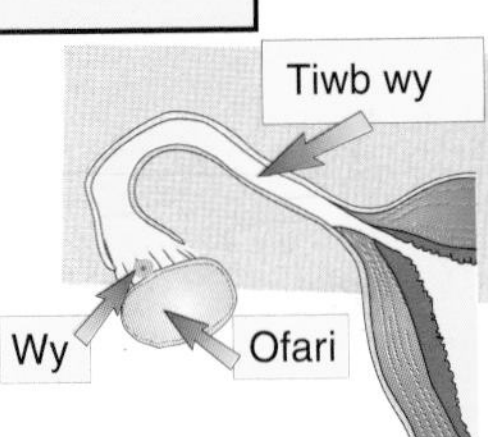

Caiff wy ei ryddhau o'r ofari (tua dydd 14).

2) Ymgydio

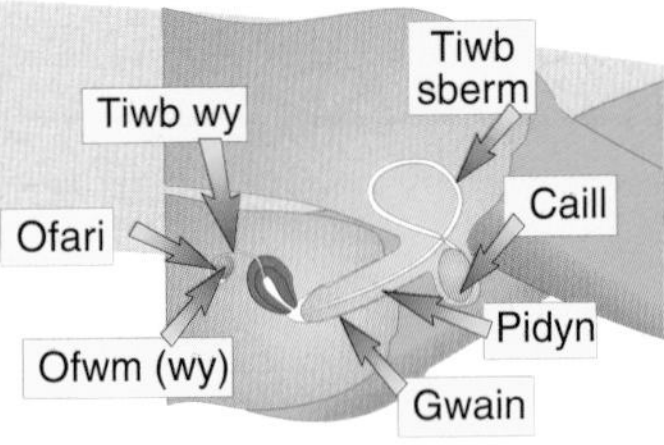

Caiff miliynau o sbermau eu rhyddhau o bidyn y dyn i wain y ddynes yn ystod cyfathrach.

3) Ffrwythloni

Caiff yr wy ei ffrwythloni wrth i niwclysau'r wy a'r sberm gyfuno.

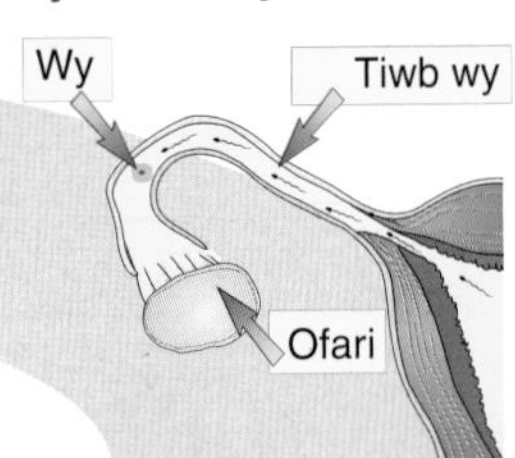

Gelwir yr wy sydd wedi ei ffrwythloni yn SYGOT.

4) Cellrannu

24 AWR wedi'r ffrwythloni mae'r wy ffrwythlon yn rhannu'n ddau. Wedi oddeutu 4 DIWRNOD bydd yr wy wedi rhannu'n 32 cell. Erbyn hyn fe'i gelwir yn EMBRYO.

5) Mewnblannu

Oddeutu un wythnos ar ôl ffrwythloni, bydd yr embryo'n dechrau mewnosod ei hun yn wal y groth. Bydd yr embryo wedi'i FEWNBLANNU pan fydd wedi'i osod ei hun yn llwyr yn wal y groth.

Datblygiad yr Embryo

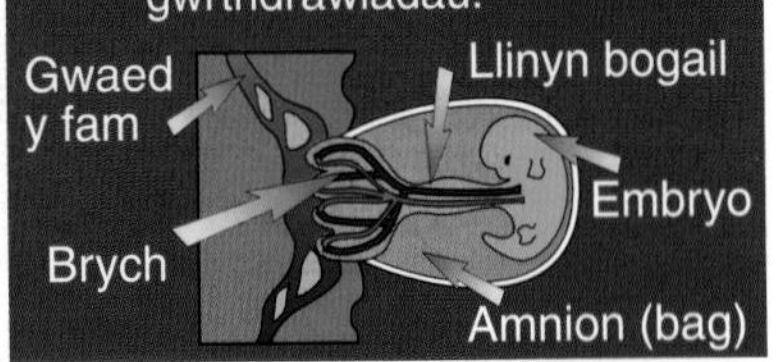

Y Brych
1) Mae hwn yn gadael i waed y ffoetws a'r fam ddod yn agos iawn at ei gilydd i ganiatáu amnewid bwyd, ocsigen a deunydd gwastraff.
2) Mae hefyd yn amddiffyn rhag gwrthdrawiadau.
Gwaed y fam
Llinyn bogail
Embryo
Brych
Amnion (bag)

1 Mis

Mae'r embryo 6mm o hyd ac mae ganddo ymennydd, calon, llygaid, clustiau a choesau.

9 Wythnos

Mae'r corff oddeutu 25mm o hyd ac wedi ffurfio'n llwyr – erbyn hyn fe'i gelwir yn FFOETWS.

3 Mis

Mae'r ffoetws 54mm o hyd ac yn edrych tipyn mwy tebyg i faban.

5 Mis

Erbyn hyn mae oddeutu 160mm o hyd. Mae'n cicio a gellir teimlo ewinedd ei fysedd.

7 Mis

Mae'r ffoetws 370mm o hyd ac yn 'HYFYW'. Mae hyn yn golygu bod ganddo siawns dda o fyw os caiff ei eni nawr.

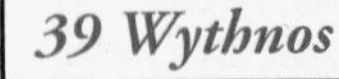

39 Wythnos

Mae'r baban oddeutu 520mm o hyd. Mae wedi datblygu'n llwyr ac yn barod i'w ENI.

Triwch ddysgu'r cyfan neu mi fyddwch chi'n flin...

Wel, mae 'na un peth sy'n sicr – mae nifer o ddiagramau del ar y dudalen hon! Gwnewch yn siŵr eich bod chi'n dysgu'r pum pennawd ac yna'r manylion ar gyfer pob un. Dylech ymarfer yn y modd arferol trwy ysgrifennu popeth i lawr oddi ar eich cof. Yna dysgwch fanylion sylfaenol datblygiad y ffoetws – h.y. ei faint yn fras ar bob un o'r chwe cham uchod. Ceisiwch weld beth fedrwch chi ysgrifennu i lawr.

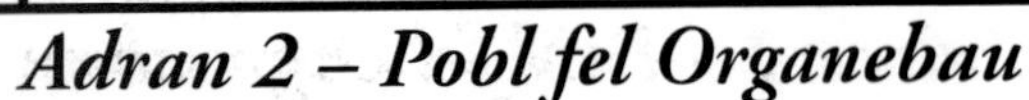

Anadlu

Sachau Mawr o Aer yw'r Ysgyfaint

Mae'r ysgyfaint yn berffaith ar gyfer amsugno nwyon:

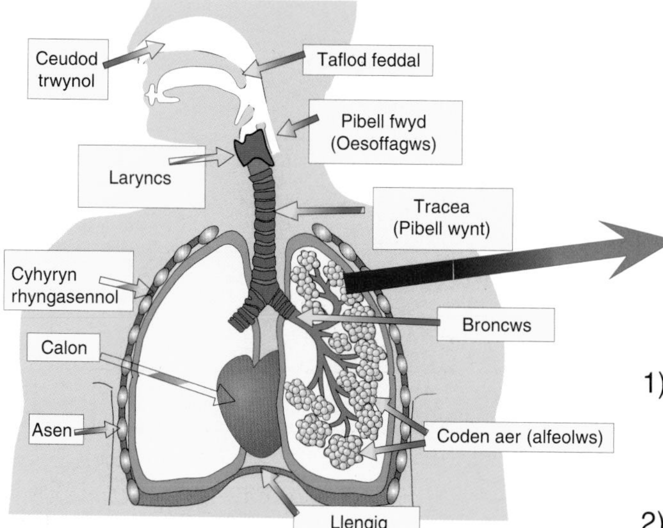

1) Mae ganddynt arwynebedd arwyneb mewnol mawr.
2) Maent yn llaith.
3) Mae ganddynt gyflenwad da o waed.

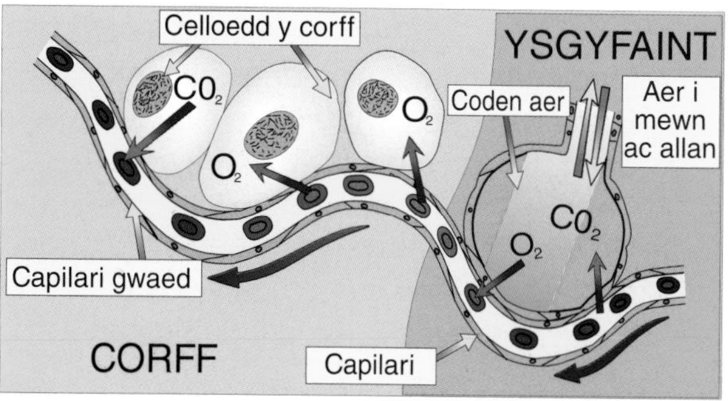

1) Mae ychydig o'r ocsigen a gaiff ei anadlu i mewn yn pasio i lif y gwaed er mwyn ei ddefnyddio ar gyfer resbiradaeth (Gweler tud. 17).
2) Cynnyrch gwastraff resbiradaeth yw carbon deuocsid. Caiff ei basio allan o'r gwaed yn yr ysgyfaint ac yna'i anadlu allan.

Mecanwaith Anadlu

Aer yn llifo i mewn
Balwnau'n llenwi fel ysgyfaint
Tynnu i lawr

Mae'r Glochen yn dangos yr hyn sy'n digwydd wrth i chi anadlu:

1) Yn gyntaf, tynnwch y llen rwber i lawr – yn union fel eich llengig.
2) Mae hyn yn cynyddu'r cyfaint y tu mewn i'r glochen.
3) Mae aer yn llifo i mewn i lenwi'r cyfaint ychwanegol, – mae hyn yn debyg i anadlu i mewn.
4) Gadewch i'r llen rwber fynd – mae hyn fel ymlacio'r llengig.
5) Mae cyfaint y jar yn lleihau ac felly bydd aer yn llifo allan. Da ynte...

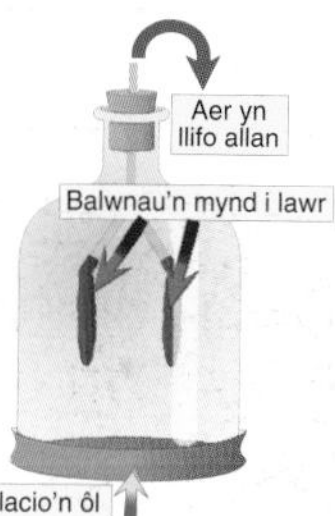

Mewnanadlu ac Anadlu Allan

1) Mae ceudod y frest yn union fel y glochen.
2) Mae'r llengig yn symud i lawr ac mae'r asennau yn symud i fyny. Mae hyn yn cynyddu'r cyfaint ac felly bydd aer yn llifo i mewn.
3) Wrth i'r llengig symud i fyny a'r asennau symud i lawr bydd aer yn llifo allan.

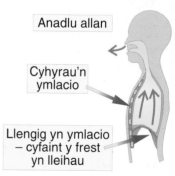

Anadlu i mewn (mewnanadlu)
Cyhyrau'n tynnu'r asennau i fyny ac allan
Cyhyrau'n tynnu'r llengig i lawr er mwyn gwneud cyfaint y frest yn fwy

Anadlu allan
Cyhyrau'n ymlacio
Llengig yn ymlacio – cyfaint y frest yn lleihau

	Aer i mewn %	Aer allan %
Ocsigen	21	16
Carbon deuocsid	0.04	4
Nitrogen	79	79
Anwedd dŵr	Amrywiol	Lot fawr

Mae llai o ocsigen a mwy o garbon deuocsid yn yr aer a anadlir allan oherwydd caiff ocsigen ei ddefnyddio a chaiff carbon deuocsid ei gynhyrchu yn y corff (gweler tud. 17).

Dysgwch y dudalen ddifyr hon – mae fel chwa o wynt ffres...

Mae dau ddiagram eithaf manwl ar ben y dudalen, ac mae'n rhaid eu dysgu. Bydd rhaid i chi ddysgu'r enwau rhyfedd hyn i gyd yn y pen draw, felly waeth i chi ddechrau nawr. Gwnewch yn siŵr hefyd eich bod chi'n gwybod pam y mae'r ysgyfaint yn gweithio cystal. Yna dysgwch sut y mae anadlu'n gweithio a gwnewch yn siŵr eich bod chi'n deall y berthynas rhwng yr arbrawf gyda'r glochen a'ch ysgyfaint chi. Dysgwch, cuddiwch ac ysgrifennwch.

Smygu

Un Arbrawf Smygu Difrifol

1) Gellir gweld ychydig o'r budreddi a ddaw allan o sigaréts wrth dynnu mwg y sigarét trwy wlân gwydr glân.

2) Mae'r canlyniadau'n dangos y caiff y gwlân ei staenio'n fuan iawn gan dar du erchyll. Mae'r thermomedr yn dangos cynnydd cyflym yn y tymheredd hefyd.

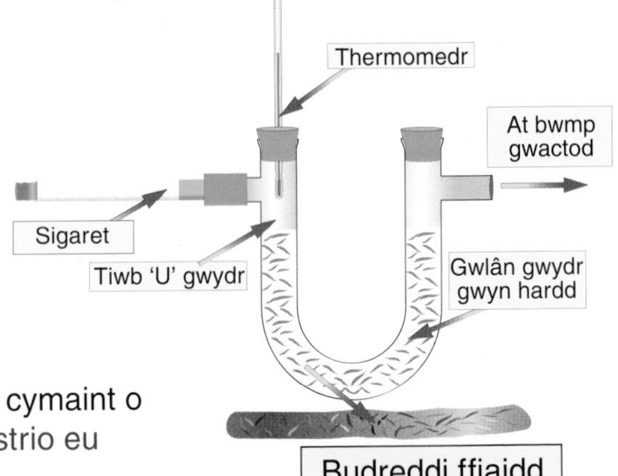

Budreddi ffiaidd

3) Un dirgelwch mawr yn yr oes sydd ohoni yw pam y mae cymaint o bobl yn dal i fod ddigon gwirion i ddechrau smygu a dinistrio eu hysgyfaint gyda budreddi du ffiaidd.

Mae Smygu'n Dinistrio'ch Ysgyfaint gyda Thri Math o Fudreddi

1) Nicotin

Mae hwn yn gyffur caethiwus sy'n cynyddu curiad y galon, yn culhau'r rhydwelïau ac felly'n achosi pwysedd gwaed uchel. Mae hyn yn arwain at glefyd y galon.

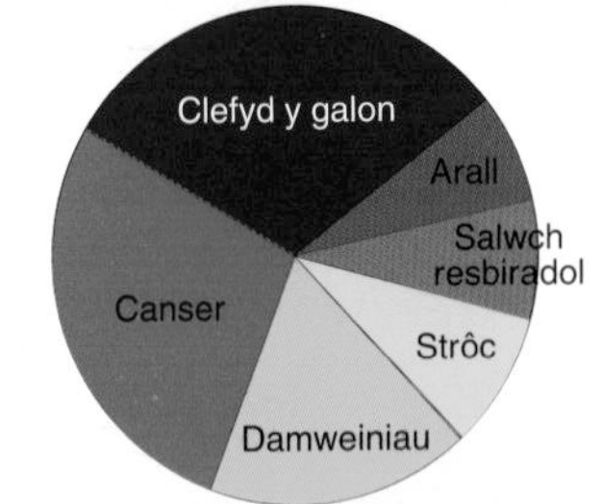

Achosion Marwolaethau yn y D.U. (y rhan fwyaf yn gysylltiedig â smygu)

2) Tar

Mae hwn yn glynu wrth leinin yr ysgyfaint gan leihau eu gallu i gymryd ocsigen i mewn. Mae hefyd yn cynnwys carsinogenau sy'n achosi canser.

3) Carbon Monocsid

Nwy gwenwynig yw hwn sy'n cyfuno â chelloedd coch y gwaed gan eu hatal rhag cludo ocsigen o amgylch y corff.

Naw Rheswm Gwych dros Ddechrau Smygu'n Nawr...

1) Colli synnwyr arogli.
2) Dannedd wedi staenio ac oglau drwg ar eich gwynt.
3) CANSER y geg a'r llwnc.
4) CANSER yr ysgyfaint.
5) CANSER y stumog.

Wel – dyna "Mr Cŵl" i chi!

6) Clefyd y galon.
7) Emffysema (Colli gywnt)
8) Mwy o besychu ac anwydydd na phawb arall.
9) Mae hefyd yn costio £2,000 y flwyddyn i'r gŵr hwn.

Buasai'n dda gen i pe bawn i'n ddigon clyfar i ddechrau smygu...

Wel, mae nifer mawr o fanylion bach ar y dudalen hon sy'n rhaid eu dysgu. Mae'n bosib iddynt ofyn cwestiwn i chi ar rai o fanylion cynhwysion drwg mwg sigarét, a pha fath o broblemau iechyd y gallant eu hachosi. Efallai eich bod chi wedi sylwi ar neges gudd gynnil y tu ôl i'r holl fanylion hyn.

Resbiradaeth

Adwaith Cemegol yw Resbiradaeth

1) Adwaith cemegol sy'n digwydd y tu mewn i bob cell pob planhigyn a phob anifail yw resbiradaeth.
2) Ceir resbiradaeth wrth i glwcos (neu siwgrau eraill) adweithio gydag ocsigen er mwyn rhyddhau egni.
3) Mae'r adwaith yn cynhyrchu carbon deuocsid a dŵr yn sgil-gynhyrchion.
4) NID ANADLU yw resbiradaeth – dim ond tynnu aer i mewn i'r ysgyfaint yw anadlu.

Yr Hafaliad ar gyfer Resbiradaeth

Dysgwch yr hafaliad hwn yn dda:

Glwcos + Ocisgen → Carbon deuocsid + dŵr + Egni

$$C_2H_{12}O_6 + 60_2 \rightarrow 6C0_2 + 6H_20 + \text{Egni}$$

H_2O, CO_2 ac Egni yw Cynnyrch Resbiradaeth

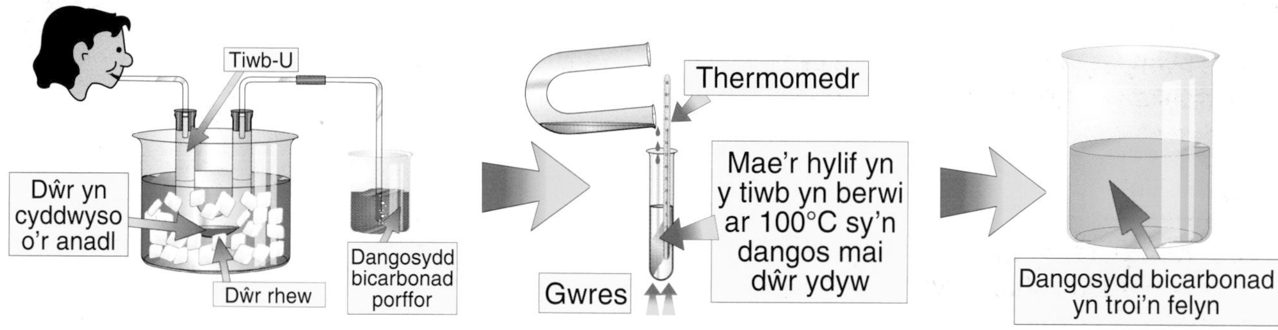

1) Wrth i chi anadlu allan i mewn i'r tiwb bydd yr anwedd dŵr yn eich anadl yn oeri ac yn cyddwyso yn y tiwb "U". Cynhyrchir llawer o'r dŵr gan resbiradaeth yng nghelloedd eich corff.

2) Mae'r aer a anadlir allan wedyn yn mynd i mewn i'r tiwb sy'n cynnwys dangosyddion bicarbonad. Mae hwn yn brawf am garbon deuocsid.

3) Gallwch brofi mai dŵr yw'r hylif:
   a) Trwy gasglu digon i wirio ei fod yn berwi ar 100°C. Neu
   b) Trwy ei ychwanegu at bapur cobalt clorid glas – os yw'n troi'n binc yna mae'n ddŵr.

4) Mae'r carbon deuocisd yn yr anadl yn troi'r bicarbonad yn felyn – tipyn yn gynt nag aer cyffredin yn pasio trwyddo. (Gellir defnyddio dŵr calch hefyd – gweler tud. 71).

Defnyddir Egni er mwyn...

Gweithio...

...Ymlacio...

a Chwarae...

Defnyddir egni ar gyfer y canlynol hefyd: cellrannu, cymryd mwynau i mewn, tyfu, trwsio.

Resbiradaeth – mae'n waith caled, tydi...

Gall fod yn anodd deall syniad resbiradaeth. Am ryw reswm, mae nifer o bobl yn tueddu i feddwl ei fod yn golygu "anadl i mewn ac allan" – na na na na na. Troi glwcos yn egni yw resbiradaeth – dyma y mae pob cell yn ei wneud trwy'r amser. Dysgwch NAWR.

Iechyd

Mae Iechyd yn fwy nag Absenoldeb Heintiau yn unig

Mae iechyd da yn golygu eich bod chi'n iach fel cneuen yn gorfforol ac yn feddyliol. Mae hyn yn golygu bod angen Y DDAU hyn:
1) Corff iach sy'n gweithio'n iawn heb unrhyw heintiau.
2) Cyflwr meddyliol iach lle gallwch ymdopi â phob agwedd ar fywyd.

Dylech ofalu am eich corff:

A) Trwy fwyta deiet cytbwys.
B) Trwy wneud digon o ymarfer corff.
C) Trwy beidio â chamddefnyddio cyffuriau.

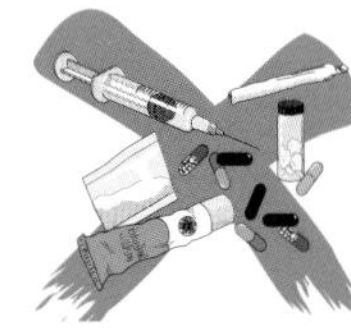

Cyffuriau

1) Mae unrhyw beth sy'n effeithio ar y modd y mae'r corff yn gweithio yn gyffur. E.e. Gallant godi cyfradd curiad y galon neu effeithio ar y golwg.
2) Mae yno GYFFURIAU CYFREITHLON a CHYFFURIAU ANGHYFREITHLON. Mae aspirin, caffîn a gwrthfiotig yn enghreifftiau o gyffuriau cyfreithlon. Mae canabis, sbîd ac ecstasi yn enghreifftiau o gyffuriau anghyfreithlon.
3) Mae'r rhan fwyaf o FODDION yn cynnwys CYFFURIAU – ond nid yw pob CYFFUR yn FODDION. E.e. Gall moddion lemon poeth i wella annwyd gynnwys y cyffur paracetamol sy'n lleihau symptomau annwyd – ond mae fodca'n cynnwys y cyffur alcohol, sydd wrth gwrs DDIM yn foddion. Mae tybaco'n cynnwys nicotin sydd eto'n gyffur ond nid yw'n foddion. (Gweler tud. 16)

Hydoddyddion

1) Gellir canfod hydoddyddion yn unrhyw gartref – mewn pethau fel paent, aerosolau a gludion.
2) Maent yn gyffuriau oherwydd eu bod yn achosi rhithweledigaethau, sef rhithiau'r meddwl. Mae hydoddyddion fel arfer yn effeithio'n ddrwg ar yr ymddygiad a phersonoliaeth.
3) Maent hefyd yn achosi niwed mawr i'r ysgyfaint, yr ymennydd, yr afu a'r arennau.

Alcohol

1) Ceir hyd i alcohol mewn cwrw, gwinoedd a gwirodydd. Mae'n anghyfreithlon ei brynu o dan 18 oed.
2) Mae'n gyffur gostyngol er ei fod yn rhoi'r teimlad o golli swildod.
3) Mae'n wenwyn sy'n effeithio ar yr ymennydd a'r afu a gall arwain at amryw o broblemau iechyd.
4) Mae'n amharu ar farn pobl a gall arwain at ddamweiniau. Mae hefyd yn gaethiwus dros ben.

Cyffuriau Anghyfreithlon – peryglus, caethiwus ac yn difrodi bywydau

1) Mae ecstasi ac LSD yn gyffuriau anghyfreithlon. Gall ecstasi roi'r teimlad o egni di-ben-draw a gall hyn arwain at orboethi, dadhydradu ac weithiau MARWOLAETH.
2) Datblygwyd Heroin a Morffin yn gyffuriau lleddfu poen. Er hyn canfuwyd eu bod yn hynod o gaethiwus. Gall y ddau beri i fywyd person ddirywio'n arw.
3) Mae amffetamin (Spîd) a Methedrin ill dau yn symbylyddion. Maent yn peri teimlad o egni di-ben-draw. Er hyn mae defnyddwyr yn fuan yn ffisiolegolaidd ddibynnol ar y cyffur, (h.y. yn credu eu bod eu HANGEN), felly mae'r ymddygiad a'r bersonoliaeth yn dirywio.
4) Cyffuriau gostyngol yw ***barbiturates***. Maent yn arafu'r system nerfol ac felly'n arafu amser adweithio. Gallant gynorthwyo cwsg ond gall eu cymryd fynd yn arferiad.

Nid hwyl diniwed yw cyffuriau – ond llethr llithrig...

Mae nifer o fanylion yma. Rwy'n amau y byddant yn gofyn am lawer ohonynt mewn arholiad. Yr hyn y maent yn debygol o'i eisiau yw gwybod eich bod chi'n sylweddoli peryglon cyffuriau anghyfreithlon. Dysgwch hwn yn dda.

Ymladd Clefydau

Ceir Clefyd pan fo'r Iechyd yn Ddiffygiol

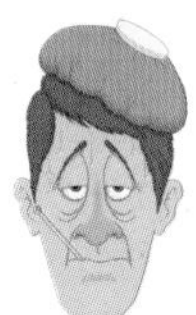

1) Clefyd yw unrhyw gyflwr lle mae ffordd y corff o weithio yn newid er gwaeth.
2) Wrth i ficrobau fynd i mewn i'r corff gallant achosi clefyd gan wneud i chi deimlo'n sâl.
3) Nid yw pob clefyd yn heintus (wedi ei ddal) – gall y corff gamweithio e.e. clefyd y siwgr.

Microbau Pitw yw Bacteria a Firysau

Firysau

'Pen' protein a chanddo wybodaeth enetig y tu mewn
Cynffon brotein

1) Firysau yw'r microbau lleiaf, (1/1000,000mm).
2) Llinynnau o wybodaeth enetig gyda chôt brotein ydynt.
3) Maent yn mynd i mewn i feinwe byw ac yn cymryd cellodd drosodd, gan achosi iddynt weithgynhyrchu miliynau o gopïau ohonynt.
4) Gallant ryddhau gwenwynau gan wneud i chi deimlo'n sâl.
5) Nid yw gwrthfiotigau yn eu heffeithio.
6) Enghreifftiau o firysau: Anwydydd, Ffliw, Brech yr Ieir, Rwbela (brech Almaenig), Polio.

Bacteria

1) Mae bacteria yn fwy, (1/1000mm).
2) Celloedd byw ydynt ac fe'u ceir yn y rhan fwyaf o lefydd.
3) Mae rhai ohonynt yn ddiniwed ond gall eraill achosi clefyd.
4) Maent yn ymosod ar feinwe'r corff neu'n rhyddhau gwenwynau gan wneud i chi deimlo'n sâl.
5) Mae gwrthfiotigau yn effeithiol yn eu herbyn.
6) Enghreifftiau o facteria: Gwenwyn Bwyd, Tetanws, Y Pas, Dolur Gwddf.

Mae Celloedd Gwyn yn ymosod ar Ficrobau mewn Tair Ffordd:

1) Trwy Fwyta (Amlyncu) Microbau

Mae celloedd gwyn yn llythrennol yn bwyta microbau – ac mae hyn yn rhoi taw arnynt unwaith ac am byth.

Cell gwyn
Amser cinio...
Microb
Antigenau ar yr wyneb
GG
Dyna fi wedi fy niwtralu
Gwylia di, mae rhywbeth am ein llyncu!
Ai tocsin wyt ti?
Na, pam wyt ti'n gofyn?

2) Trwy Gynhyrchu Gwrthgyrff

Mae gwrthgyrff yn niwtralu microbau. Gallant hefyd beri i ficrobau dyrru at ei gilydd nes iddynt gael eu bwyta.

3) Trwy Niwtralu Gwenwynau neu Docsinau

Mae microbau yn aml yn cynhyrchu gwenwynau y tu mewn i chi. Mae celloedd gwyn yn niwtralu'r gwenwynau.

Meddu ar y Gwrthgyrff Cywir yw Imiwnedd Naturiol ac Artiffisial

A) Imiwnedd Naturiol

1) Caiff gwrthgyrff eu pasio ymlaen o'r fam i'r epil trwy'r brych neu trwy laeth y fron.

2) Mae person yn gwneud gwrthgyrff wedi i ficrobau heintio'r corff.

B) Imiwnedd Artiffisial (Caffaeledig)

3) GODDEFOL: Caiff brechlyn, sy'n cynnwys microbau marw neu rai wedi eu haddasu, ei chwistrellu mewn i'r person gan beri i'w gorff gynhyrchu gwrth gyrff yn barod at yr amser y bydd heintiad iawn yn digwydd.

4) ACTIF: Caiff serwm sy'n cynnwys gwrthgyrff ei chwistrellu'n uniongyrchol i mewn i berson er mwyn ei helpu i ymladd yr heintiad.

Ych-a-fi – yr holl bethau bach ffiaidd yna y tu mewn i chi...

Mae pedair prif adran ar y dudalen hon. Canolbwyntiwch arnynt bob yn un. Dysgwch y pennawd yna dychmygwch sut olwg sydd arno. Yna ceisiwch ddysgu'r holl fanylion. Yn olaf cuddiwch y gwaith i weld faint fedrwch chi ysgrifennu i lawr eto. Gwnewch hyn sawl gwaith gya'r un adran am oddeutu tair munud.

Crynodeb Adolygu ar gyfer Adran Dau

Wel, mae yna dipyn o stwff yn Adran Dau – popeth oeddech chi eisiau ei wybod am ddyn, a thipyn mwy heblaw hynny, greda i. Nawr mae'n rhaid i chi ei ddysgu. Ac unwaith eto rydw i wedi paratoi rhagor o gwestiynau gwych i'ch diddanu chi. Nid rhai cyffrous, rhai gwych. Cofiwch, bydd yn rhaid i chi ddod yn ôl at y cwestiynau hyn drosodd a thro er mwyn gweld faint ohonynt fedrwch chi eu hateb. Cofiwch hefyd, dim ond yma i brofi'r ffeithiau sylfaenol, syml y maent. Iawn, dewch i ni gael gweld faint ydych chi wedi ei ddysgu...

1) Enwch bob un o'r saith math o fwyd mewn deiet cytbwys.
2) Beth yw pwysigrwydd pob un o'r mathau hyn o fwyd yn y corff?
3) Ar gyfer pob un o'r saith math o fwyd, rhowch dair enghraifft o fwydydd sy'n eu cynnwys.
4) Beth yw treuliad a pham y mae'n bwysig?
5) Enwch wyth prif ran y llwybr ymborth.
6) Dywedwch beth sy'n digwydd ym mhob un o'r wyth rhan.
7) Pam na all moleciwlau mawr basio trwy furiau celloedd? Beth sy'n rhaid digwydd iddynt yn gyntaf?
8) Beth mae system cylchrediad y gwaed yn ei wneud? Beth yw ei phrif swyddogaeth?
9) Enwch dair swyddogaeth arennau. Beth fyddai'n digwydd pe na bai gennym ni arennau?
10) Disgrifiwch sut y mae gwaed yn codi ocsigen o'r ysgyfaint a'i ddanfon o amgylch y corff.
11) Enwch y tri math o bibell waed. Rhowch ddau brif nodwedd pob un.
12) Enwch bedair rhan y gwaed. Disgrifiwch waith pob un ohonynt.
13) Rhowch dair swyddogaeth y sgerbwd.
14) Rhowch enw gwyddonol ar gyfer a) gên, b) asgwrn y frest, c) bysedd, ch) penglog.
15) Enwch y tri math o gymal. Beth yw'r gwahaniaeth rhyngddynt?
16) Beth yw cyhyrau gwrthweithiol?
17) Eglurwch yn nhermau "cyfangiad cyhyrau" sut y medrwch chi symud eich braich i fyny ac i lawr.
18) Rhestrwch chwe newid mewn bechgyn a merched yn ystod hunllef llencyndod.
19) Beth sy'n achosi plorod?
20) Ym mhle y caiff sbermau eu gwneud? Ym mhle y caiff wyau eu gwneud?
21) Beth yn union yw ffrwythloni? Pam y mae mor bwysig i fywyd?
22) Amlinellwch bedwar prif gam y gylchred fislifol gan nodi pa bryd y maent yn digwydd.
23) Rhestrwch bum peth sy'n rhaid digwydd cyn y gall embryo dynol ddechrau datblygu.
24) Disgrifiwch sut olwg sydd ar embryo wedi:
    1 mis, 9 wythnos, 3 mis, 5 mis, 7 mis, 39 wythnos.
25) Esboniwch sut y mae arbrawf y glochen yn cymharu â'r modd yr ydym ni'n anadlu aer i mewn ac allan.
26) Rhestrwch bedwar peth cas mewn sigaréts gan nodi'n fanwl pa broblemau iechyd a achosir ganddynt.
27) Rhestrwch naw rheswm da dros beidio â smygu.
28) Beth yw resbiradaeth? Ysgrifennwch yr hafaliadau geiriau a symbolau ar gyfer resbiradaeth.
29) Sut allwch chi ddangos bod resbiradaeth yn ffurfio carbon deuocsid a dŵr?
30) Beth arall gaiff ei ryddhau yn ystod resbiradaeth? Pam y mae hwn yn bwysig a sut y caiff ei ddefnyddio?
31) Beth yw ystyr bod yn iach? Enwch dair ffordd o sicrhau bywyd iach.
32) Beth yw cyffuriau? Enwch dri chyffur cyfreithlon a thri chyffur anghyfreithlon. (Cadwch draw!)
33) Beth yw clefyd? Rhestrwch chwech o nodweddion a) firws b) bacteria.
34) Rhestrwch y tair ffordd y mae celloedd gwyn yn ymladd microbau.
35) Sut y caiff rhywun a) imiwnedd naturiol b) imiwnedd artiffisial?

Maethiad Planhigion

MEDDYLIWCH am hyn: Mae planhigion yn gwneud eu bwyd eu hunain – tric da os medrwch chi ei wneud.

Mae Ffotosynthesis yn Gwneud Bwyd o Olau'r Haul

1) Proses gemegol sy'n digwydd ym mhob planhigyn gwyrdd yw ffotosynthesis.
2) Yn syml iawn, mae ffotosynthesis yn cynhyrchu bwyd- ar ffurf glwcos, ($C_6H_{12}O_6$).
3) Yna gall y planhigyn ddefnyddio'r glwcos i gynyddu ei fiomas – h.y. i dyfu.
4) Mae ffotosynthesis yn digwydd yn y darnau gwyrdd i gyd, ond yn bennaf yn y dail.

Yr Hafaliad ar gyfer Ffotosynthesis – dysgwch e'n dda

$$\text{Carbon deuocsid} + \text{dŵr} \xrightarrow{\text{GOLAU'R HAUL}} \text{Glwcos} + \text{Ocisgen}$$

$$6CO_2 + 6H_2O \xrightarrow{\text{CLOROFFYL}} C_6H_{12}O_6 + 6O_2$$

Mae angen Pedwar Peth ar gyfer Ffotosynthesis

1) Golau'r Haul

2) Cloroffyl
Y peth gwyrdd sy'n newid dŵr a charbon deuocsid yn glwcos ac ocsigen.

Glwcos
caiff ei storio ar ffurf starts neu ei gludo trwy'r gwythiennau at ranau eraill y planhigyn.

Ocisgen
Mae hwn yn tryledu trwy dyllau bychain (mandyllau stomataidd).

4) Carbon deuocsid
mae hwn yn tryledu trwy'r tyllau (mandyllau stomataidd).

3) Dŵr
mae hwn yn teithio o'r gwreiddiau.

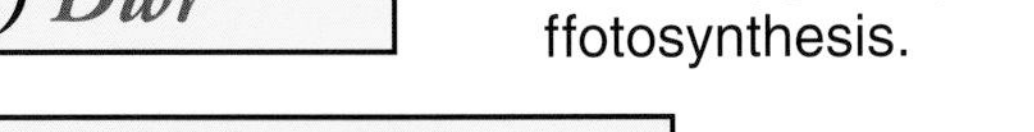

– Po fwyaf o olau sydd ar gael, y cyflymaf mae ffotosynthesis yn digwydd.

2) Dŵr

– Mae diffyg dŵr yn arafu ffotosynthesis.

3) Tymheredd

– Oddeutu 30°C yw'r tymheredd optimwm. Mae ffotosynthesis yn dal i weithio'n dda hyd at oddeutu 40°C. Wedi iddo gynhesu dros 40°C mae'n arafu'n gyflym.

– Os caiff paraffin ei losgi mewn tŷ gwydr bydd lefelau'r CO_2 yn codi ac felly hefyd gyfradd ffotosynthesis – sy'n gwneud i blanhigion dyfu.

Hmm, clyfar dros ben – cofiwch ei ddysgu...

Y gwir yw mai'r peth anoddaf ynglŷn â ffotosynthesis yw ei sillafu. Mae pedair adran yma. Dysgwch y penawdau ar gyfer y pedair nes y medrwch chi eu hysgrifennu oddi ar eich cof. Yna dysgwch y manylion ar gyfer yr adrannau, un ar y tro a'u hysgrifennu ar eich cof.

Arbrawf Ffotosynthesis

1) Os yw planhigyn mewn golau cryf bydd yn gwneud ffotosynthesis ac yn cynhyrchu glwcos.
2) Mae'n trawsnewid y glwcos hwn yn syth yn starts sy'n haws ei storio.
3) Felly gallwn brofi a yw rhan o blanhigyn wedi bod yn gwneud ffotosynthesis trwy brofi a oes starts ynddo. Dyma'r prawf starts byd-enwog.

Y Prawf Starts Byd-enwog

Y syniad y tu ôl i hwn yw amddifadu rhan o blanhigyn naill ai o olau neu garbon deuocsid am oddeutu diwrnod ac yna'i brofi ar gyfer starts. Rydym ni'n defnyddio ïodin sy'n troi'n **ddu** wrth gyffwrdd â starts. Astudiwch yr arbrawf hwn yn ofalus a dysgwch y manylion i gyd.

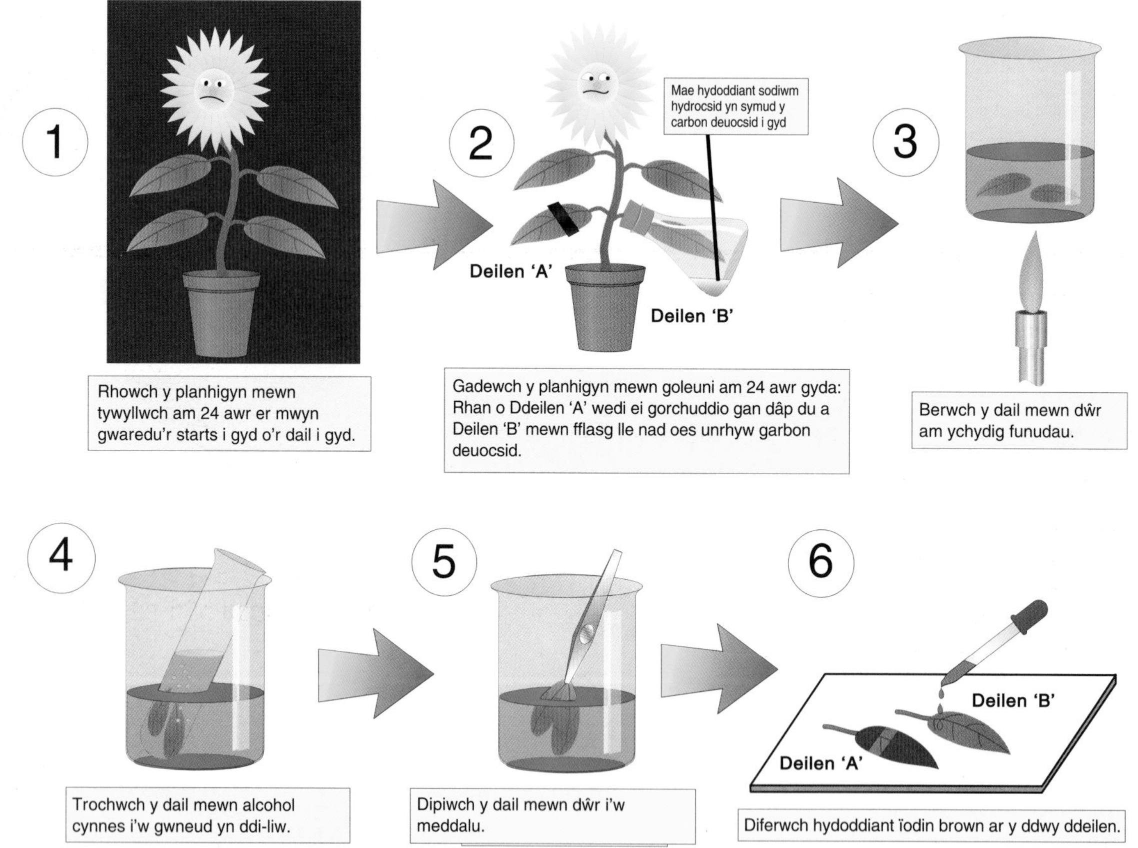

1
Rhowch y planhigyn mewn tywyllwch am 24 awr er mwyn gwaredu'r starts i gyd o'r dail i gyd.
2
Mae hydoddiant sodiwm hydrocsid yn symud y carbon deuocsid i gyd
Deilen 'A'
Deilen 'B'
Gadewch y planhigyn mewn goleuni am 24 awr gyda: Rhan o Ddeilen 'A' wedi ei gorchuddio gan dâp du a Deilen 'B' mewn fflasg lle nad oes unrhyw garbon deuocsid.
3
Berwch y dail mewn dŵr am ychydig funudau.
4
Trochwch y dail mewn alcohol cynnes i'w gwneud yn ddi-liw.
5
Dipiwch y dail mewn dŵr i'w meddalu.
6
Deilen 'B'
Deilen 'A'
Diferwch hydoddiant ïodin brown ar y ddwy ddeilen.

CANLYNIADAU – beth i edrych amdano:

1) Mae ïodin yn troi'n **ddu** ar y darnau sydd wedi bod yn ffotosyntheseiddio (gwneud bwyd).
2) Os yw'r ïodin yn aros yn frown does dim starts yn bresennol – sy'n golygu nad oedd y rhan honno o'r planhigyn yn ffotosyntheseiddio – oherwydd a) dim golau neu b) dim carbon deuocsid.
3) Ni chafodd y rhan o'r ddeilen a orchuddiwyd gan dâp du unrhyw olau, – ac ni chafodd y ddeilen yn y fflasg unrhyw garbon deuocsid. Felly doedd y darnau hynny ddim wedi ffotosyntheseiddio – a dyna pam nad oedd starts yn bresennol.
4) A dweud y gwir, wrth symud naill ai golau neu garbon deuocsid neu ddŵr neu gloroffyl daw ffotosynthesis i ben.

Starts – dim byd anodd yma...

OK. Peidiwch â chymysgu. Mae ffotosynthesis yn cynhyrchu glwcos sy'n newid yn gyflym yn starts. Gallwch brofi a oes starts mewn deilen trwy ddefnyddio ïodin. Wrth rwystro unrhyw un o'r pedwar hanfodyn rhag cyrraedd darnau o blanhigyn yna caiff ffotosynthesis ei atal a bydd yr ïodin yn aros yn frown. Hawdd.

Twf Planhigion

Mae planhigion yn tyfu wrth ddefnyddio bwyd y maent yn ei wneud eu hunain trwy ffotosynthesis. Ond er mwyn cadw'n iach mae angen tri mwyn pwysig arnynt a gânt o'r pridd trwy eu gwreiddflew.

Mae Gwreiddflew yn tynnu dŵr a Mwynau Hanfodol i mewn

1) Mae'r gwreiddflew yn darparu arwynebedd arwyneb mawr ar gyfer amsugno'n dda.
2) Mae ganddynt gellbilen denau sydd hefyd yn cynorthwyo'r amsugno.
3) Maent yn amsugno dŵr a thri mwyn hanfodol:
   a) nitradau
   b) ffosffadau
   c) potasiwm

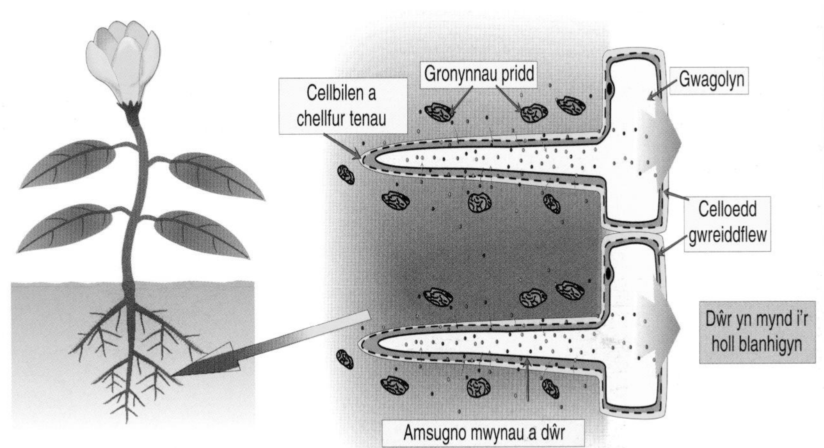

Y Tri Mwyn Hanfodol: NPK

Nitradau, ffosffadau a photasiwm yw'r tri phrif fwyn sydd eu hangen ar blanhigion. Os na chaiff planhigyn y rhain o'r pridd, bydd yn dangos SYMPTOM DIFFYG:

1) Nitradau

Mae nitradau'n darparu nitrogen sy'n angenrheidiol ar gyfer gwneud proteinau.

Planhigyn bach a chanddo ddail hŷn melyn.

2) Ffosffadau

Mae ffosffadau'n darparu ffosfforws sy'n angenrheidiol ar gyfer ffotosynthesis a resbiradaeth.

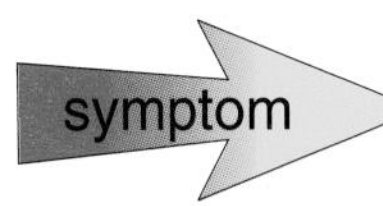

Twf gwreiddiau gwael a dail iau porffor.

3) Potasiwm

Mae potasiwm yn cynorthwyo asiantau biolegol o'r enw ensymau i weithio'n iawn. Mae angen yr ensymau hyn ar gyfer ffotosynthesis a resbiradaeth.

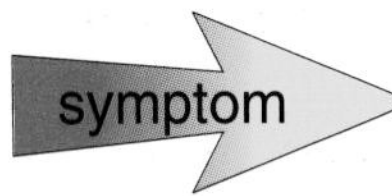

Dail melyn a chanddynt ddarnau marw.

Dyna chi – cymerwch y cyfan i mewn...

Nodwch y gwahaniaeth os gwelwch chi'n dda – mae planhigion yn gweithgynhyrchu eu bwyd eu hunain yn eu dail – does braidd dim angen pridd arnynt o gwbl. Nid ydynt yn cael eu 'bwyd' o'r pridd – dim ond llawer o ddŵr a mymryn bach o'r mwynau pwysig – a dweud y gwir dylid medru tyfu coeden gyfan mewn bwced o ddŵr mwyn. Rhyfedd o fyd! Dysgwch ac ysgrifennwch nes eich bod chi'n gwybod y cyfan.

Atgenhedlu Mewn Planhigion

Y Blodyn sy'n dal yr Organau Atgenhedlu

1) Brigerau

Y brigerau yw rhannau gwrywaidd y blodyn. Maent yn cynnwys yr anther (sy'n cynnwys gronynnau paill – y celloedd rhyw gwrywaidd) a'r ffilament (sy'n cynnar yr anther).

2) Carpelau

Rhannau benywaidd y blodyn. Maent yn cynnwys y stigma, y golofnig a'r ofari.

Mae'r ofari'n cynnwys ofwlau (sy'n dal y celloedd rhyw benywaidd, yr ofa).

3) Petalau

Mae'r rhain yn aml yn lliwgar iawn. Maent yn atynnu'r pryfed sydd eu hangen ar gyfer peilliad.

4) Sepalau

Mae'r rhain yn wyrdd ac yn debyg i ddail. Maent yn amddiffyn y blodyn a'r blaguryn. Fe'u canfyddir o dan y prif betalau.

Yn ystod "Peilliad" rhaid i'r Paill gyrraedd y Carpel

1) Er mwyn gwneud hedyn rhaid i ronyn paill ac ofwm "gyfarfod".
2) Er mwyn gwneud hyn rhaid i baill deithio o friger at garpel. Gall hyn ddigwydd mewn un o ddwy ffordd:

1) Hunanbeilliad

– caiff paill ei drosglwyddo o'r briger i'r stigma ar yr UN PLANHIGYN.

2) Trawsbeilliad

– caiff paill ei drosglwyddo o friger un planhigyn i stigma GWAHANOL BLANHIGYN.

Peilliad gan Bryfed

Nodweddion planhigion sy'n cynorthwyo peilliad gan bryfed:

1) Petalau lliwgar.
2) Blodau persawrus a chanddynt neithdarleoedd.
3) Stigma gludiog i dynnu'r paill oddi ar y pryfyn wrth iddo fynd o un planhigyn i'r nesaf i fwydo yn y neithdarleoedd.
4) Cynhyrchu ychydig bach o baill.

Peilliad gan y Gwynt

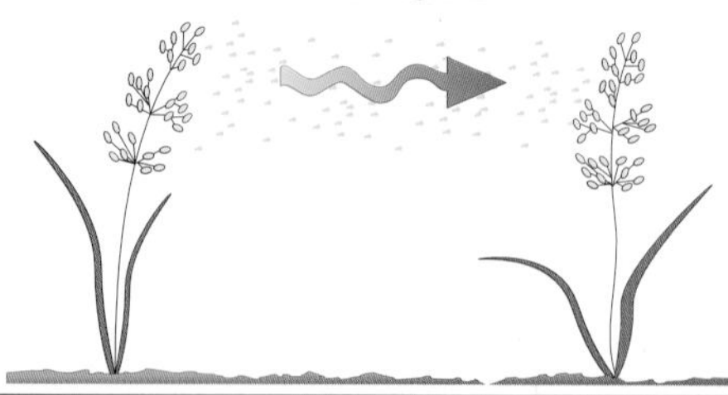

Nodweddion planhigion sy'n defnyddio'r gwynt i'w peillio.

1) Petalau bychain, diflas ar y blodyn fel arfer.
2) Dim arogl na neithdar.
3) Mae ffilamentau hir yn cadw'r antherau y tu allan i'r blodyn fel y gall y paill chwythu i ffwrdd.
4) Mae'r stigmâu yn bluog er mwyn dal paill wrth iddo hwylio heibio ar y gwynt.

Does dim angen gwenyn i beillio yn y gwynt...

Naw darn o flodyn i'w dysgu ac wedyn popeth sydd i'w wybod am beilliad. Mae'n siŵr eich bod chi'n adnabod y drefn erbyn hyn – yn gyntaf dysgwch y penawdau nes y medrwch eu gosod allan ar ddarn o bapur A4 fel uchod. Yna ychwanegwch y diagramau ynghyd â'r labeli (mor flêr ag y mynnwch). Yn olaf dysgwch y manylion. A chofiwch wenu! ☺

Ffrwythloni a Ffurfio Hadau

Cyfuno Celloedd Rhyw yw Ffrwythloni

1) Mae paill planhigyn yn gywerth â sberm dyn.
2) Mae gronynnau paill yn glanio ar stigma aeddfed gydag ychydig o gymorth wrth y gwynt neu bryfyn. Yna mae tiwb paill yn tyfu i lawr trwy'r golofnig at yr ofari.
3) Yna mae niwclews y gell ryw gwrywaidd yn symud i lawr y tiwb i gyfuno â chell ryw benywaidd (ofwm) yn yr ofari. Ceir ffrwythloniad wrth i'r ddau niwclews gyfuno.
4) Mae'r ofari'n datblygu'n ffrwyth a bydd pob ofwl ffrwythlon yn ffurfio hedyn.

Gronyn paill
Cell ryw gwrywaidd
Tiwb paill
Niwclews gwrywaidd yn teithio i'r ofari
Niwclews benywaidd

Mae'r Ofwl Ffrwythlon yn troi'n Hedyn

1) Wedi ffrwythloni'r ofwm mae'r ofwlau yn tyfu'n hadau – gyda phob hedyn yn cynnwys embryo planhigyn cwsg.
2) Mae gan yr embryo storfa fwyd a gaiff ei ddefnyddio pan fo'r amodau'n gywir – h.y. mae'n dechrau tyfu neu "egino".
3) Mae'r ofari yn tyfu'n ffrwyth sy'n temtio anifeiliaid i'w bwyta ac felly lledu'r hadau yn eu tail.

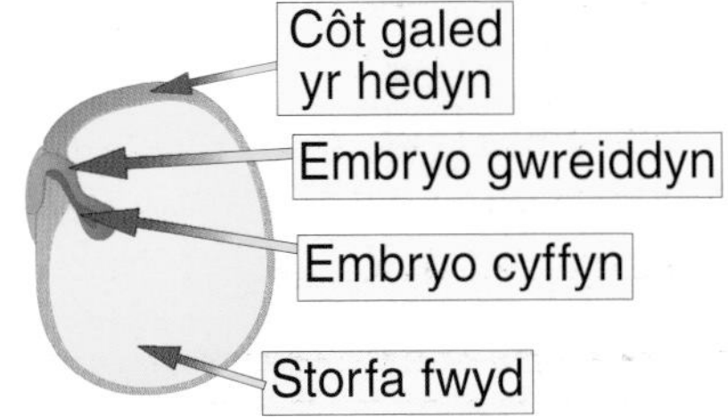

Gwasgaru Hadau neu Ledu Hadau

Caiff hadau eu gwasgaru neu eu lledu fel y gallant dyfu heb orfod cystadlu gormod gyda'i gilydd. Gellir gwasgaru'r hadau mewn tair ffordd:

1) Gwasgaru gyda'r gwynt

Ffrwyth dant y llew.

Mae'r parasiwtau'n dal y gwynt.

Ffrwyth sycamorwydden.

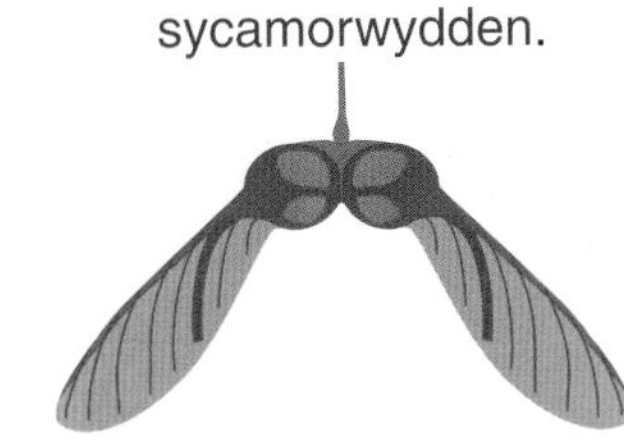

Mae adenydd yn eu helpu i hedfan oddi wrth y rhiant goeden.

2) Gwasgaru trwy anifeiliaid

Ffrwyth tomato.

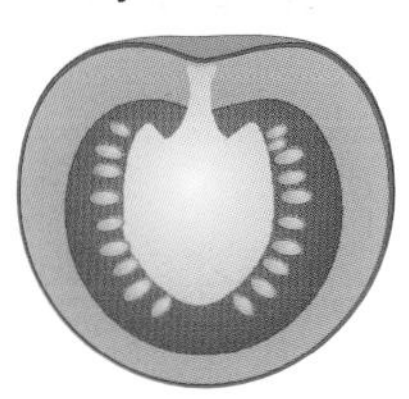

Caiff y ffrwyth ei fwyta. Daw'r hadau allan yn y baw.

Ffrwyth cedowrach.

Mae'r bachau yn dal blew anifeiliaid.

3) Ffrwydrad

Pys.

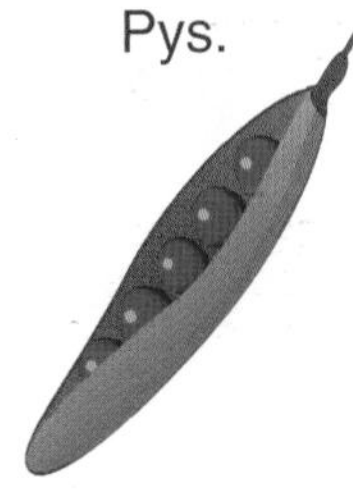

Mae'r codennau'n sychu ac yn taflu'r hadau allan.

Egino – pan fo'r Hadau'n Dechrau Tyfu

Bydd yr hedyn yn aml yn gorwedd yng nghwsg nes bo'r amodau o'i amgylch yn iawn ar gyfer egino. Mae angen i dri pheth fod yn iawn er mwyn i'r hedyn ddechrau egino:

1) Tymheredd
2) Safon yr aer (ocsigen)
3) Digon o ddŵr

PAN FO'R RHAIN I GYD YN ADDAS
BYDD EGINO'N CYCHWYN

Ffeuen yn amsugno dŵr ac yn dechrau tyfu trwy ddefnyddio'r storfa egni
Gwreiddyn yn datblygu ac yn amsugno dŵr
Cyffyn yn dechrau tyfu a dail yn datblygu

Cnau ym mhob llond ceg – Baw gwiwer...

Ych-a-fi! Blodau del i ddechrau, sy'n arwain at beilliad, yna ffrwythloni. Mae hyn yn arwain at gynhyrchu hadau ac yna rhaid gwasgaru'r epil. Yn olaf mae'r rhain yn egino ac yn blodeuo'n blanhigion cyfan sy'n byw ar eu pen eu hunain ymhell i ffwrdd o'r rhieni. Diolch byth nad ydym ni bobl yn gwneud môr a mynydd ynglŷn â'r un broses...

Y Gylchred Garbon a'r Gylchred Nitrogen

Mae carbon a nitrogen yn elfennau pwysig dros ben oherwydd eu bod yn rhan annatod o bob peth byw. Fel y gwelwch isod, cânt eu hailgylchu'n gyson trwy'r amgylchedd.

Y Gylchred Garbon

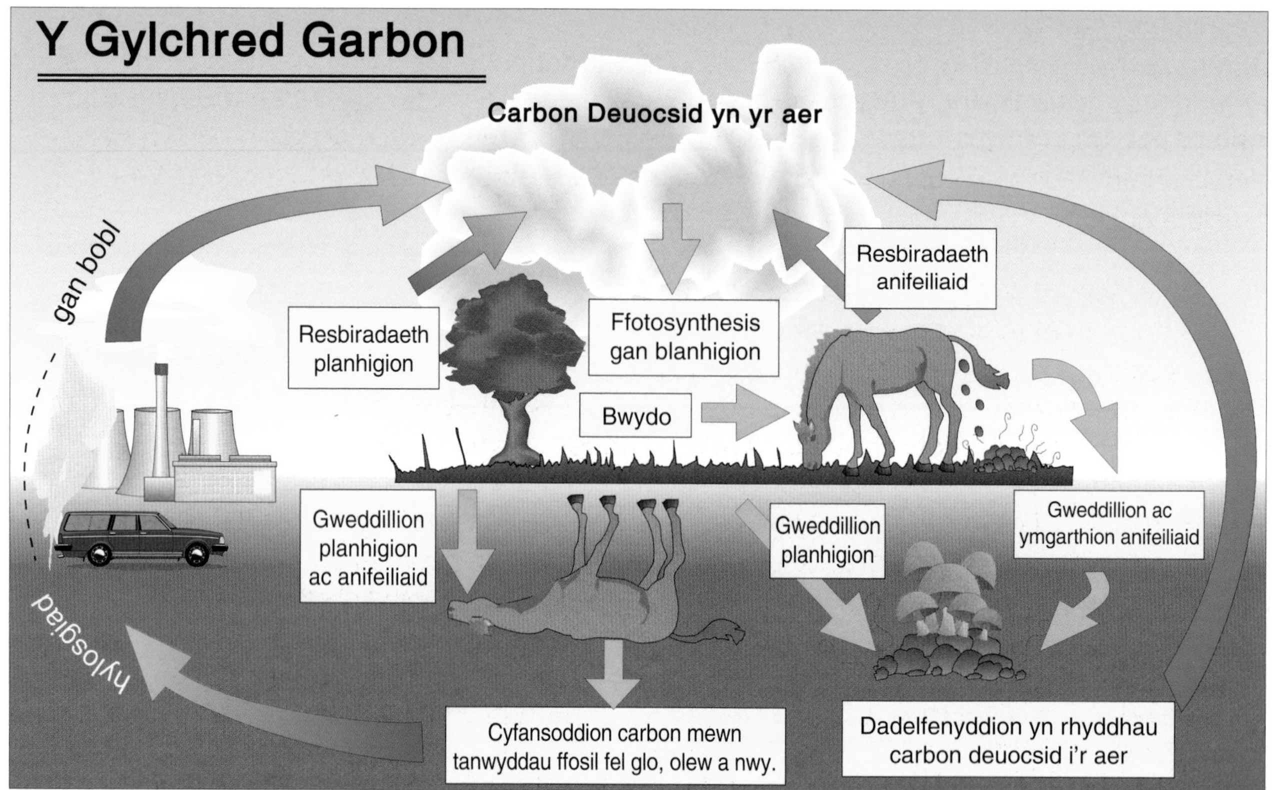

Y Gylchred Nitrogen

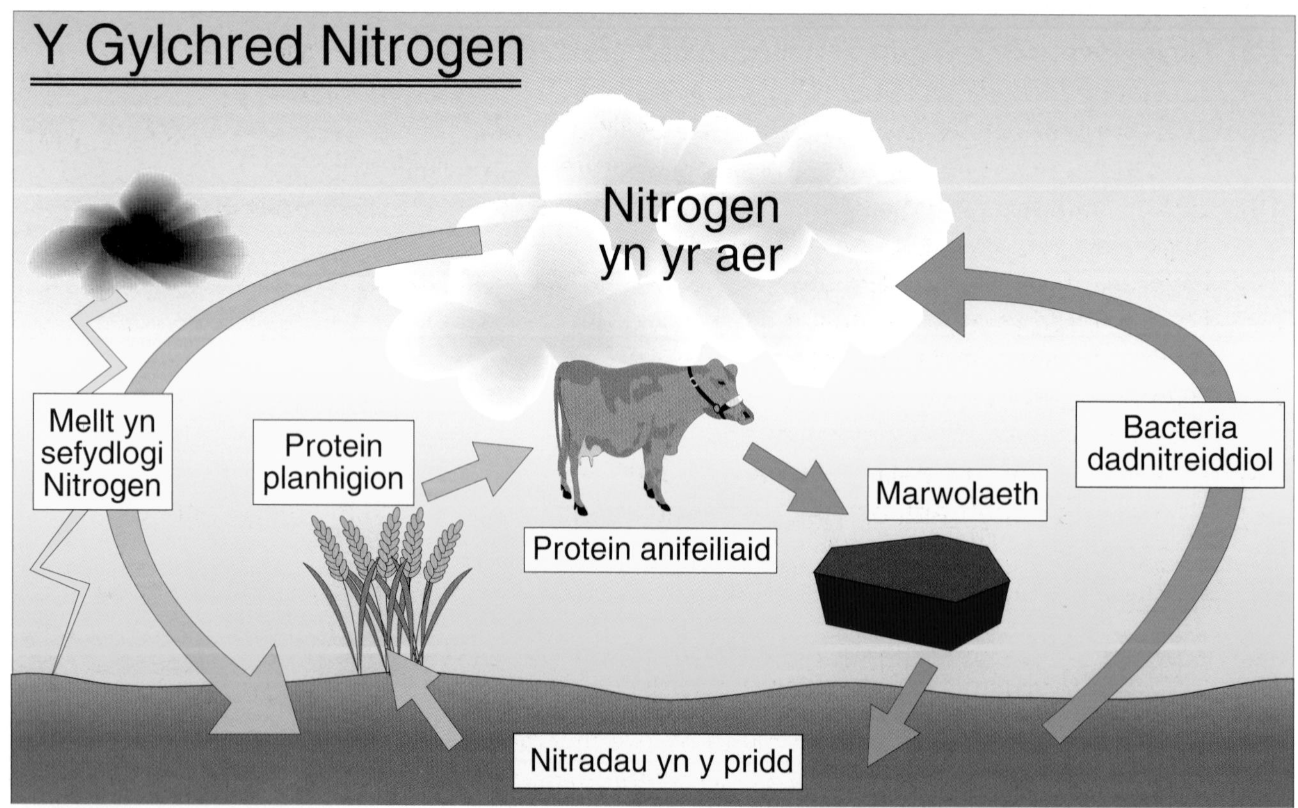

Rhagor o gylchredau – mae 'mhen i'n troi...

Gwnewch yn siŵr y medrwch chi fraslunio'r ddau ddiagram – a'r labeli i gyd. Cofiwch, does dim gwerth tynnu'r lluniau del i gyd. Dysgwch ac ysgrifennwch.

Crynodeb Adolygu ar gyfer Adran Tri

Mae planhigion gwyrdd yn wych, cytuno? Yr hyn dwi'n hoffi orau amdanynt yw eu bod nhw mor lân a ffres – mae bioleg pobl ac anifeiliaid fel arfer yn llawn diagramau a ffeithiau ffiaidd a chlefydau erchyll.
Ond mae bywyd planhigion mor syml, dim byd yn eu poeni, does ond yn rhaid iddyn nhw eistedd yn yr haul trwy'r dydd yn ffotosyntheseiddio – braf yw eu byd. Yn anffodus i chi, mae profiadau pobl y blaned fach hon ychydig mwy cyffrous – ac mae hynny'n cynnwys eich problem fach chi o geisio ateb y cwestiynau hyn i gyd. Tydi bywyd yn boen? Wel, i ffwrdd â chi...

1) Beth gaiff ei wneud yn ystod ffotosynthesis?
2) Beth mae planhigion yn ei wneud gyda glwcos?
3) Ysgrifennwch yr hafaliadau geiriau a symbol ar gyfer ffotosynthesis.
4) Pa bedwar peth sy'n rhaid eu cael ar gyfer ffotosynthesis?
5) Pa sgil-gynnyrch ffotosynthesis y mae ei angen ar anifeiliaid?
6) Rhestrwch yr amodau delfrydol ar gyfer ffotosynthesis.
7) Sut all llosgi paraffin mewn tŷ gwydr helpu planhigion i ffotosyntheseiddio?
8) I beth y caiff glwcos ei drawsnewid gan blanhigion er mwyn ei storio?
9) Disgrifiwch, yn eich geiriau eich hun, chwe phrif gam y prawf starts byd-enwog.
10) Pa ddau ffactor y mae'r prawf starts yn dangos sy'n angenrheidiol ar gyfer ffotosynthesis?
11) Pa ddau o nodweddion gwreiddflew sy'n eu gwneud yn addas iawn ar gyfer amsugno maetholynnau?
12) Pa dri mwyn hanfodol sydd eu hangen ar blanhigion er mwyn cadw'n iach?
13) Ar gyfer beth y mae angen pob un o'r tri mwyn hyn?
14) Disgrifiwch symptomau tyfu mewn pridd heb bob un o'r tri mwyn hyn.
15) Enwch bedair prif ran blodyn? Dywedwch beth yw swydd pob rhan.
16) Beth yw peilliad? Beth yw'r ddau fath o beilliad?
17) Beth yw'r gwahaniaeth rhwng peilliad gan bryfed a pheilliad gwynt?
18) Enwch bedwar o briodweddau a) planhigyn sy'n cael ei beillio gan bryfed b) planhigyn sy'n cael ei beillio gan y gwynt.
19) Beth yw ffrwythloniad? Sut y mae'r paill yn teithio o'r stigma at yr ofari?
20) I beth y bydd yr ofari'n datblygu yn y pen draw?
21) I beth y bydd yr ofwl ffrwythlon yn datblygu?
22) Pam y mae angen storfa fwyd ar hedyn?
23) Rhowch enw arall ar wasgaru hadau.
24) Enwch dair ffordd y gellir gwasgaru hadau.
25) Rhowch dair enghraifft o wasgaru hadau ac eglurwch sut y caiff y ffrwythau eu gwasgaru.
26) Beth yw egino? Rhestrwch y tri amod sydd eu hangen er mwyn i hedyn ddechrau egino.
27) Beth yw ystyr "cwsg"?
28) Enwch bedair ffordd y gall carbon fynd yn ôl i'r aer.
29) Sut y mae carbon deuocsid yn mynd o'r aer ac i mewn i'ch corff?
30) Rhowch un ffordd y gallai pobl geisio lleihau faint o garbon deuocsid sydd yn yr aer.
31) Enwch ddwy ffordd y gellir newid nitrogen yn nitradau.
32) Mae bacteria dadnitreiddiol yn newid nitrogen yn...beth?
33) Mae nitrogen yn yr aer ond mae'n anadweithiol dros ben. Ar ba ffurf y mae'r nitrogen y mae planhigion yn ei ddefnyddio?

Amrywiaeth

Ystyr Amrywiaeth yw Gwahaniaethau rhwng Organebau

Mae popeth byw yn y byd yn wahanol – dywedwn eu bod yn amrywio.
Mae'r gwahaniaethau'n amlwg rhwng pryfed bach pitw ac eliffantod mawr trwm. Ond mae amrywiaethau eraill yn llai amlwg ac yn anoddach eu gweld, e.e. grŵp gwaed person.

Mae gan Wahanol Rywogaethau Enynnau Cwbl Wahanol

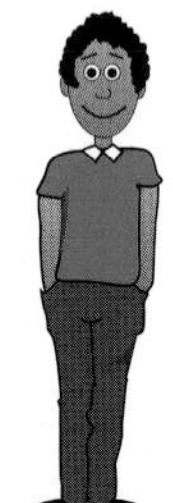

1) Mae person, buwch, dant y llew a choeden yn edrych yn gwbl wahanol gan eu bod yn wahanol rywogaethau. Mae'r gwahaniaethau hyn rhwng rhywogaethau yn digwydd oherwydd bod eu genynnau yn hollol wahanol.
2) Er hyn, gwelir gwahaniaethau o fewn rhywogaeth hefyd, e.e. gall planhigion neu anifeiliaid sy'n meddu ar yr un genynnau sylfaenol ddangos gwahaniaethau rhyngddynt, e.e. lliw'r croen, uchder, maint y blodyn, ac ati. Gelwir unrhyw wahaniaeth yn arwedd nodweddiadol.
3) Gellir etifeddu arweddau nodweddiadol (eu cael gan eich rhieni) neu gallant fod yn amgylcheddol (wedi eu hachosi gan eich amgylchynau). Gweler tud. 29.

Amrywiaeth Di-dor ac Amharhaol

Amrywiaeth Di-dor: y nodwedd a all newid dros amrediad o werthoedd

1) Mae taldra, pwysau, lliw'r croen, deallusrwydd, arwynebedd deilen ac ati, lle gall y nodwedd feddu ar unrhyw werth – o fewn amrediad penodol – yn enghreifftiau o hyn. Gallai'r siart gyferbyn ddangsos taldra plant (wedi eu casglu'n grwpiau er mwyn rhoi'r bariau).
2) Mae'r gromlin ddosraniad lefn a dynnwyd wedyn yn dangos lawer yn well y modd di-dor y mae taldra yn amrywio.

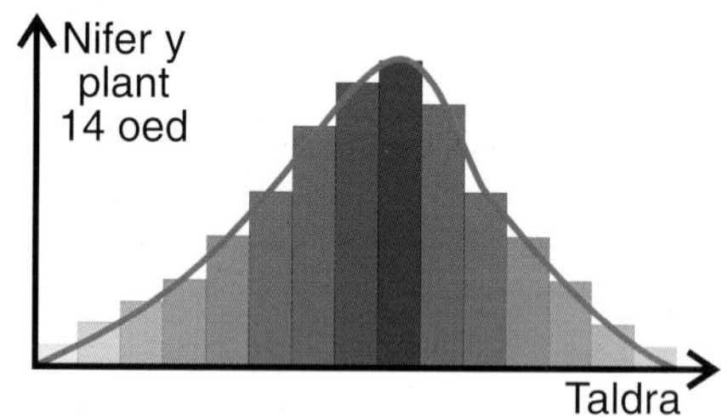

Amrywiaeth Toredig: y nodwedd sydd ond yn gallu meddu ar werthoedd penodol

1) Mae lliw llygaid neu grŵp gwaed yn enghreifftiau o hyn, lle ceir nifer bychan o opsiynau yn unig ac NID amrediad di-dor cyfan.
2) Mae'r siart lliw llygaid gyferbyn yn dangos pedwar gwerth penodol: glas, brown, gwyrdd a gwyrdd/frown.

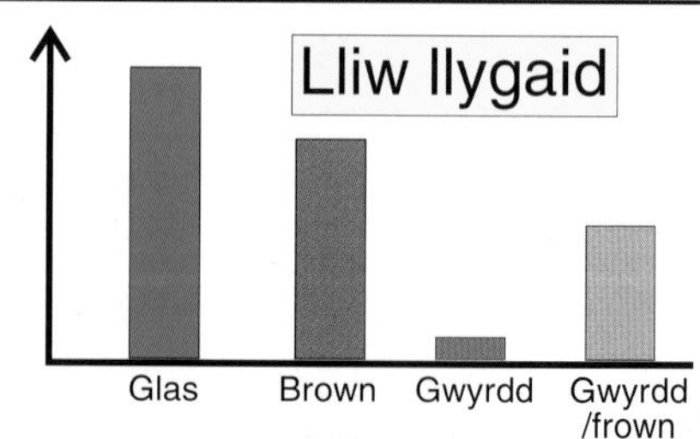

Tebygol o gael plant? – beth felly sydd yn y genynnau...

Peidiwch â phoeni am eiriau mawr fel "amrywiaeth". Mae pobl yn tueddu i feddwl ei fod yn golygu rhywbeth cymhleth tu hwnt. Dydy hynny ddim yn wir. Mae ond yn golygu "gwahaniaethau" (rhwng pethau byw). Gellir cael amrywiaeth (gwahaniaethau) rhwng gwahanol rywogaethau, a gellir cael amrywiaeth (gwahaniaethau) hefyd o fewn un rhywogaeth. A dyna esbonio'r cyfan. Dysgwch ac ysgrifennwch.

Amrywiaeth Amgylcheddol ac Etifeddol

Amrywiaeth Amgylcheddol ac Etifeddol mewn Anifeiliaid

1) Rydym ni'n etifeddu genynnau wrth ein rhieni, sy'n rhoi inni gyfuniad o nodweddion y ddau riant. Dyma'r amrywiaeth etifeddol.
2) Mae amrywiaeth amgylcheddol yn ymwneud ag effaith "magwraeth". Dywedir yn aml ein bod "ni i gyd yn gynnyrch ein hamgylchedd" – sy'n golygu bod ein gallu, sut olwg sydd arnom a sut rydym ni'n ymddwyn yn dibynnu, yn rhannol o leiaf, ar ein magwraeth.
3) Mae gefeilliaid unfath yn etifeddu yr un genynnau yn union, ac wrth gwrs mae hyn yn rheoli'r rhan fwyaf o'u nodweddion.
4) Er hyn gallai un gefell fod yn drymach, er enghraifft, os bydd un yn bwyta mwy na'r llall. Enghraifft o amrywiaeth amgylcheddol fyddai hynny.

Dim ond ychydig o Nodweddion Anifeiliaid fydd heb eu heffeithio gan yr Amgylchedd

1) Lliw gwallt normal
2) Lliw llygaid
3) Clefydau Etifeddol
4) Grwpiau Gwaed

Y **pedair** nodwedd a ddangosir uchod fwy neu lai yw'r **unig rai** fydd heb eu heffeithio o gwbl gan yr **amgylchedd** (h.y. magwraeth). Caiff pob un arall o nodweddion anifeiliaid (a phobl) eu heffeithio gan **GYMYSGEDD** o ffactorau **GENYNNOL** ac **AMGYLCHEDDOL**. E.e. Pwysau, lliw'r croen, gallu academaidd, medr athletaidd, ac ati.

Amrywiaeth Amgylcheddol ac Etifeddol mewn Planhigion

1) Mae planhigion yn etifeddu nodweddion trwy eu genynnau yn yr un modd ag anifeiliaid.
2) Ond caiff planhigion eu heffeithio tipyn mwy gan yr amgylchedd nag anifeiliaid. Yn bennaf, caiff y pedwar ffactor pwysig hyn effaith fawr ar blanhigion:

1) Tymheredd.
2) Golau'r Haul.
3) Lleithder.
4) Cyflwr y pridd.

Gall ychydig bach mwy o olau neu wres neu ddŵr ddyblu maint planhigyn – ond ni fyddai'r un newidiadau yn yr amgylchedd yn effeithio braidd dim ar unrhyw anifail.

Genynnau – dim problem...

Nawr am air o gyngor i geisio cadw'r ddysgl yn wastad adref. Y tro nesaf mae un o'ch rhieni'n dweud eich bod chi'n niwsans, does ond rhaid i chi ateb trwy ddweud: "Chi sydd ar fai am hynny – chi wnaeth fy magu i!" – a gwyliwch nhw'n ochneidio... Beth bynnag, mae pedair adran ar y dudalen hon, a phump neu chwech manylyn pwysig ym mhob un. Dysgwch y wybodaeth, cuddiwch y dudalen ac ysgrifennwch y cyfan i lawr.

Etifeddiad a Bridio Detholus

Os oes gennych chi unrhyw nodweddion rhyfedd – beiwch eich rhieni.

Rydym ni'n Etifeddu Nodweddion wrth ein Rhieni

1) Caiff Nodweddion Etifeddol eu rheoli gan enynnau.
2) Set o gyfarwyddiadau cemegol cymhleth yw genyn. Mae pob genyn yn rheoli rhyw fanylyn ar "sut i adeiladu person".
3) Ceir genynnau mewn cromosomau a geir yn niwclews pob un o'n celloedd fel y gwelwn:
4) Mae gan gelloedd dynol 46 cromosom (23 pâr).
5) Mae genynnau'n gweithio mewn parau, gydag un wedi ei etifeddu wrth bob un o'r rhieni. Bydd un fel arfer yn drech na'r llall.
6) Mae gwahanol enyn ar gyfer pob nodwedd, e.e. lliw'r gwallt, lliw'r llygaid, pa mor flewog fyddwch chi, ac ati.

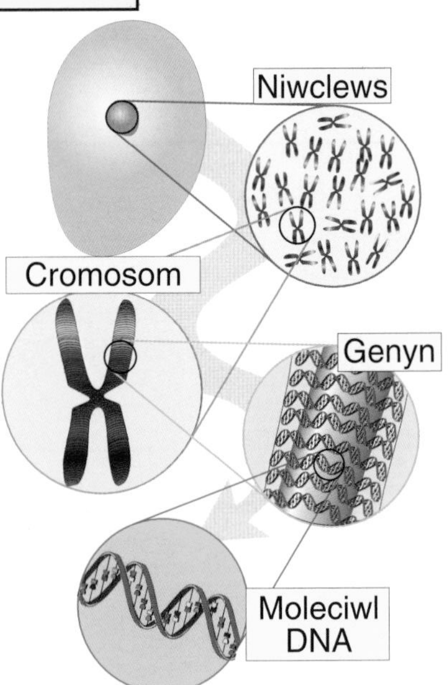

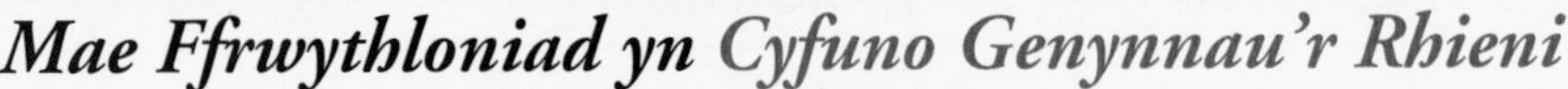

Mae Ffrwythloniad yn Cyfuno Genynnau'r Rhieni

1) Dim ond 23 cromosom sydd gan gelloedd sberm ac wyau.
2) Mae wy wedi ei ffrwythloni yn cynnwys 23 pâr ac felly'n datblygu'n embryo a chanddo gymysgedd a nodweddion y rhieni.

Bridio Detholus

1) Yma mae pobl yn ceisio datblygu amrywiaeth o blanhigion neu anifeiliaid penodol sy'n meddu ar nodweddion ffafriol.
2) Does ond rhaid dewis y planhigyn neu'r anifail gorau o'r stoc sy'n bodoli a'u bridio. Dylai'r epil felly ddangos y nodweddion ffafriol hefyd.
3) Caiff y broses ei ail-wneud gan ddefnyddio'r epil sydd â'r nodweddion gorau.
4) Yn y diwedd ceir amrywiaethau newydd gyda nodweddion eithafol.
5) Fel arfer, pwrpas bridio detholus yw bod o fudd i ddyn mewn rhyw fodd.

Tair Enghraifft i'w Dysgu:

1) Gellir datblygu cnydau gwrth-glefyd neu wrth-rew, e.e. gwenith gaeaf.
2) Caiff cŵn o dras eu bridio am ffasiwn, neu i orbwysleisio eu hymddygiad neu eu deallusrwydd.
3) Caiff da byw domestig eu bridio'n ddetholus er mwyn cynyrchu mwy o laeth neu gig eidion gwell, mwy blasus.

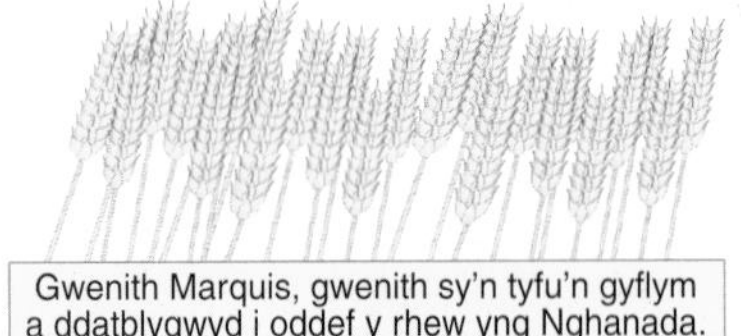
Gwenith Marquis, gwenith sy'n tyfu'n gyflym a ddatblygwyd i oddef y rhew yng Nghanada.

DNA? – Gwell gen i C&A...

Gallaf weld tri phrif bennawd, un ar bymtheg o bwyntiau ac un diagram pwysig – ac mae'n rhaid eu dysgu i gyd. Nid yw gwaith fel hyn hanner cynddrwg ag y mae pobl yn ei ddychmygu. Dydy eistedd i lawr ac ailadrodd prif bwyntiau'r dudalen yn eich pen (heb edrych) ddim mor anodd â hynny – a gallwch edrych yn ôl i wirio mor aml ag y mynnwch. Mwynhewch.

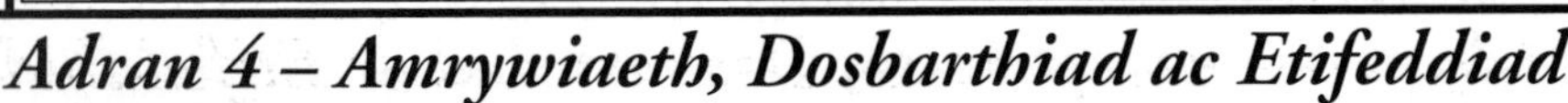

Dosbarthu Planhigion ac Anifeiliaid

Gellir dosbarthu pethau byw yn nifer o grwpiau (grŵp tacsonomaidd), fel y gwelwch isod. Mae'r syniad sylfaenol yn ddigon synhwyrol, ac mae'r rhan fwyaf o bethau byw yn disgyn i grwpiau eithaf amlwg. Yn anffodus, ceir nifer mawr iawn o wahanol grwpiau ac is-grwpiau, ac mae gan lawer gormod ohonynt enwau rhyfedd yr olwg.

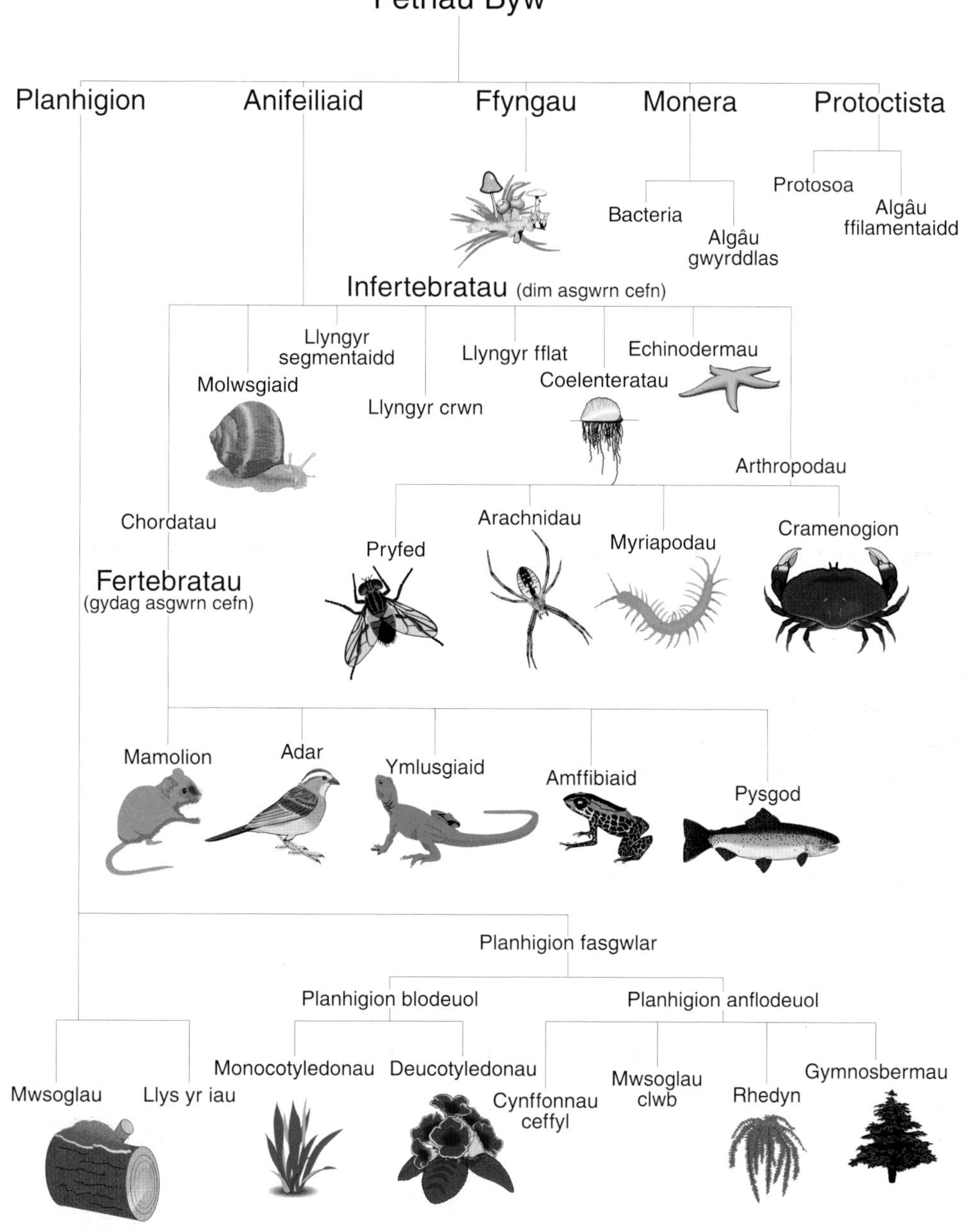

Does dim disgwyl i chi wybod y cyfan wrth gwrs, ond mae'n bwysig eich bod chi'n weddol gyfarwydd â'r diagram yn ei gyfanrwydd. Gellir cael cwestiwn yn gofyn i ba grŵp y byddech chi'n disgwyl i blanhigyn neu anifail penodol berthyn.

Er hyn po fwyaf o'r geiriau mawr hyn rydych chi'n eu hadnabod, gorau oll.

Dylech chi'n bendant fod yn gyfarwydd â FERTEBRAT (anifeiliaid ag asgwrn cefn) ac INFERTEBRAT (anifeiliaid heb asgwrn cefn).

Grwpiau tacsonomaidd – maent mewn byd bach eu hun...

Mae'n werth chweil treulio ychydig o amser i geisio dysgu'r diagram hwn (trwy guddio'r dudalen a cheisio tynnu llun ohono ychydig droeon) – ond dim gormod o amser, does ond angen i chi gael teimlad o'r cwbl gyda'i gilydd. Yna penderfynwch ym mha grŵp dylai'r canlynol fod:

a) gwenynen feirch b) neidr gantroed c) hebog glas ch) cragen las d) dafad dd) pry cop e) coeden dderw.

Defnyddio Allweddi

Defnyddir Allweddi i Adnabod Creaduriaid

1) Mae gan allwedd gyfres o gwestiynau a chanddynt ddau ateb posib.
2) Mae'r ddau ateb yn rhannu'r grŵp yn ddwy ran.
3) Mae cwestiynau pellach yn para i rannu'r grŵp nes does ond un ar ôl.

Rhaid Dilyn y Dull Isod

1) Dewiswch un creadur ar y tro ac atebwch y cwestiynau ar gyfer y creadur hwnnw yn unig.
2) Dilynwch y cyfarwyddiadau ym mhob cwestiwn ar gyfer pa ateb bynnag sy'n wir e.e. os mai "Na" yw'r ateb i Gwestiwn 1, yna dilynwch y cyfarwyddyd ac ewch at Gwestiwn 2. Daliwch ati i ateb y cwestiynau nes enwi'r creadur.

Nid yw hanner cynddrwg ag y mae'n swnio. Gwnewch hyn i weld pa mor hawdd ydyw:

Ydych chi'n Ddolffin?

Llamhidydd   Planhigyn lluosflwydd

Porcwpein

Panda

Disgybl perffaith

Panther

1) A oes gennych bigau ar eich croen?
......................OES, yna rydych chi'n ..borcwpein...
......................NA – ewch at 2

2) A oes gennych ddail gwyrdd?
......................OES, yna rydych chi'n................
......................NA – ewch at 3

3) A oes gennych ffwr fflwfflyd a thueddiad i guddio bambŵ i'w fwyta ganol nos?
......................OES, yna rydych chi'n................
......................NA – ewch at 4

4) A oes gennych bedair coes?
......................OES, yna rydych chi'n................
......................NA – ewch at 5

5) A oes gennych lais gwichlyd uchel a thueddiad i fwyta pysgod amrwd?
......................OES, yna rydych chi'n................
......................NA – yna rhaid mai................ ydych chi.

Atebion: 1 = porcwpein, 2 = planhigyn lluosflwydd, 3 = panda, 4 = panther, 5 = llamhidydd, 6 = disgybl perffaith

Os nad ydych chi'n sicr o hyd ai dolffin ydych chi ai peidio, trowch at dud. 35.

Beth yw pwynt hyn oll....

Mae allweddi'n eithaf hawdd, mae hynny'n wir. Ond fyddech chi'n synnu faint o bobl sy'n gwneud camgymeriadau gwirion mewn arholiadau wrth beidio â chanolbwyntio ar y manylion bach. Er enghraifft, gydag allweddi mae yno ffordd gywir o gychwyn – a ffordd anghywir. Rhaid i chi ganolbwyntio ar y manylion er mwyn ennill yr holl farciau hawdd hynny.

Crynodeb Adolygu ar gyfer Adran Pedwar

Stwff gweddol sylfaenol sydd yn Adran Pedwar a dweud y gwir, ond mae yno un neu ddau air a allai greu ychydig o drafferth nes i chi ddysgu'n union beth yw eu hystyr: Ystyr "amrywiaeth" yw "gwahaniaethau"; dim ond "glasbrint" ar gyfer adeiladu creaduriaid byw yw "genynnau"; y pethau bach rhyfedd siâp croes sydd y tu mewn i niwclews pob cell ac sy'n cynnwys genynnau yw "cromosomau"; ac ati.
Nid y cwestiynau hawsaf yn y byd yw'r rhain, ond byddant yn profi'n union beth ydych chi'n ei wybod a beth nad ydych chi'n ei wybod. Bydd rhaid i chi fedru eu hateb i gyd oherwydd eu bod yn profi'r ffeithiau sylfaenol. Does dim angen deall llawer i'w hateb, ond rhaid dysgu'r gwaith. Rhaid i chi ymarfer y cwestiynau hyn drosodd a thro nes i chi hedfan trwyddynt.

1) Beth yw ystyr amrywiaeth?
2) Beth yw arwedd noweddiadol?
3) Rhestrwch bum arwedd nodweddiadol buwch.
4) Enwch arwedd nodweddiadol sy'n anodd ei weld.
5) Beth yw ystyr etifeddol?
6) Beth yw arwedd nodweddiadol amgylcheddol?
7) Beth yw amrywiaeth di-dor? Rhowch dair enghraifft.
8) Beth yw amrywiaeth toredig? Rhowch ddwy enghraifft.
9) Ym mha ddwy ffordd y medrwch chi arddangos data amrywiaeth?
10) Rhowch dair ffordd y gallai ffactorau amgylcheddol effeithio gefeilliaid unfath fel eu bod yn edrych yn wahanol.
11) Rhowch bedair nodwedd anifail na chaiff eu heffeithio o gwbl gan yr amgylchedd.
12) Rhowch bedair nodwedd a gaiff eu heffeithio gan enynnau a'r amgylchedd.
13) Beth gaiff eu heffeithio fwyaf gan yr amgylchedd – planhigion neu anifeiliaid?
14) Rhestrwch bedwar peth a allai effeithio ar ba mor dda y bydd planhigyn yn tyfu.
15) Beth sy'n rheoli nodweddion etifeddol?
16) Beth yw genyn?
17) Ym mhle y canfyddir cromosomau?
18) Sawl cromosom sydd gan ddyn ym mhob cell?
19) O ble y daw eich holl nodweddion digri?
20) Sawl cromosom yr un sydd gan sbermau ac ofa?
21) Beth sy'n digwydd i sberm ac wy yn ystod ffrwythloni?
22) Beth sy'n digwydd i'r wybodaeth enetig yn y sberm a'r wy yn ystod ffrwythloni?
23) Eglurwch sut y gall bridio detholus arwain at amrywiaethau planhigion ac anifeiliaid newydd.
24) Rhowch dair enghraifft o fridio detholus.
25) Pam y caiff da byw domestig eu bridio'n ddetholus?
26) Beth yw'r enw a roir ar gŵn sydd wedi eu bridio'n ddetholus?
27) Beth yw gwerth cnydau fel gwenith sy'n gallu gwrthsefyll clefydau neu rew?
28) Beth yw'r gwahaniaeth rhwng anifail fertebrat ac anifail infertebrat?
29) Penderfynwch i ba grŵp tacsonomaidd y dylai pob un o'r canlynol fynd:
a) malwen b) bochdew c) llyffant ch) coeden pinwydd d) locust dd) crocodeil
e) morfil f) dyn (Atebion ar dud. 104)
30) Beth yw allwedd? Rhestrwch dri gwahaniaeth rhwng pry cop a physgodyn.

Addasu

Mae Planhigion ac Anifeiliaid yn Addasu i'w Hamgylchedd

1) Gelwir y lle y mae rhywbeth yn byw yn gynefin, e.e. coetir neu ddôl.
2) Yr amodau o fewn y cynefin sy'n ffurfio amgylchedd yr organeb, e.e. pa mor boeth ydyw.
3) Mae planhigion ac anifeiliaid yn datblygu nodweddion ac yn addasu at eu hamgylcheddau dros filiynau o flynyddoedd, e.e. datblygodd teigrod "resi cuddliw" er mwyn addasu i'w hamgylchedd glaswelltir.

Arth Wen – Wedi Addasu at Amodau Arctig

AMODAU ARCTIG: ofnadwy o oer trwy gydol y flwyddyn – ac mae'r hafau'n fyr.

Mae gan eirth gwyn y nodweddion arbennig canlynol sy'n golygu eu bod nhw'n gweddu i'r dim i fywyd mewn llefydd oer:

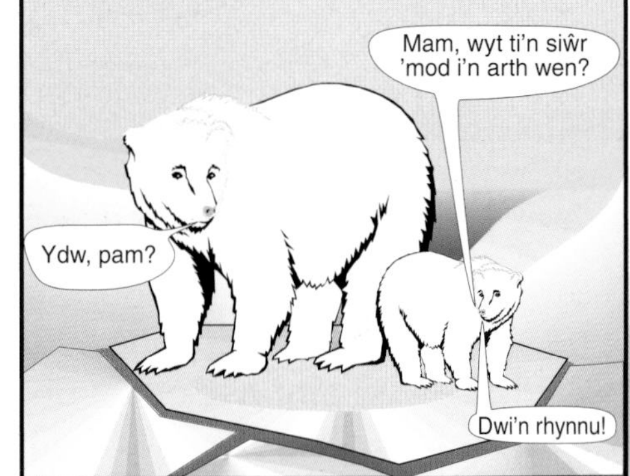

1) Ffurf crwn sy'n rhoi'r arwynebedd arwyneb lleiaf posib er mwyn lleihau colli gwres o'r croen.
2) Haen dew o fraster fel ynysydd a hefyd fel storfa fwyd.
3) Côt flewog drwchus er mwyn cadw gwres y corff i mewn.
4) Blew seimllyd er mwyn diosg dŵr ar ôl bod yn nofio.
5) Côt wen yn guddliw da yn yr amgylchynau.
6) Traed mawr er mwyn lledu'r pwysau dros yr eira neu'r rhew.

Camel – Wedi Addasu at Amodau Diffeithdir

AMODAU DIFFEITHDIR: 1) Poeth iawn yn ystod y dydd – oer iawn yn ystod y nos.
2) Sych dros ben – llai na 25mm o law y flwyddyn.

Mae gan y camel y nodweddion arbennig canlynol sy'n golygu ei fod yn gweddu i'r dim i fywyd mewn llefydd poeth a sych:

1) Gall storio llawer o ddŵr – gall yfed hyd at 20 galwyn ar y tro.
2) Dim ond ychydig bach o ddŵr y mae'n ei golli wrth bi-pi neu chwysu.
3) Gall ymdopi â newidiadau mawr yn y tymheredd ac nid yw'n chwysu o dan 46°C.
4) Traed mawr er mwyn lledu'r pwysau dros y tywod meddal.
5) Caiff y braster ei storio yn y crwb, sy'n helpu wrth golli gwres.
6) Mae ei liw tywodlyd yn guddliw da.

Cactws – Wedi Addasu at Amodau Diffeithdir

AMODAU DIFFEITHDIR: 1) Poeth iawn yn ystod y dydd – oer iawn yn ystod y nos.
2) Sych dros ben – llai na 25mm o law y flwyddyn.

Mae gan gactws y nodweddion arbennig canlynol sy'n golygu ei fod yn gweddu i'r dim i fywyd mewn llefydd poeth sych.

1) Does ganddo ddim dail – er mwyn lleihau colli dŵr.
2) Mae ganddo arwynebedd arwyneb bach mewn perthynas â'i faint sydd hefyd yn lleihau colli dŵr. (1000 x yn llai na phlanhgion cyffredin)
3) Mae'n storio dŵr yn ei goesyn trwchus.
4) Mae pigau yn atal llysysyddion rhag ei fwyta.
5) Mae gwreiddiau bas ond eang yn sicrhau y caiff dŵr ei amsugno'n gyflym dros arwynebedd mawr.

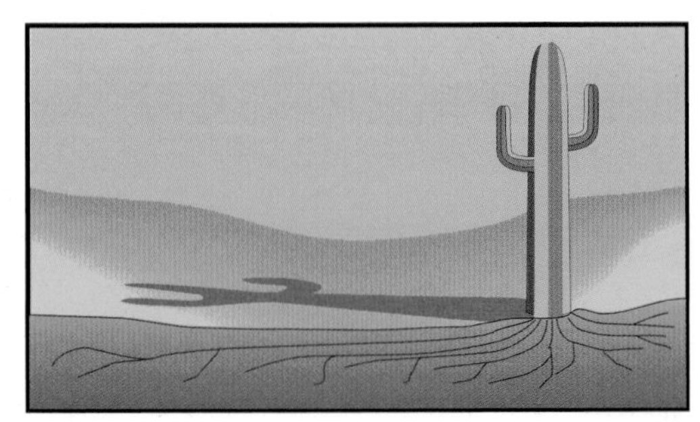

Addasu

Addasu i Newidiadau Dyddiol

Mae newidiadau dyddiol mewn amodau fel lefelau golau, tymheredd a lleithder yn effeithio ar ymddygiad planhigion ac anifeiliaid. Maent yn addasu i ymdopi â'r newidiadau dyddiol hyn:

1) Mae'r rhan fwyaf o flodau yn agor eu petalau yn ystod y dydd er mwyn caniatáu peilliad ac yn eu cau yn ystod y nos er mwyn eu hamddiffyn.
2) Mae rhai anifeiliaid yn osgoi ysglyfaethwyr trwy fod yn actif yn ystod y nos (h.y. nosol) – ond mae rhai ysglyfaethwyr yn gweithio shifft nos!
3) Mae morydau o hyd yn newid gyda'r llanw a'r trai, ac mae hyn yn effeithio ar y math o organebau sy'n byw yno a'u dosbarthiad.

Addasu i Newidiadau Blynyddol

Mae'n rhaid i'r rhan fwyaf o organebau addasu i newidiadau blynyddol yn y tymheredd, golau'r haul, faint o ddŵr a bwyd sydd ar gael.Gallant wneud hyn mewn nifer o wahanol ffyrdd – dysgwch y rhain:

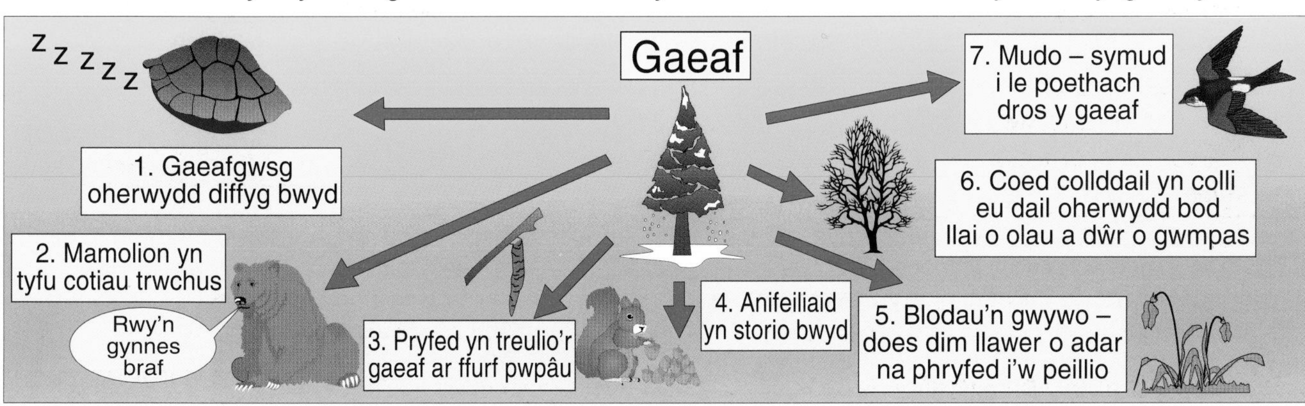
Gaeaf
1. Gaeafgwsg oherwydd diffyg bwyd
2. Mamolion yn tyfu cotiau trwchus
Rwy'n gynnes braf
3. Pryfed yn treulio'r gaeaf ar ffurf pwpâu
4. Anifeiliaid yn storio bwyd
5. Blodau'n gwywo – does dim llawer o adar na phryfed i'w peillio
6. Coed collddail yn colli eu dail oherwydd bod llai o olau a dŵr o gwmpas
7. Mudo – symud i le poethach dros y gaeaf

Dal ddim yn siwr ai dolffin ydych chi?

Atebwch y 10 cwestiwn isod yna adiwch y sgôr:

Cwestiwn			
1) A ydych chi'n hela pysgod a'u dal yn eich ceg?	Ydw 1 ☐	Weithiau 2 ☐	Nac Ydw 3 ☐
2) A oes gennych chi ddannedd bychain sy'n ddelfrydol ar gyfer cnoi pysgod?	Oes 1 ☐	Rhai 2 ☐	Nac oes 3 ☐
3) Wrth sylwi ar eich adlewyrchiad mewn ffenestr siop, a welwch chi wyneb hir, corff llilin a chroen llwyd gwrth-ddŵr?	Gwnaf 1 ☐	Weithiau 2 ☐	Na wnaf 3 ☐
4) A fedrwch chi aros o dan y dŵr am gyfnodau hir?	Gallaf 1 ☐	Weithiau 2 ☐	Na allaf 3 ☐
5) A oes gennych chi esgyll i'ch helpu i nofio?	Oes 1 ☐	Rhai 2 ☐	Nac oes 3 ☐
6) A fyddwch chi'n aml yn neidio trwy gylchoedd mewn pyllau nofio?	Bob amser 1 ☐	Weithiau ☐	Na fyddaf 3 ☐
7) A fydd gennych chi swydd bob haf ym Marine Land?	Oes 1 ☐	Ar adegau 2 ☐	Nac oes 3 ☐
8) A ydych chi'n teimlo bod cychod pysgota'n fygythiad?	Bob amser 1 ☐	Weithiau 2 ☐	Byth 3 ☐
9) A yw'n well gennych nofio nag unrhywbeth arall?	Ydy 1 ☐	Weithiau 2 ☐	Nac Ydy 3 ☐
10) A yw reidio beic braidd yn anodd?	Ydy 1 ☐	Weithiau 2 ☐	Nac Ydy 3 ☐

Cyfrifwch eich sgôr yna trowch at dud. 39 am fwy o wybodaeth.

Glywsoch chi'r un am yr arth wen...

Dwy dudalen y tro hwn, y ddau'n llawn dop o benawdau cyffrous a setiau o bwyntiau gwefreiddiol. Ac oes, fel rydych chi wedi dyfalu, mae'n rhaid dysgu'r cyfan (heblaw am y cwis dolffin wrth gwrs). Mae siawns go dda y bydd un o gwestiynau'r arholiad yn gofyn sut y mae'r camel neu'r arth wen wedi addasu, felly dysgwch nawr.

Cadwynau Bwydydd a Gweoedd Bwydydd

Mae Cadwynau Bwydydd yn Dangos Beth gaiff ei Fwyta gan Beth

1) Mae'r organebau o fewn cadwyn fwyd fel arfer yn yr un ecosystem (wrth gwrs). (Gelwir popeth sydd o fewn yr un cynefin yn gymuned – a gelwir y gymuned a'i hamgylchedd yn ecosystem).

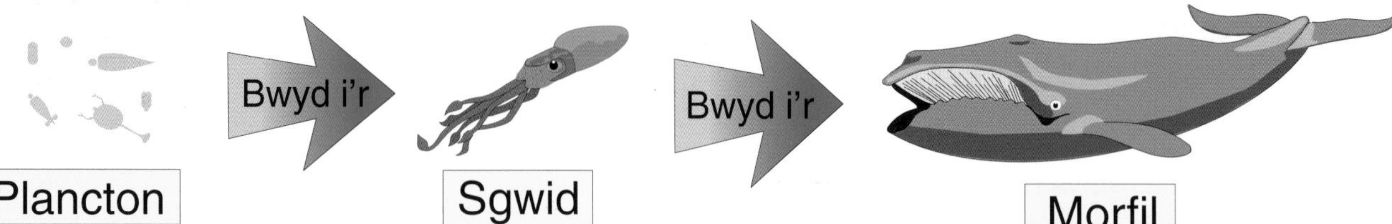

2) Mae'r saethau yn dangos beth gaiff ei fwyta gan beth – h.y. "bwyd i'r". (Mae plancton yn fwyd i'r sgwid, ac ati.)

Gweoedd Bwydydd a'u Terminoleg Enfawr

Mae gweoedd bwydydd yn cynnwys nifer o gadwynau bwydydd wedi eu cydgysylltu fel y gwelwch yma: Dysgwch y naw term isod:

1) CYNHYRCHYDD – mae pob planhigyn yn gynhyrchydd. Maent yn defnyddio egni'r haul er mwyn cynhyrchu egni bwyd.
2) LLYSYSYDDION – anifeiliaid sy'n bwyta planhigion yn unig, e.e. penbyliaid, cwningod, lindys, affidau.
3) YSYDD – mae pob anifail yn ysydd. (Nid yw pob planhigyn yn ysydd gan mai nhw yw'r cynhyrchwyr.)
4) YSYDD CYNRADD – anifail sy'n bwyta cynhyrchwyr (planhigion).
5) YSYDDION EILRADD – anifeiliaid sy'n bwyta ysyddion cynradd.
6) YSYDDION TRYDYDDOL – anifeiliaid sy'n bwyta ysyddion eilradd.
7) CIGYSYDD – anifail sy'n bwyta anifeiliaid yn unig, a byth yn bwyta planhigion.
8) CIGYSYDD UCHAF – ni chaiff ei fwyta gan unrhywbeth arall.
9) HOLLYSYDD – mae'n bwyta planhigion ac anifeiliaid.

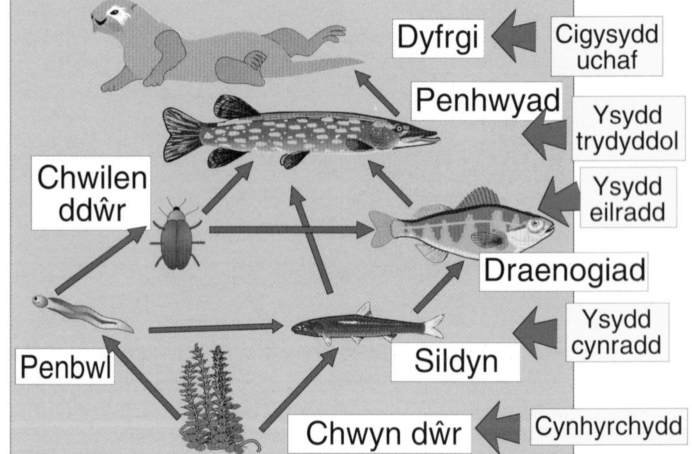

Cwestiwn tebyg i un Arholiad – Beth sy'n debygol o ddigwydd wrth symud y sild i gyd?

1) Pwy NA chaiff ei fwyta nawr? – Y penbyliaid oherwydd nad oes unrhyw sild ar ôl i'w bwyta.
2) Pwy gaiff eu bwyta MWY? – a) Chwilod dŵr (gan y draenogiad a fydd yn llwglyd heb y sild). b) Chwyn dŵr (oherwydd y cynnydd yn nifer y penbyliaid).

Mae Gwenwynau'n Cynyddu wrth iddynt Symud ar hyd Cadwyn Fwyd

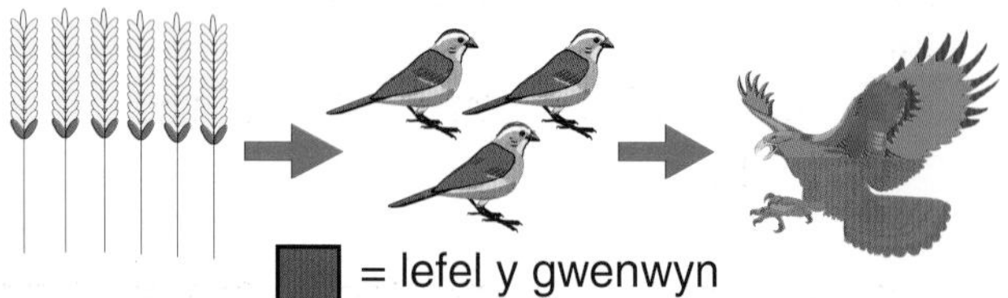

Gall gwenwynau grynodi trwy'r cadwynau bwydydd a gall yr effaith fod yn ddifrodol fel arfer i'r cigysydd uchaf. Dioddefodd yr hebogiaid glas wrth i wenwynau wanhau plisg eu hwyau a oedd yn arwain at wasgu'r cywion yn y nyth.

Dysgwch am Weoedd Bwydydd – ond peidiwch â chael eich dal...

Tri phrif bennawd ac ychydig o bwyntiau i'w dysgu. Wedi i chi fynd trwy'r drefn arferol, dylech ymarfer y cwestiwn arholiad nodweddiadol hwn am we fwyd: "Os yw nifer y dyfrgwn yn lleihau, rhowch un rheswm dros a) y cynnydd a b) y gostyngiad yn nifer y chwilod dŵr". (Atebion ar dud. 104.)

Pyramidau Rhif

Caiff Egni ei Basio ar hyd Cadwynau Bwydydd ond caiff ychydig ei Golli

Gall 1,000 o ddail derw.... fwydo....
200 lindysyn... sy'n bwydo....
10 robin goch

1) Caiff egni bwyd ei basio ar hyd cadwynau bwydydd – fel yr un uchod.
2) Mae nifer yr organebau yn lleihau wrth symud o un lefel (un lefel droffig) i'r nesaf.
3) Me hyn yn digwydd oherwydd caiff y rhan fwyaf o'r egni ei golli wrth symud o un lefel i'r nesaf mewn cadwyn fwyd.

Mae Pyramidau Rhif yn cynrychioli maint y Poblogaethau

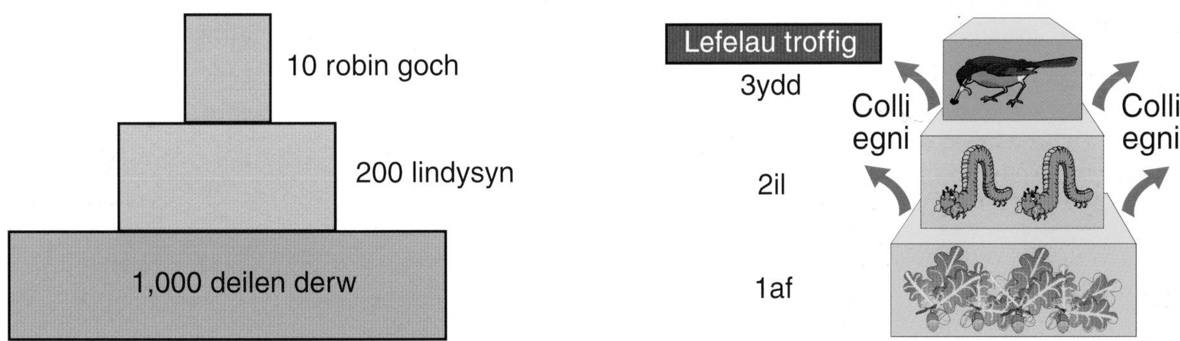

Caiff egni ei "Golli" o Gadwynau Bwydydd – ond mae'n cadw popeth yn Fyw

1) Defnyddir y rhan fwyaf o'r egni a geir gan ysydd i'w gadw'n fyw. Mae ei angen i symud, i dyfu ac i gadw'n gynnes (sy'n defnyddio llawer iawn o egni bwyd).
2) Hefyd, ni chaiff y deunydd i gyd ei fwyta ar bob lefel. Cofiwch mai dim ond ar ôl cael ei fwyta gan ysydd ar y lefel nesaf i fyny y caiff yr egni bwyd ei basio ar hyd y gadwyn fwyd. Caiff llawer ohono byth ei fwyta – a daw rhagor yn ôl allan yn syth fel tail.

Gall Pyramidau Rhif edrych yn Rhyfedd

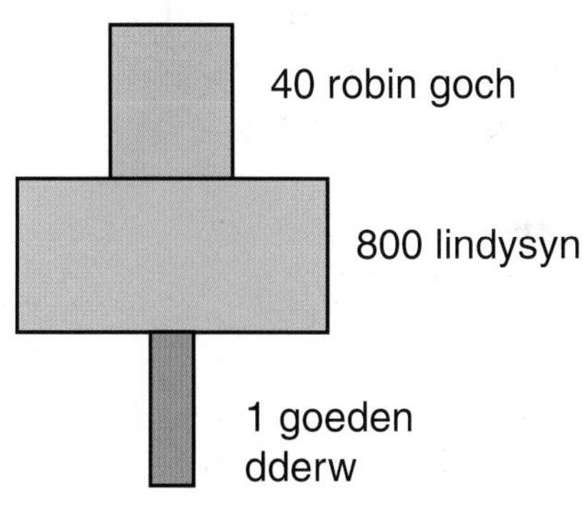

1) Mae hyn yn digwydd oherwydd bod y goeden dderw yn enfawr o'i chymharu â'r lindysyn.
2) Dim ond un goeden dderw sydd yma ond mae miloedd o ddail arni i'r lindysyn gael eu bwyta.
3) Mae'r pyramid rhifau yn edrych yn anghywir oherwydd nad yw'n ystyried pa mor fawr yw'r goeden dderw. Petai'r pyramid yn cael ei newid i gynrychioli cyfanswm màs yr organebau ar bob lefel byddai'n edrych yn iawn. (Gelwir hwn yn byramid biomàs gyda llaw).

Gwastraffu'r holl egni yna – gwarthus...

Mae pyramidau rhif yn syml iawn a dweud y gwir – er y gall yr holl fanylion ynglŷn â lle yn union y bydd yr holl egni'n mynd fod ychydig yn gymhleth. Cofiwch, daw'r egni yn wreiddiol o'r Haul, yna caiff ei newid gan blanhigion yn egni bwyd a'i basio i lawr yn y gadwyn fwyd.

Goroesiad

Mae "poblogaeth" yn dweud wrthym faint o un math penodol o blanhigyn neu anifail sydd mewn ecosystem. Mae maint poblogaeth pob rhywogaeth yn dibynnu ar dri ffactor:

Mae'r Tri Ffactor Hyn yn Effeithio ar Faint Poblogaeth

1) Addasiad

Os yw'r organeb wedi addasu'n dda i'w hamgylchedd yna fe fydd fel arfer yn goroesi ac yn pasio'i genynnau ymlaen i'r genhedlaeth nesaf. Yr organebau sydd heb addasu'n rhy dda yw'r cyntaf i farw fel arfer, yn aml cyn iddynt fedru atgenhedlu. Mae hyn yn golygu na chaiff eu genynnau na'u nodweddion, sydd heb addasu'n rhy dda, eu pasio ymlaen i unrhyw epil.

RHEOL I'W CHOFIO: *Mae Addasu'n Llwyddiannus yn golygu Gwell Babanod a Mwy Ohonynt*

2) Cystadleuaeth

Dywed deddf y jyngl mai'r cryfa sy'n goroesi. Mae hyn yn golygu os yw planhigyn neu anifail yn ffit, yn iach ac yn cystadlu'n dda am fwyd a maetholynnau, yna fe fydd YN GOROESI.

RHEOL I'W CHOFIO: *Mae Cystadlu'n Llwyddiannus yn golygu Gwell Babanod a Mwy Ohonynt*

3) Ysglyfaethu

Os gall anifail neu blanhigyn osgoi bod yn ginio i ryw organeb arall, yna bydd yn goroesi i basio'i enynnau ymlaen i'r genhedlaeth nesaf. Bydd yr epil yn dueddol o feddu ar yr un nodweddion goroesi da ac felly caiff y genynnau "goroesi" eu pasio ymlaen eto. Unwaith eto, bydd gan yr organeb sydd â'r nodweddion gorau mwy o gyfle i atgenhedlu.

RHEOL I'W CHOFIO: *Mae Osgoi Ysglyfaethwyr yn Llwyddiannus yn golygu Gwell Babanod a Mwy Ohonynt*

Mae'r Jiraff wedi Esblygu er mwyn Goroesi

Ydych chi'n barod am stori...
Un tro roedd grŵp o anifeiliaid yn bwyta dail oddi ar goeden. Roeddynt wedi eu cuddliwio'n dda ac felly'n osgoi ysglyfaethwyr. Yn anffodus roedd y boblogaeth yn uchel a'r bwyd yn prinhau. Cyn hir roedd yr holl ddail ar rannau isa'r coed wedi mynd a dechreuodd yr anifeiliaid deimlo'n llwglyd – bu farw rhai hyd yn oed. Hynny yw heblaw am nifer bach o anifeiliaid a oedd, am ryw reswm, yn meddu ar yddfau ychydig hirach na'r lleill. Roedd hyn yn golygu eu bod nhw'n medru ymestyn ychydig ymhellach at y dail gwyrdd hyfryd oedd yn uwch i fyny'r coed. Llwyddodd y rhain i oroesi'r flwyddyn honno, yn annhebyg i nifer o anifeiliaid, gan gynhyrchu nifer o fabanod. Roedd gan y babanod yddfau hirach hefyd, ac felly roedden nhw hefyd yn gallu ymestyn i fyny'r goeden at y dail blasus.
Cyn pen dim, roedd gan y rhan fwyaf o'r anifeiliaid yn y boblogaeth yddfau hirion....

Esblygiad y Jiraff – nid stori fer mohoni...

Gwnewch yn siŵr eich bod chi'n deall sylwedd y stori hon. Dim ond y nifer bychan a enir gyda'r nodweddion gorau oll ar gyfer delio â'r byd sydd ohoni fydd yn goroesi ac yn cynhyrchu epil – mae'r gwirion a'r gwan yn marw'n fuan. Byddwch yn ddiolchgar eich bod chi'n ddynol ac yn byw ar yr amser iawn ac yn y man iawn.

Crynodeb Adolygu ar gyfer Adran Pump

Mae Adran Pump yn sôn am y modd y mae pethau byw yn goroesi yn eu hamgylchedd naturiol. Mae'n rhaid i bob un ddod o hyd i ddigon o fwyd i fyw a hefyd osgoi'r holl beryglon eraill sy'n cynllwynio i'w gwaredu o'r ddaear. Addasu, cadwynau bwydydd, gweoedd bwydydd a goroesiad yw'r pedwar pwnc sy'n delio â hyn i gyd. Mae'r cwestiynau isod wedi eu hysgrifennu i weld pa mor dda ydych chi wedi dysgu'r holl wybodaeth yn Adran Pump. Cofiwch, mae angen i chi ymarfer y cwestiynau hyn drosodd a thro. Os dowch chi ar draws cwestiwn na fedrwch chi ei ateb, ewch yn ôl trwy Adran Pump nes dod o hyd iddo a'i ddysgu'n barod am y tro nesaf.

1) Beth yn union yw cynefin organeb?
2) Beth yw amgylchedd organeb?
3) Beth yw ystyr "wedi addasu"?
4) Disgrifiwch amodau arctig?
5) Rhestrwch chwech o nodweddion yr arth wen sy'n golygu ei bod wedi addasu'n dda i'r amgylchedd.
6) Disgrifiwch amodau diffeithdir.
7) Rhestrwch chwech o nodweddion camel sy'n golygu ei fod wedi addasu'n dda i amodau diffeithdir.
8) Rhestrwch bum nodwedd arbennig sy'n golygu bod cactws wedi addasu'n dda i amodau diffeithdir.
9) Enwch dri newid dyddiol a allai effeithio ar blanhigion ac anifeiliaid.
10) Beth yw'r enw a roddir ar organebau sy'n actif yn ystod y nos?
11) Pam y mae blodau'n agor yn ystod y dydd?
12) Beth all crwban ei wneud er mwyn delio ag amodau caled y gaeaf?
13) Beth y mae rhai adar yn ei wneud yn y gaeaf er mwyn osgoi'r oerfel?
14) Pam y mae rhai coed yn colli eu dail yn ystod y gaeaf?
15) Beth yw cymuned?
16) Beth yw ecosystem?
17) Beth yw cadwyn fwyd?
18) Rhowch enghraifft o gadwyn fwyd.
19) Rhowch ddiffiniadau da ar gyfer y termau canlynol:
    a) cynhyrchydd b) llysysydd c) ysydd
    ch) ysydd cynradd d) ysydd eilradd dd) ysydd trydyddol
    e) cigysydd f) cigysydd uchaf ff) hollysydd.
20) Beth sy'n digwydd i wenwynau wrth iddynt symud ar hyd cadwynau bwydydd?
21) Ym mha dair ffordd y caiff egni ei golli mewn cadwyn fwyd?
22) Beth yw lefel troffig? Esboniwch gydag enghreifftiau.
23) Pa dri ffactor sy'n effeithio ar faint poblogaeth?
24) Beth yw'r rheol i'w chofio wrth ystyried goroesiad?
25) Pam y mae gwddf y jiraff mor hir?

Sgôr: O Dudalen 35.
26 – 30: Peidiwch â phoeni, dydych chi ddim yn ddolffin – rydych chi wedi addasu'n well i dir sych. Anwybyddwch y bobl sy'n eich galw chi'n "Flipper" neu'n rhoi pysgod i chi'n anrheg Nadolig – gall rhai pobl fod yn greulon. Gallwch gysgu'n dawel o wybod nad ydych chi'n enynnol yn ddolffin.
16 – 25: Efallai wir eich bod chi'n ddolffin – neu o leiaf wedi addasu i amgylchedd morol yn debyg i ddolffin. Ceisiwch beidio â chymysgu â bywyd y môr yn ormodol.
10 – 15: Mae'n debyg eich *bod* chi yn ddolffin a'ch bod chi wedi eich addasu'n dda at y môr ond yn cael trafferth ar dir sych. Gair o gyngor – cysylltwch â'r sŵ agosaf. Mae help wrth law!

Solidau, Hylifau a Nwyon

Tri Chyflwr Mater – Solid, Hylif a Nwy

1) Daw defnyddiau ar dair gwahanol ffurf – solid, hylif a nwy.
2) Gelwir y rhain yn Dri Chyflwr Mater.
3) Mae pob defnydd wedi ei wneud o ronynnau pitw.
4) Mae'r cyflwr (solid, hylif neu nwy) yn dibynnu ar ba mor gryf y mae'r gronynnau yn glynu wrth ei gilydd. Mae pa mor gryf y maent yn glynu wrth ei gilydd yn dibynnu ar DRI PHETH:
   a) y defnydd b) y tymheredd c) y gwasgedd.

Mae gan Solidau, Hylifau a Nwyon Wahanol Briodweddau

1) Gallwn adnabod solidau, hylifau a nwyon o'u gwahanol briodweddau.
2) Ffordd o ddweud sut y mae'n ymddwyn yw priodwedd sylwedd.

Priodwedd	Solidau	Hylifau	Nwyon
Cyfaint	Mae gan solidau gyfaint pendant	Mae gan hylifau gyfaint pendant	Nid oes gan nwyon gyfaint pendant – maent o hyd yn llenwi'r cynhwysydd sy'n eu dal
Siâp	Mae gan solidau siâp pendant	Mae gan hylifau'r un siâp â'r cynhwysydd	Mae nwyon yn newid i siâp y cynhwysydd (Nwy clorin)
Dwysedd	Mae gan solidau ddwysedd uchel (trwm am eu maint)	Mae gan hylifau ddwysedd canolig (Ych-a-fi, olew)	Mae gan nwyon ddwysedd isel iawn (Virgil)
Cywasgadwyedd(!)	Ni ellir gwasgu solidau yn hawdd	Ni ellir gwasgu hylifau yn hawdd (hylif – methu gwthio)	Gellir gwasgu nwyon yn hawdd
Pa mor rhwydd y mae'n llifo	Nid yw solidau'n llifo	Mae hylifau'n llifo'n hawdd	Mae nwyon yn llifo'n hawdd (ac yn tryledu) (drewdod, oglau drwg, pŵ)

Y Tri Chyflwr – peidiwch â'u cymysgu...

Solidau, hylifau a nwyon – rhaid i chi ddysgu pob un o'r pwyntiau uchod a phriodweddau'r tri. Wedi i chi wneud hynny, cuddiwch y dudalen ac ysgrifennwch y cwbl i lawr oddi ar eich cof. Fe welwch chi'n fuan beth ydych chi'n ei wybod – a beth dydych chi ddim. Daliwch ati nes y medrwch chi ei wneud yn iawn.

Theori Gronynnau

Theori gronynnau – enw ffansi ond mae'n hawdd i'w ddysgu a dweud y gwir.

1) Mae'r gronynnau o fewn sylwedd yn aros yr un peth p'un ai ydyw'n solid, hylif neu nwy.
2) Yr hyn sy'n newid yw trefniant y gronynnau a'u hegni.

Gronynnau mewn Solid

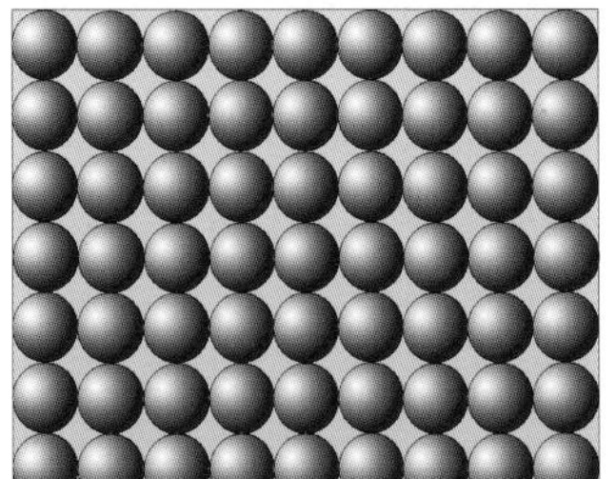

Gronynnau mewn Hylif

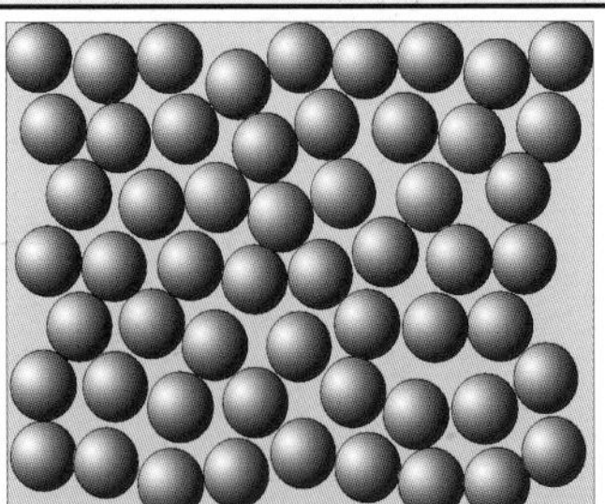

Gronynnau mewn Nwy

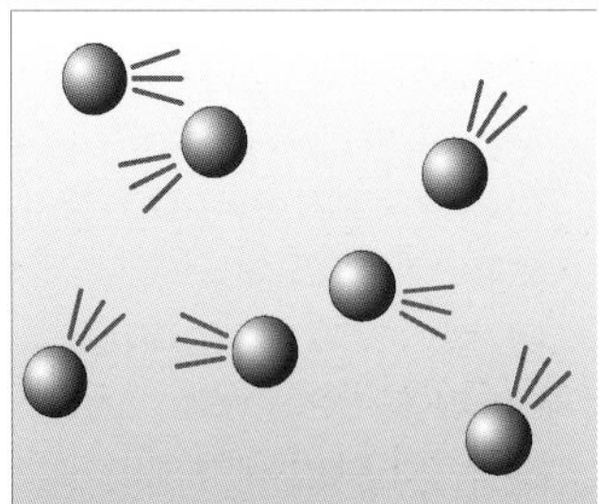

3) Mae'r theori gronynnau yma'n egluro holl wahanol briodweddau solidau, hylifau a nwyon...

Solidau – Mae'r Gronynnau'n cael eu Dal yn Dynn Dynn wrth ei Gilydd

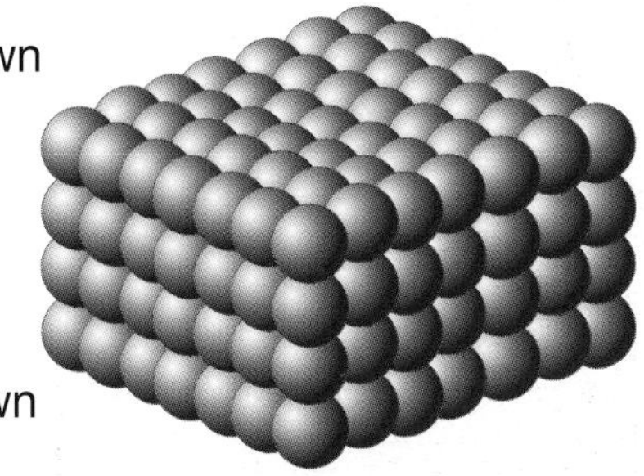

1) Mae grymoedd atyniadol cryf rhwng y gronynnau.
2) Mae'r gronynnau'n cael eu dal yn agos mewn safleoedd sefydlog mewn trefniant rheolaidd iawn. Ond maent yn dirgrynu yn ôl ac ymlaen.
3) Nid yw'r gronynnau'n symud o'u safleoedd, felly mae pob solid yn cadw siâp a chyfaint pendant, ac ni allant lifo fel hylifau.
4) Ni ellir cywasgu solidau'n hawdd oherwydd bod y gronynnau eisoes wedi eu pacio'n agos iawn at ei gilydd.
5) Mae solidau fel arfer yn ddwys, oherwydd bod llawer o ronynnau mewn cyfaint bach.

Hylifau – Mae'r Gronynnau'n Agos at ei Gilydd ond gallant Symud

1) Mae rhai grymoedd atyniadol rhwng y gronynnau.
2) Mae'r gronynnau'n agos ond yn rhydd i symud heibio'i gilydd. Maent hefyd yn glynu wrth ei gilydd. Mae'r gronynnau'n symud i bob cyfeiriad o hyd.
3) Nid yw hylifau yn cadw siâp pendant a gallant ffurfio pyllau. Maent yn llifo ac yn llenwi gwaelod cynhwysydd. Er hyn maent yn cadw'r un cyfaint.
4) Nid yw hylifau'n cywasgu'n hawdd oherwydd bod y gronynnau wedi eu pacio'n agos at ei gilydd.
5) Mae hylifau'n eithaf dwys, gan fod nifer mawr o ronynnau o fewn cyfaint bach.

Nwyon – Mae'r Gronynnau Ymhell oddi wrth ei Gilydd ac yn Hedfan o Gwmpas dipyn

1) Does dim grymoedd atyniadol rhwng y gronynnau.
2) Mae'r gronynnau ymhell oddi wrth ei gilydd ac yn rhydd i symud yn gyflym i bob cyfeiriad.
3) Mae'r gronynnau'n symud yn gyflym ac felly'n gwrthdaro gyda'i gilydd a'r cynhwysydd.
4) Nid yw nwyon yn cadw siâp na chyfaint pendant a byddant o hyd yn ehangu i lenwi unrhyw gynhwysydd. Gellir cywasgu nwyon yn hawdd oherwydd bod llawer o ofod gwag rhwng y gronynnau.
5) Mae gan bob nwy ddwysedd isel iawn oherwydd nad oes llawer o ronynnau o fewn cyfaint mawr.

Y Theori Gronynnau – hynod o atyniadol...

Mae'n glyfar dros ben sut y gallwn egluro'r holl wahaniaethau rhwng solidau, hylifau a nwyon trwy ddefnyddio dim byd ond llond tudalen o beli snwcer glas. Beth bynnag, dyna'r darn hawdd. Yr hyn sydd ychydig yn anoddach yw sicrhau eich bod chi wedi ei ddysgu i gyd. Dysgwch y diagramau, yna'r gweddill, yna cuddiwch ac ysgrifennwch.

Newidiadau Ffisegol

Nid yw newidiadau ffisegol yn newid y gronynnau, dim ond eu trefniant neu eu hegni.

1) Newidiadau Cyflwr

– h.y. newid o un cyflwr mater i un arall.

1) Wrth wresogi solid, mae ei ronynnau'n ennill mwy o egni.

2) Mae hyn yn peri i'r gronynnau symud mwy gan wanhau'r grymoedd sy'n dal y solid at ei gilydd. Mae hyn yn peri i'r solid ehangu.

3) Ar dymheredd penodol bydd gan y gronynnau ddigon o egni i dorri'n rhydd o'u safleoedd. Gelwir hyn yn YMDODDI ac mae'r solid yn newid yn hylif.

4) Wrth wresogi hylif, mae'r gronynnau'n ennill mwy o egni fyth.

5) Mae'r egni hwn yn achosi i'r gronynnau symud yn gynt gan wanhau a thorri'r bondiau sy'n dal yr hylif at ei gilydd.

6) Ar dymheredd penodol bydd gan y gronynnau ddigon o egni i dorri eu bondiau. Gelwir hyn yn FERWI ac mae'r hylif yn newid yn nwy.

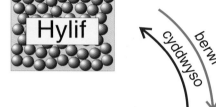

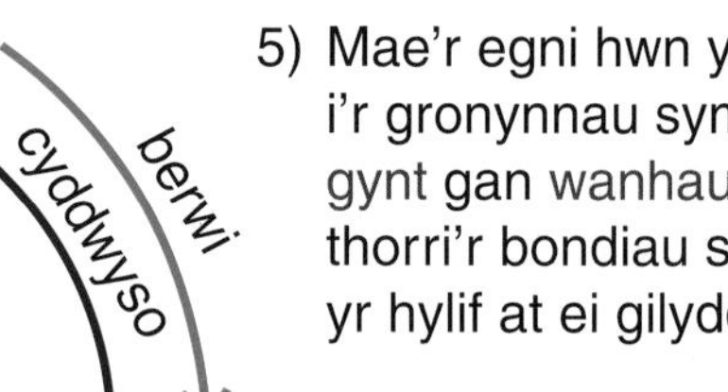
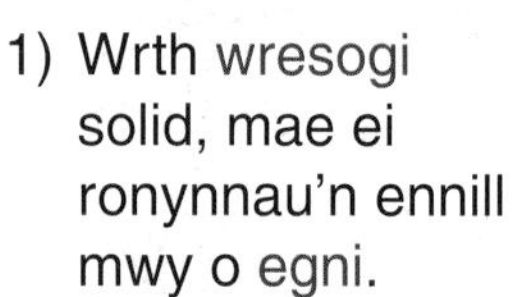

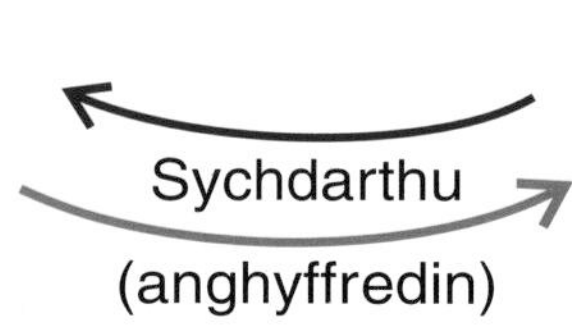
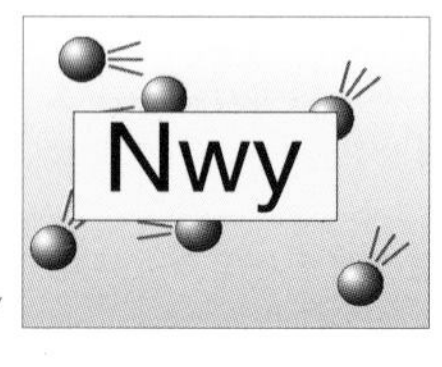

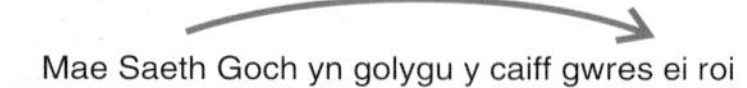

2) Ceir Gwasgedd Nwy oherwydd bod Gronynnau'n Taro Arwyneb

1) Wrth gynyddu'r tymheredd mae'r gronynnau'n symud yn gynt.
2) Caiff hyn ddwy effaith:
   a) Maent yn taro'r muriau'n galetach.
   b) Maent yn taro'n amlach.
3) Mae'r ddau beth hyn yn cynyddu'r gwasgedd.

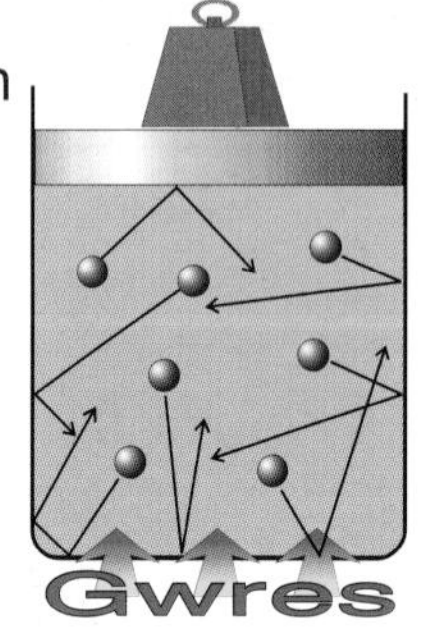

1) Wrth leihau'r cyfaint mae'r gwasgedd yn cynyddu.
2) Mae hyn yn digwydd oherwydd bod y gronynnau'n taro'r muriau'n amlach wrth iddynt gael eu gwasgu i ofod llai. Ond mae hynny'n eithaf amlwg, tydi?

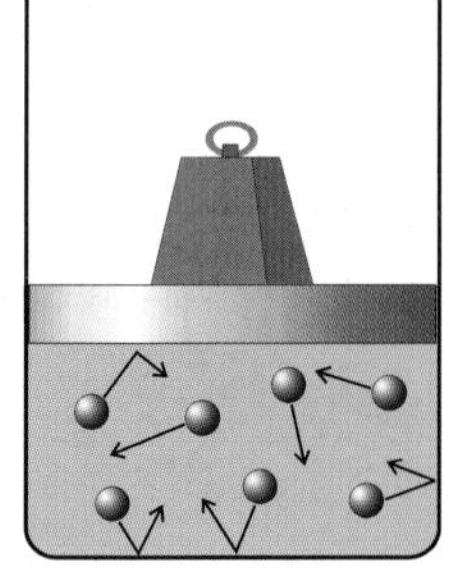

3) Gronynnau'n Gwasgaru yw Trylediad

1) Mae trylediad yn broses araf – yn union fel y mae arogl yn lledu trwy ystafell.
2) Mae gronynnau'r arogl yn symud i ffwrdd o'r man lle mae llawer ohonynt i bobman arall lle nad oes ond ychydig ohonynt – ond cofiwch, mae tryledlad o hyd yn araf.
3) Mae hyn yn digwydd oherwydd bod gronynnau'r arogl yn taro yn erbyn gronynnau aer sy'n eu hatal rhag symud ymlaen ac yn aml yn eu hanfon i ffwrdd i gyfeiriad cwbl wahanol – mae'n debyg i geisio rhedeg trwy ganol praidd o ddefaid bywiog gyda'ch llygaid ar gau. Wel, mae'n rhywbeth i wneud ar y penwythnos!

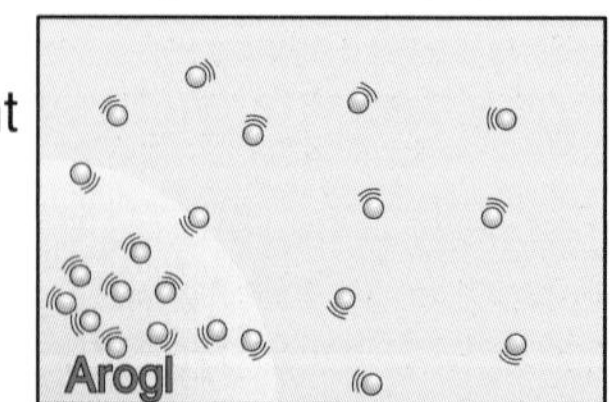

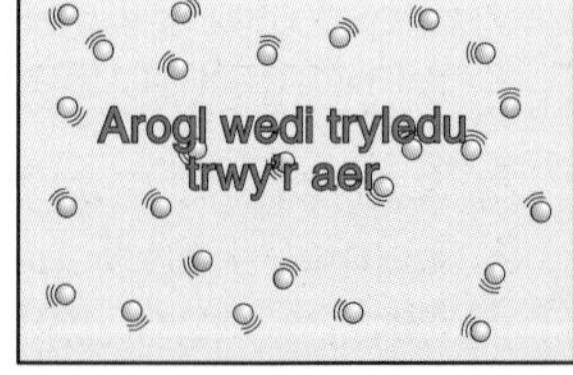

Tudalen arall o beli snwcer...

Rargain fawr, mae tipyn o wybodaeth ar y dudalen hon. Yn gyntaf dylech geisio cofio penawdau'r tair adran ac yna'r diagramau. Yna cuddiwch y dudalen a'u hysgrifennu i lawr. Yna triwch lenwi'r gweddill i mewn… ac eto... ac eto...

Atomau ac Elfennau

Mae Elfennau'n cynnwys Un Math o Ronyn yn unig

1) Ni ellir rhannau elfennau yn rhywbeth symlach trwy ddulliau cemegol. Maent yn cynnwys un math o atom yn unig.
2) Mae oddeutu 100 gwahanol elfen. (Fel y dangosir isod.)
3) Mae gan bob un enw a symbol, e.e. Carbon, C.
4) Mae popeth ar y Ddaear wedi ei wneud o elfennau.

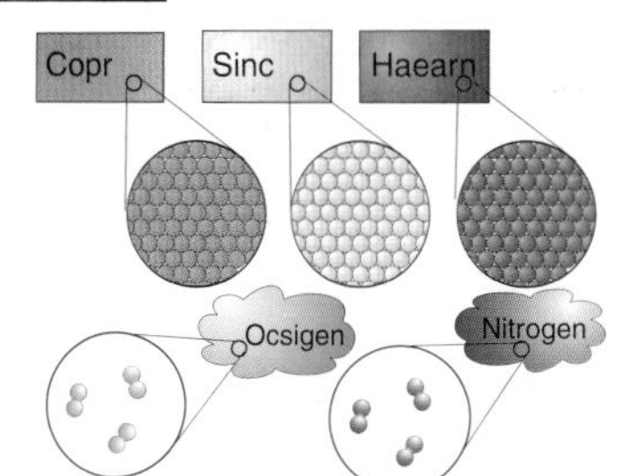

Mae'r Tabl Cyfnodol yn Rhestru'r Elfennau i Gyd

	grŵp I	grŵp II											grŵp III	grŵp IV	grŵp V	grŵp VI	grŵp VII	
								1 H Hydrogen 1										4 He Heliwm 2
2	7 Li Lithiwm 3	9 Be Beryliwm 4											11 B Boron 5	12 C Carbon 6	14 N Nitrogen 7	16 O Ocsigen 8	19 F Fflworin 9	20 Ne Neon 10
3	23 Na Sodiwm 11	24 Mg Magnesiwm 12											27 Al Alwminiwm 13	28 Si Silicon 14	31 P Ffosfforws 15	32 S Sylffwr 16	35.5 Cl Clorin 17	40 Ar Argon 18
4	39 K Potasiwm 19	40 Ca Calsiwm 20	45 Sc Scandiwm 21	48 Ti Titaniwm 22	51 V Fanadiwm 23	52 Cr Cromiwm 24	55 Mn Manganis 25	56 Fe Haearn 26	59 Co Cobalt 27	59 Ni Nicel 28	64 Cu Copr 29	65 Zn Sinc 30	70 Ga Galiwm 31	73 Ge Germaniwm 32	75 As Arsenig 33	79 Se Seleniwm 34	80 Br Bromin 35	84 Kr Crypton 36
5	86 Rb Rwbidiwm 37	88 Sr Strontiwm 38	89 Y Ytriwm 39	91 Zr Sirconiwm 40	93 Nb Niobiwm 41	96 Mo Molybdenwm 42	99 Tc Tecnetiwm 43	101 Ru Rwtheniwm 44	103 Rh Rhodiwm 45	106 Pd Paladiwm 46	108 Ag Arian 47	112 Cd Cadmiwm 48	115 In Indiwm 49	119 Sn Tun 50	122 Sb Antimoni 51	128 Te Telwriwm 52	127 I Ïodin 53	131 Xe Senon 54
6	133 Cs Cesiwm 55	137 Ba Bariwm 56	57-71 Y Lanthanidau	179 Hf Hafniwm 72	181 Ta Tantalwm 73	184 W Twngsten 74	186 Re Rheniwm 75	190 Os Osmiwm 76	192 Ir Iridiwm 77	195 Pt Platinwm 78	197 Au Aur 79	201 Hg Mercwri 80	204 Tl Thaliwm 81	207 Pb Plwm 82	209 Bi Bismwth 83	210 Po Poloniwm 84	210 At Astatin 85	222 Rn Radon 86
7	223 Fr Ffranciwm 87	226 Ra Radiwm 88	89-103 Yr Actinidau															

rhif màs → 4 He Heliwm 2 ← rhif atomig

metelau adweithiol | elfennau trosiannol | metelau eraill | anfetelau | nwyon nobl | gwahanu metelau ac anfetelau

1) Mae'r elfennau wedi eu trefnu'n arbennig fel bo pob colofn yn cynnwys elfennau sydd â phriodweddau tebyg. Gelwir y colofnau hyn o elfennau yn grwpiau.
2) Gelwir y rhesi llorweddol yn gyfnodau. Ceir newid neu "dueddiad" graddol yn y priodweddau ar draws cyfnod.
3) Rhestrir yr elfennau yn nhrefn eu rhif atomig – sef nifer y protonau yn niwclews yr atom.

Enwau'r Grwpiau

grŵp 1:	Y metelau alcalïaidd
grŵp 2:	Y metelau mwynol alcalïaidd
grŵp 7:	Yr halogenau
grŵp 0:	Y nwyon nobl

Gelwir y blocyn o elfennau sydd rhwng grwpiau 2 & 3 yn fetelau trosiannol.

Yr Atom yw Rhan Sefydlog Lleiaf unrhyw Elfen

1) Mae pob atom o fewn elfen yn unfath. Mae pob atom yn bitw bach.
2) Atomau yw blociau adeiladu sylfaenol pob defnydd.
3) Mae gan atomau niwclews yn y canol sy'n cynnwys protonau a niwtronau. Mae protonau wedi eu gwefru'n bositif. Mae niwtronau'n niwtral.
4) Mae gan atomau ddarnau llai fyth o'r enw electronau sy'n hedfan o amgylch y niwclews. Mae electronau wedi eu gwefru'n negatif. Maent yn symud yn ddychrynllyd o gyflym.

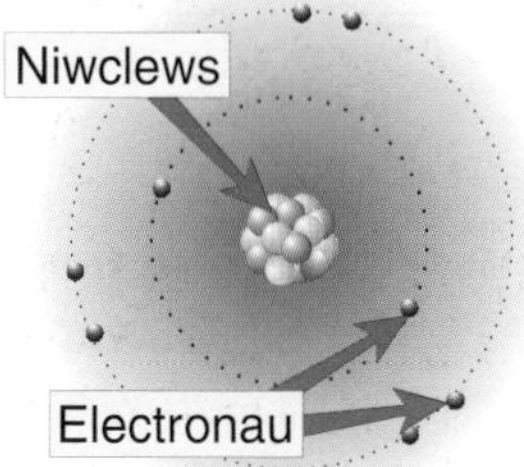

Tabl yr Elfennau – chwarae teg i'r un a'i creodd...

Peth clyfar iawn yw'r Tabl Cyfnodol – mae'n siŵr bod yr un a feddyliodd amdano gyntaf yn eithaf enwog erbyn hyn. Mae tri phennawd ar y dudalen hon ac un ar ddeg pwynt. Rhaid i chi ei ddysgu i gyd fel y gallwch guddio'r dudalen a'i ysgrifennu i lawr ar eich cof. Triwch wneud hyn nawr.

Cyfansoddion

Mae Cyfansoddion yn cynnwys Dwy Elfen neu Fwy wedi'u Cyfuno

1) Gelwir y gronynnau mewn cyfansoddyn yn foleciwlau – sy'n ffurfio wrth i atomau gyfuno.
2) Er mwyn gwneud cyfansoddyn, rhaid bod yr atomau o wahanol elfennau a gelwir y "cyswllt" yn fond cemegol. E.e. CO_2

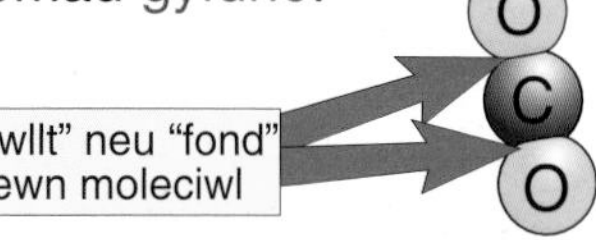

Elfen wedi ei gwneud o atomau

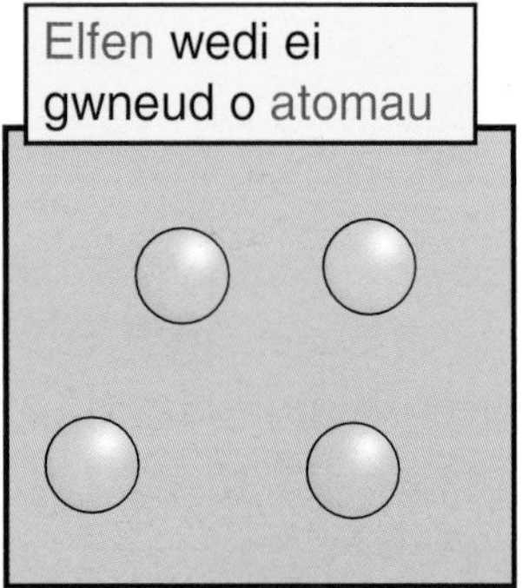

(Mae'r gronynnau i gyd yr un fath a heb eu cyfuno – rhaid mai elfen ydyw.)

Elfen wedi ei gwneud o foleciwlau

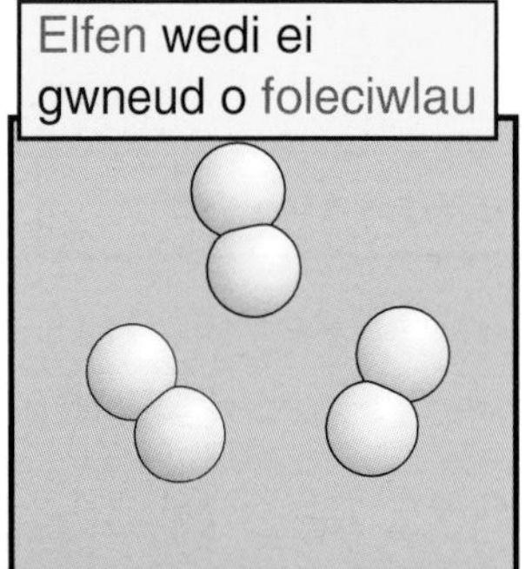

(Efallai bod yn atomau wedi eu cyfuno, ond maent yn dal i fod yr un fath, felly elfen ydyw o hyd.)

Moleciwlau mewn CYFANSODDYN

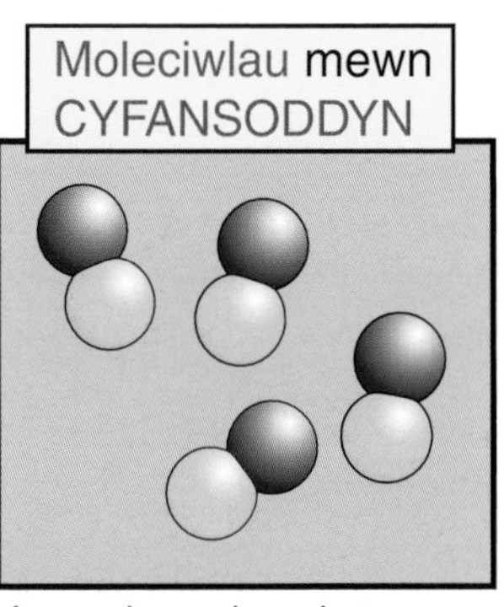

(Yma ceir gwahanol atomau wedi'u cyfuno – cyfansoddyn yw hwn mae'n siŵr.)

CYMYSGEDD o wahanol elfennau

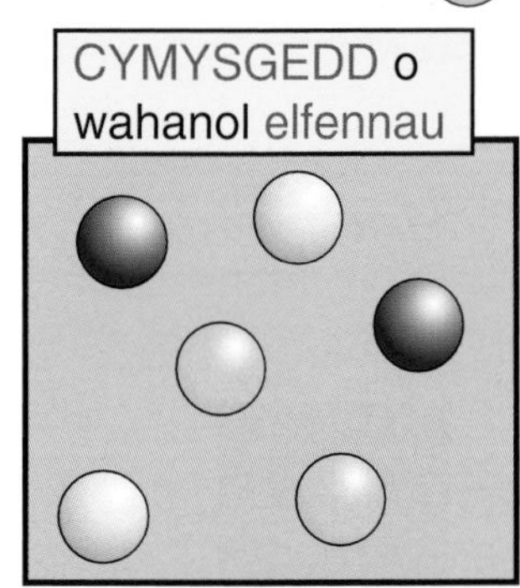

(Nid cyfansoddyn yw hwn oherwydd nad yw'r elfennau wedi'u cyfuno – cymysgedd ydyw.)

Mae Elfennau'n Cyfuno mewn Adwaith Cemegol

1) Mewn adwaith cemegol mae dau gemegyn neu fwy (yr adweithyddion) yn cyfuno i ffurfio un sylwedd newydd neu fwy (y cynnyrch).
2) Mae'r cyfansoddion newydd a gynhyrchir mewn adwaith cemegol o hyd yn hollol wahanol i'r elfennau gwreiddiol (neu'r adweithyddion). (Weithiau dywedwn y caiff cyfansoddyn newydd ei syntheseiddio.) Yr enghraifft glasurol yw haearn yn adweithio gyda sylffwr fel y dangosir isod:

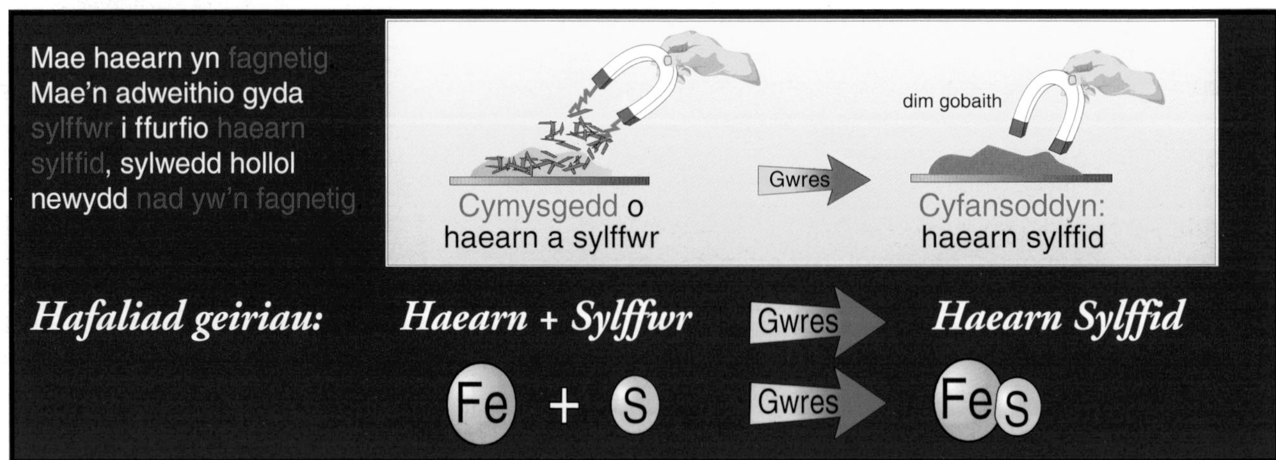

3) Wrth i elfennau adweithio'n gemegol fel uchod bydd gan y cynnyrch fformiwla gemegol bob tro – e.e. H_2O ar gyfer dŵr neu FeS ar gyfer haearn sylffid
4) Gellir hollti cyfansoddion yn ôl i'w helfennau gwreiddiol ond ni fydd hyn yn digwydd ar ei ben ei hun – mae'n rhaid i chi ddarparu llawer o egni er mwyn i'r adwaith fynd yn ôl.

Dysgwch am Gyfansoddion – a daliwch ati...

Maent yn hoff iawn o weld a ydych chi'n gwybod y gwahaniaeth rhwng elfennau a chyfansoddion (a chymysgeddau – gweler tud. 46). Nid yw mor anodd â hynny – ond mae'n rhaid i chi sicrhau eich bod chi'n dysgu'r holl fanylion bach ar y dudalen hon. Felly cuddiwch y dudalen ac ysgrifennwch draethawd byr. Nawr.

Enwi Cyfansoddion

Wrth i elfennau gyfuno mae eu henwau'n aml yn newid ychydig. Dysgwch y Tair Rheol Syml.

Enwi Cyfansoddion – Tair Rheol Syml:

Rheol 1

Wrth i DDWY ELFEN gyfuno mae'r enw fel arfer yn gorffen gyda "RHYWBETH -ID".

NaCl  Fformiwla  MgO

Sodiwm a Chlorin ⟵ Elfennau sy'n bresennol  Magnesiwm ac Ocsigen

yn rhoi: SODIWM CLORID ⟵ Enw'r Cyfansoddyn ⟶ yn rhoi: MAGNESIWM OCSID

Ac yn union yr un modd:		
	Mae Clorin yn newid yn Clorid	Mae Bromin yn newid yn Bromid
	Mae Ocsigen yn newid yn Ocsid	Mae Fflworin yn newid yn Fflworid
	Mae Sylffwr yn newid yn Sylffid	Mae Ïodin yn newid yn ïodid

Rheol 2

Wrth i DAIR gwahanol elfen NEU FWY gyfuno – ac mae un ohonynt yn OCSIGEN – yna bydd yr enw'n gorffen gyda "RHYWBETH -AD".

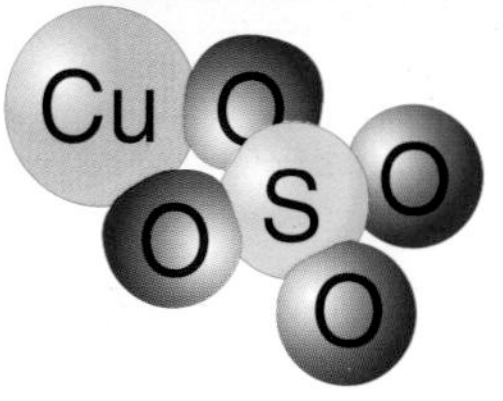

$CuSO_4$ ⟵  Fformiwla ⟶ $CaCO_3$

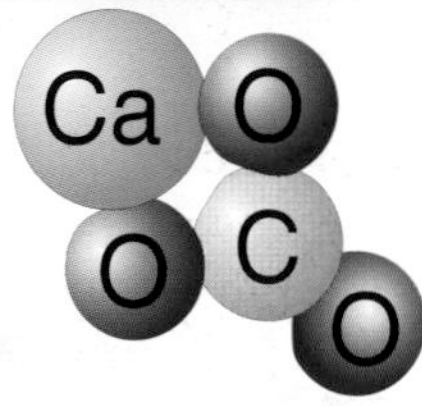

1 Copr, 1 Sylffwr, 4 Ocsigen ⟵ Elfennau sy'n bresennol ⟶ 1 Calsiwm, 1 Carbon, 3 Ocsigen

COPR SYLFFAD ⟵ Enw'r Cyfansoddyn  CALSIWM CARBONAD

Ac yn union yr un modd:		
	Mae Sodiwm + Carbon + 3 Ocisgen yn rhoi:	SODIWM CARBONAD
	Mae Potasiwm + Sylffwr + 4 Ocsigen yn rhoi:	POTASIWM SYLFFAD
	Mae Amonia + Nitrogen + 3 Ocsigen yn rhoi:	AMONIWM NITRAD

Rheol 3

Wrth i ddwy elfen UNFATH gyfuno NID yw'r enw'n NEWID o gwbl.

H_2 = Hydrogen	H H	F_2 = Fflworin	F F
N_2 = Nitrogen	N N	Cl_2 = Clorin	Cl Cl
O_2 = Ocsigen	O O	Br_2 = Bromin	Br Br

-idau ac -adau – fedra i enwi hwnnw mewn un...

Gall enwi cyfansoddion fod yn anodd wrth gwrs, ond mae dysgu'r tair rheol syml hyn yn ddigon ar gyfer CA3. Wedi i chi wneud hynny, ceisiwch enwi'r rhain:
1) Cyfuno Sodiwm a Fflworin 2) Dau ïodin wedi'u cyfuno 3) Calsiwm gyda Sylffwr ac Ocsigen.

Cymysgeddau

Sylweddau sydd HEB gyfuno'n Gemegol yw Cymysgeddau

Mae dŵr môr ac aer yn enghreifftiau da o GYMYSGEDDAU – nid yw eu cyfansoddion wedi cyfuno. Mae gan y cymysgedd briodweddau pob un o'i rannau. Os ydych chi'n ddigon clyfar, gallwch eu gwahanu'n hawdd trwy ddefnyddio Dulliau Ffisegol (h.y. nid rhai cemegol).

N_2 N_2 O_2 N_2 CO_2

Mae aer yn gymysgedd o wahanol nwyon.

Dulliau Ffisegol yw Technegau Gwahanu

Mae pedair techneg gwahanu sy'n rhaid i chi eu dysgu.
1) HIDLO 2) ANWEDDU 3) CROMATOGRAFFAETH 4) DISTYLLU
Mae'r pedwar dull yn defnyddio gwahanol briodweddau'r rhannau ansoddol i'w gwahanu.

Hidlo ac Anweddu – e.e. ar gyfer gwahanu Halen Craig.

1) Dim ond cymysgedd o halen a thywod yw Halen Craig (caiff ei daenu ar y ffyrdd yn y gaeaf).
2) Mae halen a thywod ill dau yn gyfansoddion – ond mae halen yn hydoddi mewn dŵr ac nid yw tywod. Mae'r gwahaniaeth hanfodol hwn yn eu priodweddau ffisegol yn ffordd wych o'u gwahanu.
3) Bydd angen i chi DDYSGU PEDWAR CAM y dull hwn:

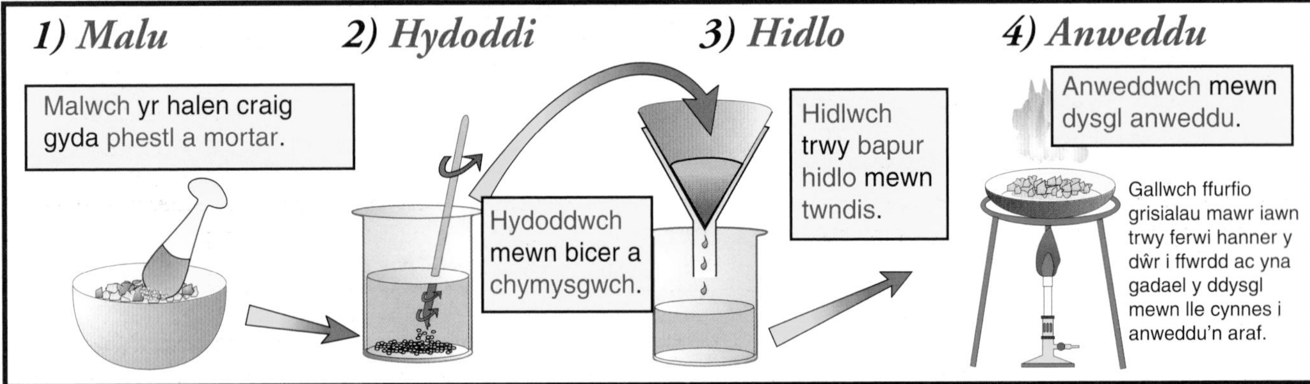

1) Malu
Malwch yr halen craig gyda phestl a mortar.
2) Hydoddi
Hydoddwch mewn bicer a chymysgwch.
3) Hidlo
Hidlwch trwy bapur hidlo mewn twndis.
4) Anweddu
Anweddwch mewn dysgl anweddu.
Gallwch ffurfio grisialau mawr iawn trwy ferwi hanner y dŵr i ffwrdd ac yna gadael y ddysgl mewn lle cynnes i anweddu'n araf.

1) Nid yw'r tywod yn hydoddi (mae'n anhydawdd) felly mae'n aros yn ronynnau mawr ac mae'n amlwg na fydd y rhain yn ffitio trwy'r tyllau pitw mewn papur hidlo – felly mae'n casglu ar y papur hidlo.
2) Mae'r halen wedi hydoddi mewn hydoddiant ac felly mae'n mynd trwyddo – ac wedi i'r dŵr anweddu mae'r halen yn ffurfio grisialau yn y ddysgl anweddu. Gelwir hyn yn GRISIALU. (Beth arall!) Dyma rai enghreifftiau bob dydd: Coffi wedi hidlo, bagiau te, colanderau a gratiau dreaniau.

Cromatograffaeth – mae hyn yn ddelfrydol ar gyfer gwahanu'r llifynnau a geir mewn inc.

1) Bydd y gwahanol lifynnau mewn inc yn golchi trwy'r papur ar wahanol gyfraddau.
2) Bydd rhai yn glynu wrth y papur tra bo eraill yn hydoddi ac yn teithio trwyddo'n gyflym.

Dull 1

1) Rhoi smotiau o inc ar bapur hidlo.
2) Torri wic o ran o'r papur (fel y dangosir).
3) Mae'r hydoddydd yn golchi'r llifynnau trwy'r papur

Dull 2

1) Rhowch smotiau o inciau ar linell bensil ar bapur hidlo.
2) Rholiwch y papur i fyny a'i roi mewn bicer.
3) Mae'r hydoddydd yn tryddiferu i fyny'r papur gan gludo llifynnau'r inc gydag ef.
4) Bydd pob gwahanol lifyn yn ffurfio smotyn mewn gwahanol le.
5) Gallwch gymharu inc ffug gydag inc hysbys i weld beth sydd ynddo.

Dau ddiben cyffrous arall ar gyfer cromatograffaeth:
1) Adnabod samplau gwaed 2) Ymchwilio cloroffyl.

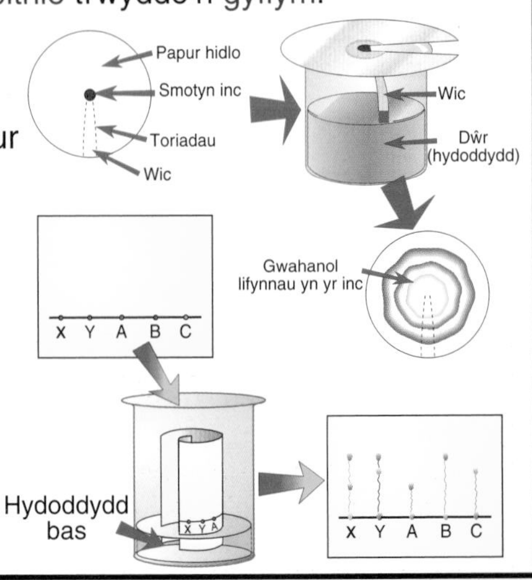

Cymysgeddau

Distyllu Syml – e.e. ar gyfer gwahanu dŵr ac inc.

1) Defnyddir distyllu syml ar gyfer gwahanu cymysgedd o hylif a solid.
2) Caiff yr hylif ei wresogi ac mae'n berwi i ffwrdd. Yna caiff ei oeri, ei gyddwyso a'i gasglu gan adael y solid ar ôl.
3) Mae distyllu syml yn ardderchog ar gyfer cael dŵr pur o rywbeth fel dŵr môr neu ddŵr tap amheus.

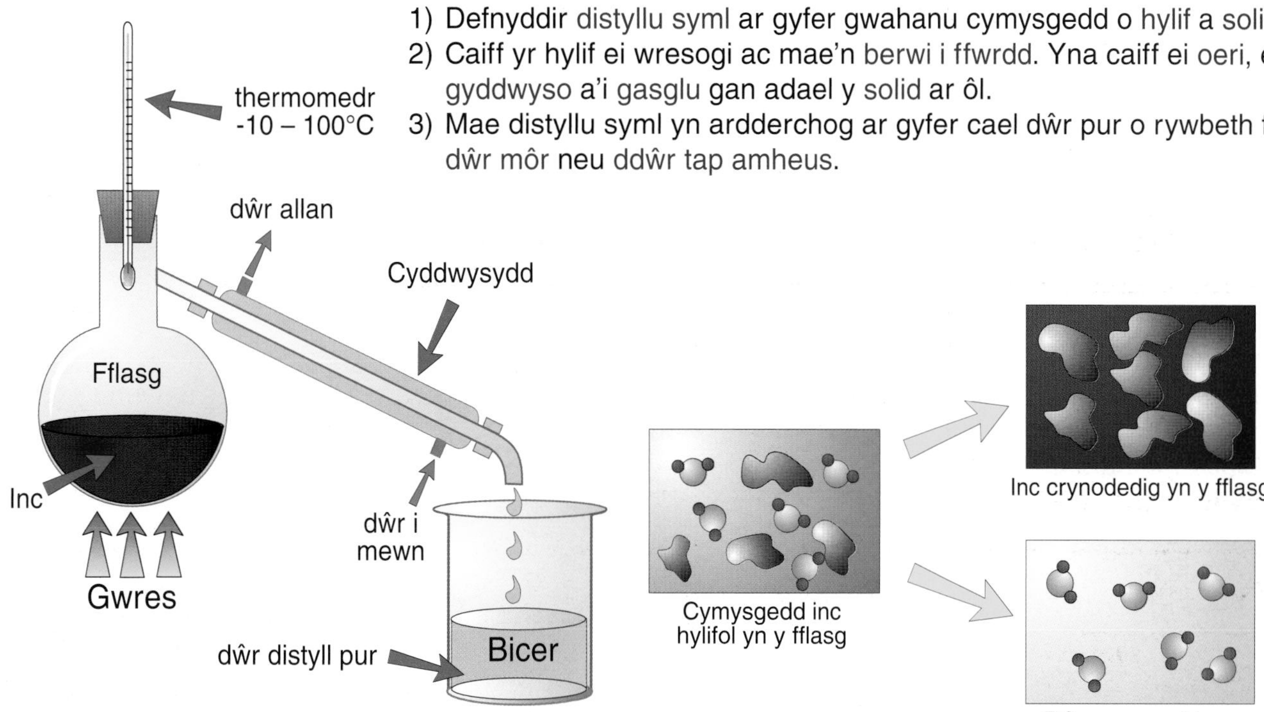

Distyllu Ffracsiynol – e.e. ar gyfer gwahanu cymysgedd o hylifau.

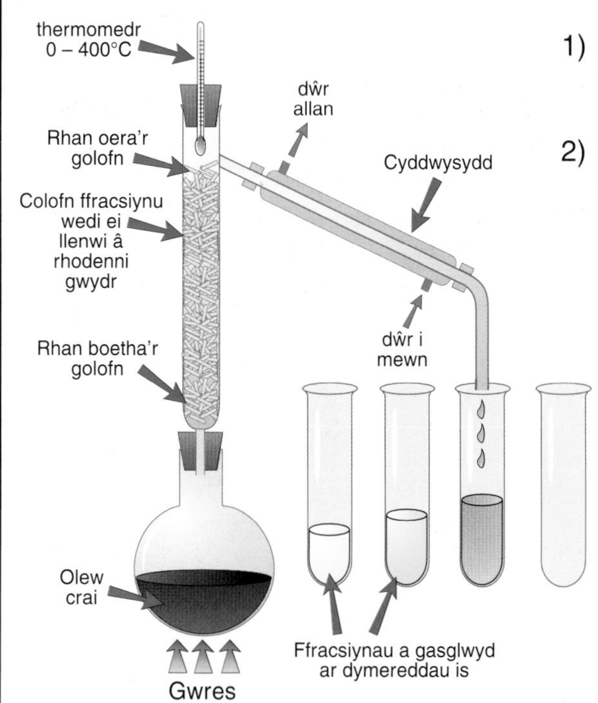

1) Defnyddir distyllu ffracsiynol i wahanu cymysgedd o hylifau.

2) Bydd gwahanol hylifau yn berwi ar wahanol dymereddau yn agos at eu berwbwynt eu hunain.

3) Mae'r golofn ffracsiynu yn sicrhau bod yr hylifau "anghywir" yn cyddwyso yn ôl i lawr, a dim ond yr hylif sy'n berwi'n iawn ar y tymheredd a ddangosir gan y thermomedr fydd yn cyrraedd y pen.

4) Wedi i bob hylif ferwi i ffwrdd mae'r tymheredd yn codi nes bod y ffracsiwn nesaf yn dechrau berwi i ffwrdd. Mae hyn yn golygu bod y ffracsiynau i gyd yn bur.

5) Enghreifftiau bob dydd:
   a) Distyllu chwisgi.
   b) Puro cemegau organig.

Adolygwch gymysgeddau – hidlwch allan y darnau pwysig...

Cofiwch nad yw cymysgeddau wedi'u cyfuno – felly gallwch eu gwahanu trwy ddefnyddio Dulliau Ffisegol heb fod angen adweithiau cemegol. A pheidiwch ag anghofio – mae dulliau gwahanu'n sicr o ymddangos yn yr arholiad – felly gwnewch yn siŵr y medrwch chi ysgrifennu'r gwaith hwn i gyd i lawr. Mwynhewch.

Priodweddau Metelau

Mae'n rhaid i chi wybod popeth am elfennau metel – dysgwch yr 14 priodwedd hyn.

1) Gellir cael hyd i fetelau yn y Tabl Cyfnodol

Mae 88 elfen fetel yn y Tabl Cyfnodol. Dangosir rhai yn goch yma ar ochr chwith y linell igam ogam.

Li Be
Na Mg Al
K Ca Sc Ti V Cr Mn Fe Co Ni Cu Zn Ga Ge
Rb Sr Y Zr Nb Mo Tc Ru Rh Pd Ag Cd In Sn Sb
Cs Ba La Hf Ta W Re Os Ir Pt Au Hg Tl Pb Bi Po
Fr Ra Ac Unq Unp Unh Uns Uno Une

2) Mae Metelau'n Dargludo Trydan

1) Mae metelau'n caniatáu i wefr drydanol basio trwyddynt yn hawdd.

2) Electronau yw'r gwefrau symudol a dweud y gwir. Gelwir gwefr symudol hefyd yn gerrynt trydanol.

Atomau metel

Gwefr negatif rydd (electronau)

Y bwlb yn goleuo

Dargludydd del

Trydan

Batri'n pwmpio'r wefr o gwmpas

3) Mae Metelau'n Dargludo Gwres

1) Maent yn caniatáu i egni thermol basio trwyddynt.

2) Mae'r gronynnau "poeth" yn dirgrynu'n gryf. Caiff ei basio ymlaen trwy'r metel.

Llawer o symudiad

Ychydig o symudiad

4) Mae Metelau'n Gryf ac yn Wydn

1) Mae ganddynt gryfder tynnol uchel.

2) Mae hyn o ganlyniad i'r bondiau cryf sy'n bodoli rhwng y gronynnau metel.

3) Maent yn ddefnyddiau adeiladu da.

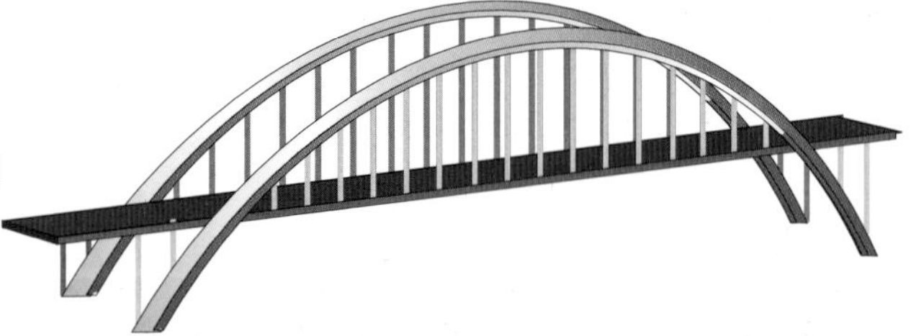

5) Mae Metelau yn Sgleinio wedi eu Llathru neu eu Torri'n ffres

1) Mae metelau'n adlewyrchu golau'n dda oddi ar eu hwyneb llyfn. Mae hyn yn peri iddynt ymddangos yn sgleiniog.

6) Mae Metelau yn Hydrin

1) Gellir ffurfio metelau'n siapau yn hawdd.

2) Mae'r bondiau o fewn metelau'n gryf a gallant wrthsefyll diriant a symudiad.

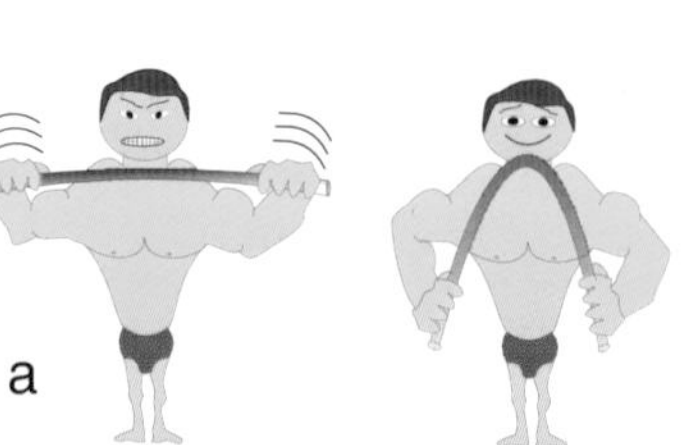

7) Mae Metelau'n Soniarus

1) Mae hyn yn golygu eu bod yn gwneud sŵn "donnnggg" hyfryd wrth i chi eu taro. Os meddyliwch chi am y peth, dim ond metelau sy'n gwneud hyn – fe allech wneud gong blastig ond ni fyddai'n swnio hanner cystal.

Priodweddau Metelau

8) Mae Metelau yn Hydwyth

1) Mae hyn yn golygu y gellir eu tynnu'n wifrau.
2) Nid yw'r bondiau yn y metel yn torri'n hawdd. Mae hyn yn golygu nad yw metelau'n frau fel anfetelau. Gallant blygu ac ymestyn.

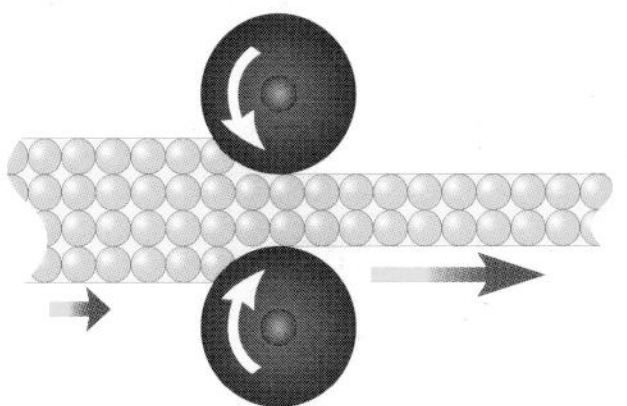

9) Mae gan Fetelau Ferwbwyntiau ac Ymdoddbwyntiau Uchel

1) Mae angen llawer o egni gwres er mwyn ymdoddi metelau.
2) Mae hyn oherwydd bod eu hatomau yn cyfuno gyda bondiau cryf.
3) Mae'r tabl yn dangos pa mor boeth mae'n rhaid iddynt fod cyn ymdoddi.

Metel	Ymdoddbwynt (°C)	Berwbwynt (°C)
Alwminiwm	660	2470
Copr	1084	2570
Magnesiwm	650	1110
Haearn	1540	2750
Sinc	419	907
Arian	961	2212

10) Mae gan Fetelau Ddwyseddau Uchel

1) Faint o ddeunydd sydd wedi ei wasgu i ofod penodol yw dwysedd.
2) Mae metelau'n teimlo'n drwm am eu maint (h.y. maent yn ddwys iawn) oherwydd bod llawer o atomau wedi eu pacio i gyfaint bach.

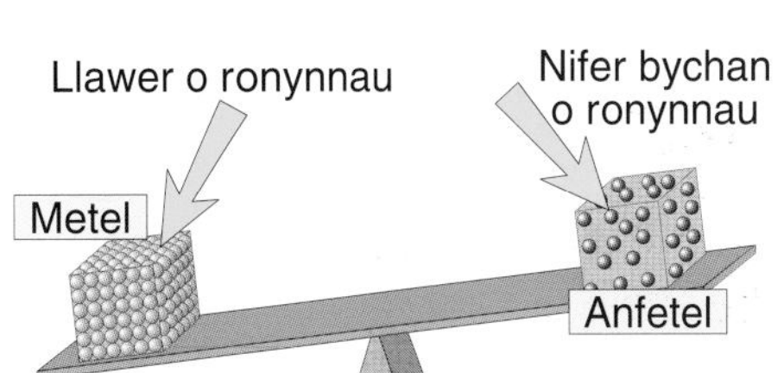

11) Mae Rhai Metelau'n Fagnetig

1) Dim ond rhai metelau sy'n fagnetig.
2) Dim ond Haearn, Cobalt a Nicel sy'n fagnetig yn y tabl cyfnodol. Bydd aloïau sy'n cynnwys y tri metel hyn hefyd yn fagnetig – e.e. gwneir dur yn bennaf o haearn ac mae hefyd yn fagnetig.

Haearn neu nicel neu gobalt – neu aloi'n cynnwys un ohonynt

12) Mae Metelau'n Ffurfio Aloïau wrth Gymysgu gyda Metelau eraill

1) Gelwir cyfuniad o wahanol fetelau yn aloi. Caiff priodweddau'r metelau eu cymysgu yn yr aloi newydd.
2) Felly gellir cymysgu metelau ysgafn, gwan gyda metelau trwm, cryf a chyda lwc ceir aloi sy'n ysgafn ac yn gryf.

13) Mae Metelau'n Ffurfio Ocsidau wrth Adweithio gydag Ocsigen

1) Mae metelau'n adweitho gydag ocsigen i ffurfio ocsidau metel. E.e. Magnesiwm + Ocsigen → Magnesiwm Ocsid.

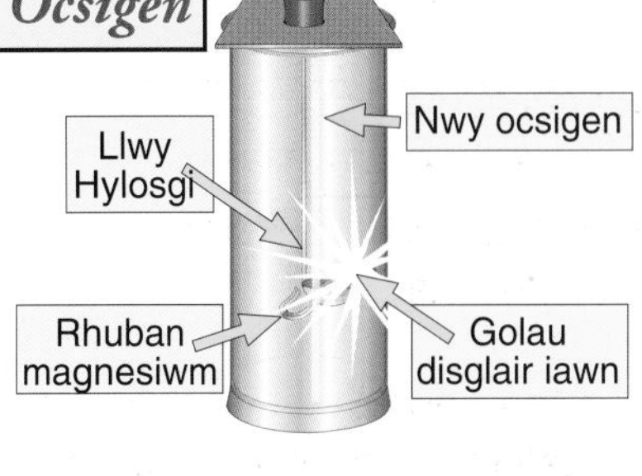

14) Mae Ocsidau Metel yn Fasig

1) Mae gan ocsidau metel pH sy'n uwch na 7 – h.y. maent yn alcalïaidd.
2) Felly mae ocsidau metel yn adweithio gydag asidau i ffurfio halwynau a dŵr.

Aloïau Da – gallwch chi ddibynnu ar ffrindiau o Birmingham bob amser...

Dyna ni. Pedair ar ddeg o briodweddau metelau. Gobeithio bod digon o le ar ôl yn eich pen ar eu cyfer. Rhaid i chi ddal ati i ymarfer nes y medrwch chi ysgrifennu'r penawdau i gyd i lawr gyda'r ddwy dudalen wedi eu cuddio. Yna ceisiwch ychwanegu'r manylion. O diar.

Priodweddau Anfetelau

Mae priodweddau elfennau anfetel yn amrywio dipyn. Fe welwch chi hyn yn ddigon buan…

1) Gellir cael hyd i Anfetelau yn y Tabl Cyfnodol

Mae yno 21 elfen anfetel ac maent ar ochr dde'r llinell igam ogam. Edrychwch, dyna nhw draw yn fan yna.

2) Mae Anfetelau yn Ddargludyddion Trydan Gwael

1) Mae anfetelau i gyd yn ynysyddion sy'n golygu na all gwefr lifo trwyddynt.
2) Os na all gwefrau symud yna does dim cerrynt trydanol yn llifo. Mae hyn yn ddefnyddiol dros ben – gall anfetelau gyfuno i wneud pethau fel plygiau a gorchuddion ceblau trydan.

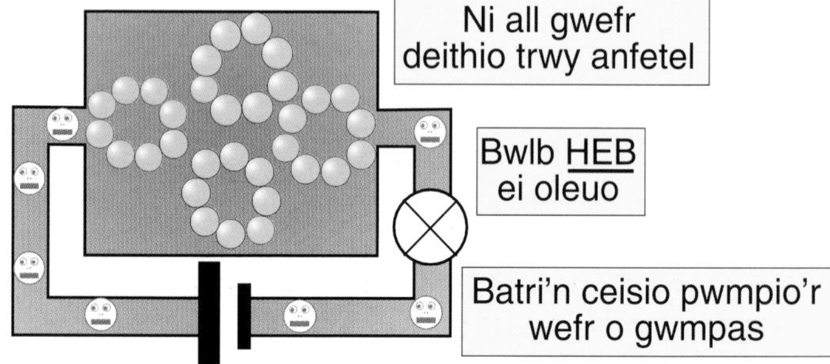

3) Mae Anfetelau yn Ddargludyddion Gwres Gwael

1) Nid yw gwres yn teithio'n rhy dda trwy anfetelau.
2) Mae hyn yn gwneud anfetelau'n ynysyddion da iawn.
3) Nid yw gronynnau "poeth" yn pasio'u dirgryniadau ymlaen cystal.

4) NID yw Anfetelau yn Gryf nac yn Treulio'n Dda

1) Mae'r bondiau yn y rhan fwyaf o anfetelau yn gryf ond mae adeiledd a threfniant y moleciwlau yn wan – mae hyn yn golygu eu bod yn torri'n hawdd.
2) Mae hefyd yn hawdd rhwbio atomau neu foleciwlau i ffwrdd ohonynt – felly maent yn treulio'n gyflym.

Mae'r brws carbon hwn yn diflannu o hyd

5) Mae Anfetelau'n Afloyw

1) Nid yw'r rhan fwyaf o anfetelau'n adlewyrchu golau'n dda o gwbl. Nid yw eu harwynebau fel arfer mor llyfn â metelau.
2) Mae hyn yn gwneud iddynt ymddangos yn afloyw.

Priodweddau Anfetelau

6) Mae Anfetelau yn Frau

1) Caiff adeileddau anfetelau eu dal at ei gilydd gan rymoedd gwan.
2) Mae hyn yn golygu y gallant falu'n hawdd iawn.

7) Mae gan Anfetelau Ymdoddbwyntiau a Berwbwyntiau ISEL

1) Mae'r grymoedd sy'n dal y gronynnau mewn anfetel yn wan iawn. Mae hyn yn golygu eu bod yn ymdoddi ac yn berwi'n rhy hawdd.
2) Mae'r rhan fwyaf o'r anfetelau yn nwyon, mae un yn hylif. Ychydig iawn sy'n solidau.

Anfetel	Ymdoddbwynt (°C)	Berwbwynt (°C)
Sylffwr	113	445
Ocsigen	-218	-183
Clorin	-101	-35
Heliwm	-272	-269
Neon	-249	-246
Bromin	-7	59

8) Mae gan Anfetelau Ddwyseddau isel

1) Mae'n amlwg bod gan yr anfetelau sy'n nwyon ddwysedd isel iawn. Bydd rhai o'r nwyon hyd yn oed yn arnofio mewn aer – perffaith ar gyfer balwnau.
2) Mae gan hyd yn oed yr anfetelau hylifol a solid ddwyseddau isel. Mae hyn yn golygu nad oes ganddynt lawer o ronynnau wedi eu pacio mewn gofod penodol.

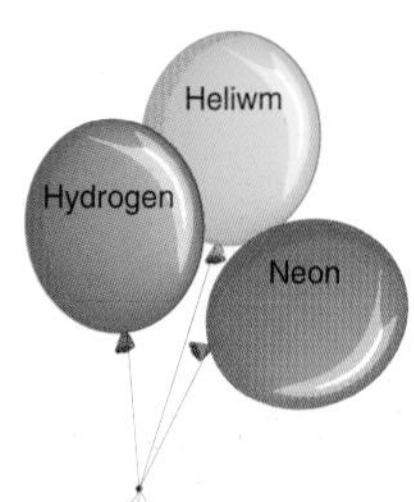

9) Nid yw Anfetelau'n Fagnetig

1) Cofiwch mai dim ond haearn, nicel a chobalt sy'n fagnetig. Mae'r rhain i gyd yn fetelau.
2) Felly mae pob anfetel yn bendant yn anfagnetig.

10) Mae Anfetelau'n adweithio gydag Ocsigen i ffurfio Ocsidau

1) Mae anfetelau'n llosgi mewn ocsigen i ffurfio ocsidau.
E.e. Sylffwr + Ocsigen → Sylffwr deuocsid

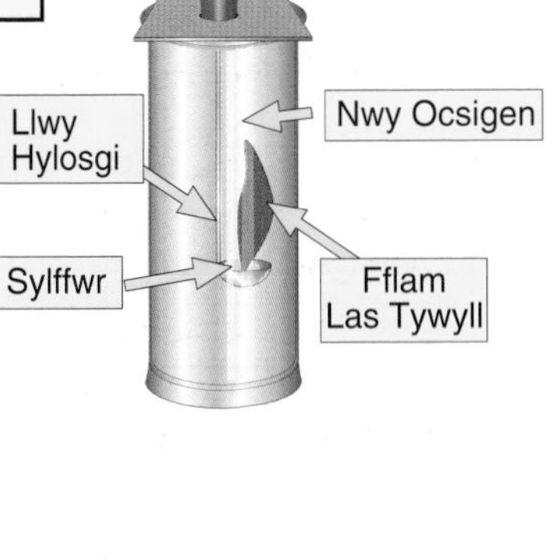

11) Mae Ocsidau Anfetel yn Asidig

1) Mae gan ocsidau anfetelau pH o dan 7. Mae hyn yn golygu eu bod yn asidig.
2) Felly bydd ocsidau anfetelau yn adweitho gyda bas i ffurfio halwynau a dŵr.

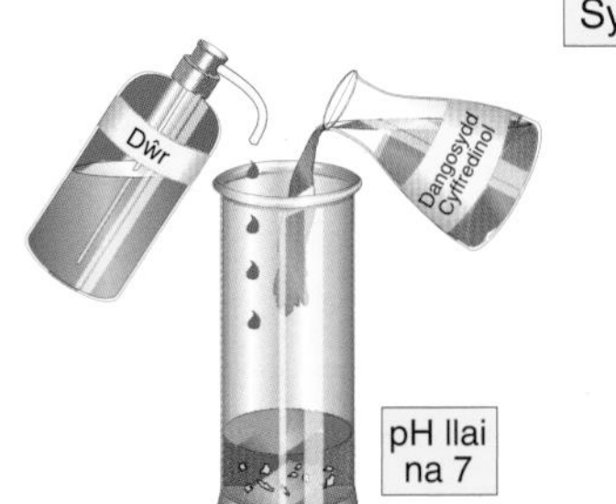

Anfetelau – braidd yn ddiflas...

Mae'n rhaid i chi eu dysgu er hynny. Gwnewch hyn: Cuddiwch y dudalen gyda darn o bapur a cheisiwch ysgrifennu pob un o'r 11 pwynt i lawr, yn ei dro. Symudwch y papur bob tro i weld a ydych chi wedi ei gofio i gyd. Daliwch ati nes y medrwch chi gofio pob un ohonynt.

Pedwar Eithriad

Mae'r pedair dudalen ddiwethaf wedi rhestru priodweddau arferol metelau ac anfetelau. Mae pedwar eithriad amlwg i'r rheolau cyffredinol hyn y mae'n rhaid i chi wybod amdanynt:

1) Mae Diemwnt yn anfetel – ond mae'n Galed tu hwnt

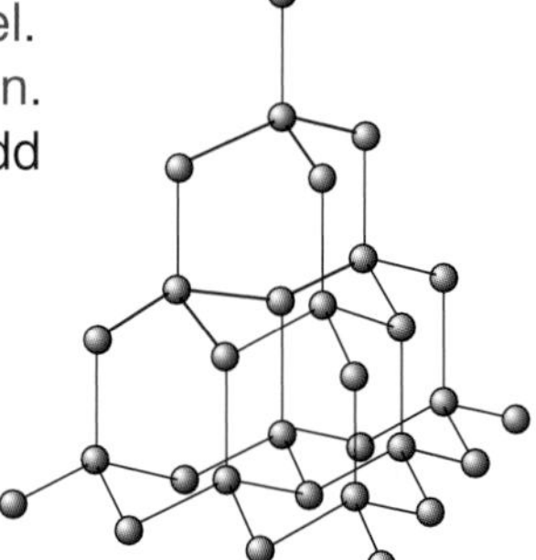

1) Mae diemwnt wedi ei wneud o atomau carbon yn unig – felly mae'n anfetel.
2) Gan ei fod yn anfetel dylai fod yn feddal neu'n frau – ond mae'n galed iawn.
3) Mae hyn oherwydd bod yr atomau carbon wedi eu bondio'n gryf at ei gilydd mewn trefniant arbennig a welir yma:
4) Mae'r trefniant hwn o atomau yn ei wneud yn galed dros ben.
5) Felly mae ganddo ymdoddbwynt uchel iawn, sef 3500°C.
6) Gan ei fod mor galed, mae'n ddelfrydol ar gyfer gwneud blaenau driliau a thorri gwydr.
7) Mae'n debyg hefyd mai diemwnt yw ffrind gorau pob merch.

2) Mae Graffit yn anfetel – ond mae'n Dargludo Trydan

1) Mae graffit wedi ei wneud o atomau carbon yn unig hefyd.
2) Mae ei adeiledd yn gwbl wahanol i ddiemwnt. Mae wedi ei wneud o haenau fel y dangosir.

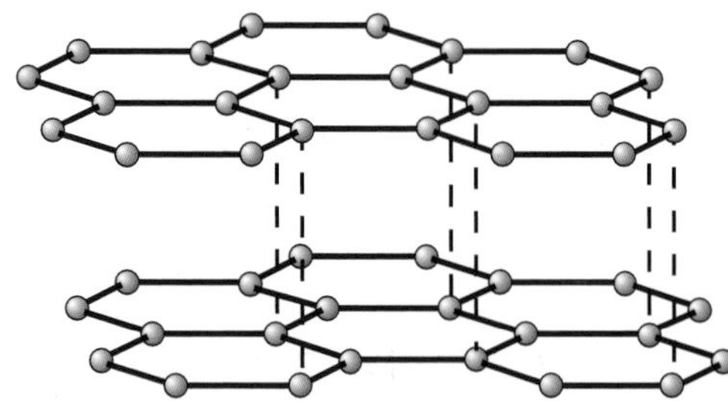

3) Mae'n anfetel felly ni ddylai ddargludo trydan, ond gall wneud oherwydd gall electronau symud o gwmpas rhwng ei haenau gwastad.
4) Mae'r haenau hyn hefyd yn peri i graffit fod yn feddal ac yn llithrig oherwydd gall yr haenau lithro'n hawdd dros ei gilydd. Felly mae'n iraid da hefyd.

3) Mae Mercwri yn Fetel – ond mae'n Hylif (ar Dymheredd Ystafell)

1) Mae mercwri yn fetel. Mae pob metel arall yn solid ar dymheredd ystafell, ond mae mercwri'n hylif, ac nid yw'n troi'n solid nes cyrraedd -39°C. Mae hynny'n oer!
2) Mae hyn yn digwydd oherwydd na chaiff atomau mercwri eu dal at ei gilydd mor gryf â'r atomau mewn metelau eraill – felly bydd ychydig o egni thermol yn torri'r bondiau'n fuan iawn.
3) Mae mercwri'n ehangu wrth boethi ac felly mae'n ddelfrydol ar gyfer ei ddefnyddio mewn thermomedrau.

4) Mae Sodiwm yn Fetel – ond mae'n Feddal iawn ac yn Arnofio

1) Mae sodiwm yn fetel. Mae'r rhan fwyaf o fetelau yn galed ac yn gryf.
2) Mae sodiwm ar y llaw arall yn feddal iawn – digon meddal i'w dorri'n hawdd gyda chyllell.
3) Nid yw sodiwm yn ddwys iawn chwaith. Mae ei ddwysedd mor isel fel y gall arnofio ar ddŵr.
4) Mae metel sodiwm hefyd yn adweithiol iawn – peidiwch â'i gyffwrdd neu mi fydd yn llosgi'ch croen.

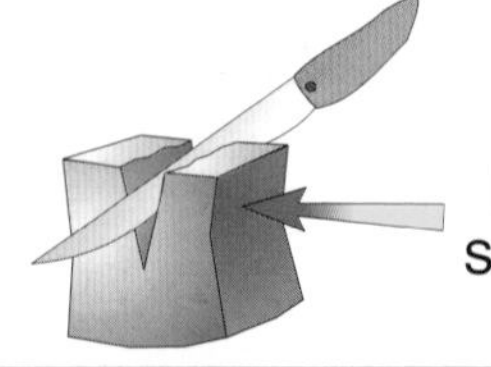

Metel sodiwm

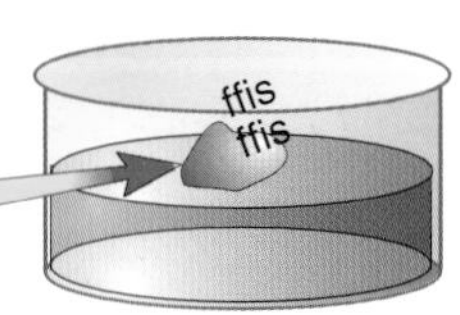

Hmmm – felly pam mai ci yw ffrind gorau dyn...

Rhesi ar ôl rhesi o ffeithiau bach difyr i chi eu dysgu. Wel, efallai nad ydynt yn ddifyr, ond bydd yn rhaid i chi eu dysgu os byddwch chi am ateb cwestiynau'r arholiad. Dysgwch y penawdau yna'r manylion. Yna cuddiwch y dudalen ac ysgrifennwch.

Crynodeb Adolygu ar gyfer Adran Chwech

Wel, dyma ni wedi cyrraedd Cemeg. Mae'n well na'r holl fioleg llysnafeddog yna beth bynnag. Cemeg Ffisegol sydd yn Adran Chwech a dweud y gwir – hynny yw y darnau hynny o Gemeg sydd bron â bod yn Ffiseg. Wrth gwrs mae'n rhaid i chi ei ddysgu beth bynnag yw ei enw. Ac edrychwch beth dwi wedi ei baratoi i chi – tudalen arall yn llawn o gwestiynau Adolygu. Fe ddylech chi wybod y drefn erbyn hyn: ewch trwy'r cwestiynau i geisio eu hateb ac os na fedrwch chi eu cwblhau, ewch yn ôl trwy Adran Chwech i chwilio am yr atebion a'u DYSGU. Yna gwnewch y cwestiynau i gyd eto i weld a fedrwch chi ateb mwy y tro nesaf. Daliwch ati nes y medrwch chi ateb pob un yn hawdd.

1) Beth yw tri chyflwr mater? Disgrifiwch bum priodwedd ar gyfer pob un.
2) Tynnwch lun o'r gronynnau mewn solid, hylif a nwy.
3) Ar gyfer unrhyw sylwedd penodol, ym mha gyflwr y ceir yr egni thermol uchaf?
4) Enwch bum newid cyflwr gan ddweud o ba gyflwr i ba gyflwr y maent yn symud.
5) Eglurwch sut y mae nwyon yn rhoi gwasgedd ar du mewn cynhwysydd.
6) Beth sy'n digwydd i wasgedd nwy os caiff y tymheredd ei godi?
7) Beth sy'n digwydd i wasgedd nwy os caiff ei gyfaint ei leihau?
8) Eglurwch beth yw tryllediad. Disgrifiwch rywbeth tebyg!
9) Beth yw elfen? Tua faint o elfennau sydd yn y Tabl Cyfnodol?
10) Yn y Tabl Cyfnodol: a) Beth yw grŵp? b) Beth yw cyfnod?
11) Rhowch enwau cywir grwpiau 1, 2, 7 a 0.
12) Gan ddefnyddio'r Tabl Cyfnodol, rhowch y symbol cemegol ar gyfer y canlynol:
    a) Sodiwm b) Magnesiwm c) Ocsigen ch) Haearn d) Sylffwr
    dd) Alwminiwm e) Carbon f) Clorin ff) Calsiwm g) Sinc.
13) Beth yw atom? Tynnwch ddiagram o atom a'i labelu.
14) Beth yw cyfansoddyn? Ym mha fodd y mae cyfansoddyn yn wahanol i gymysgedd?
15) Brasluniwch foleciwlau a allai fod mewn cyfansoddyn.
16) Sut y mae haearn sylffid yn wahanol i gymysgedd o haearn a sylffwr?
17) A yw hollti cyfansoddyn yn ôl i'w elfennau gwreiddiol yn hawdd?
18) Ysgrifennwch y tair rheol a gyfer enwi cyfansoddyn.
19) Enwch y canlynol:
    a) MgO b) CaO c) $NaCl$ ch) SO_2 d) $CaCO_3$ dd) $CuSO_4$.
20) Enwch y cyfansoddyn sy'n ffurfio wrth gyfuno'r canlynol yn gemegol:
    a) sodiwm a chlorin b) magnesiwm a chlorin c) magnesiwm gyda charbon ac ocsigen.
21) Beth yw cymysgedd? Rhestrwch bedair techneg gwahanu a rhowch enghraifft ar gyfer pob un.
22) Pa un fyddech chi'n defnyddio ar gyfer ceisio adnabod y gwahanol liwiau mewn paent?
23) Rhestrwch 14 priodwedd metelau. Rhestrwch 11 priodwedd anfetelau.
24) Pa rai a) sy'n dargludo orau b) sydd fwyaf brau c) yw'r cryfaf ch) sy'n ynysyddion?
25) Beth yw aloi?
26) Rhowch dri eithriad i briodweddau arferol metelau ac anfetelau.
27) Pam y mae diemwnt yn wahanol i'r rhan fwyaf o anfetelau? Beth sy'n anghyffredin ynglŷn â graffit?
28) Pam y mae mercwri yn ddelfrydol ar gyfer ei ddefnyddio mewn thermomedrau?
29) Beth sy'n anghyffredin ynglŷn â sodiwm?

(Atebion i C.19 a C.20 ar dudalen 104)

Newidiadau Ffisegol

Mae Newidiadau Ffisegol yn aildrefnu gronynnau heb newid unrhyw fondiau cemegol.

Ni cheir newid Màs mewn Newidiadau Ffisegol

Edrychwch ar yr enghraifft hawdd hon. Wrth i chi ymdoddi maint penodol o iâ, fe gewch yr un faint o ddŵr yn union – yna wrth i chi ferwi hwnnw fe gewch yr un faint o ager yn union.

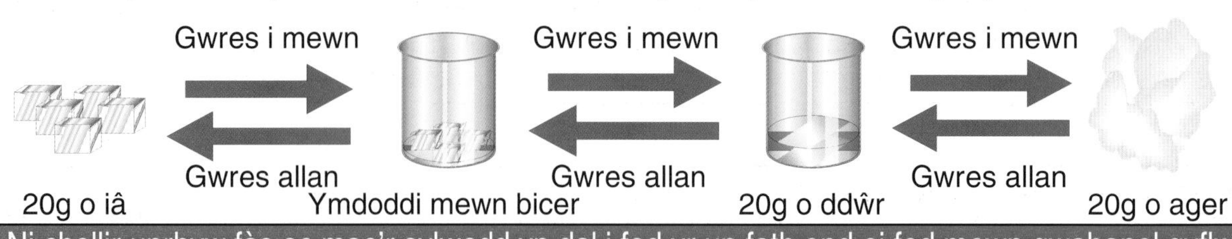

Ni chollir unrhyw fàs ac mae'r sylwedd yn dal i fod yr un fath ond ei fod mewn gwahanol gyflwr

Mae gan Gromliniau Oeri a Phoethi Ddarnau Gwastad

1) Wrth i sylwedd ymdoddi neu ferwi defnyddir yr holl egni gwres a ddarperir i dorri bondiau yn hytrach nag i godi'r tymheredd, felly ceir darnau gwastad ar y graff poethi.
2) Wrth oeri hylif a'i newid yn solid bydd darn gwastad wrth y rhewbwynt ar y graff tymheredd.
3) Wrth i ronynnau lynu wrth ei gilydd i fynd yn solid caiff gwres ei ryddhau wrth i'r gronynnau gyfuno. Mae hyn yn golygu nad yw'r tymheredd yn disgyn am ychydig nes bod y sylwedd i gyd wedi newid yn solid.

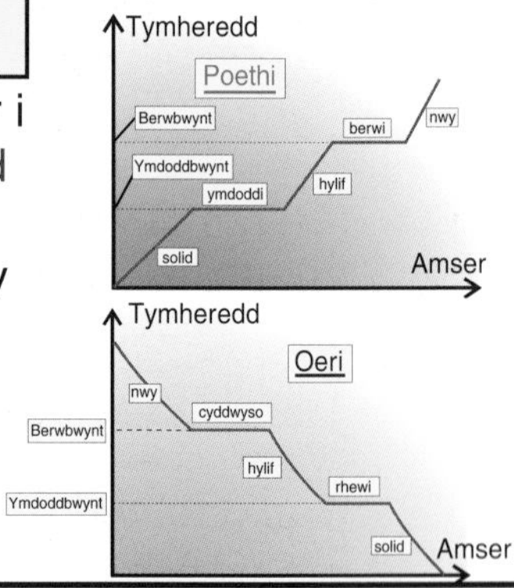

Nid diflannu yw hydoddi

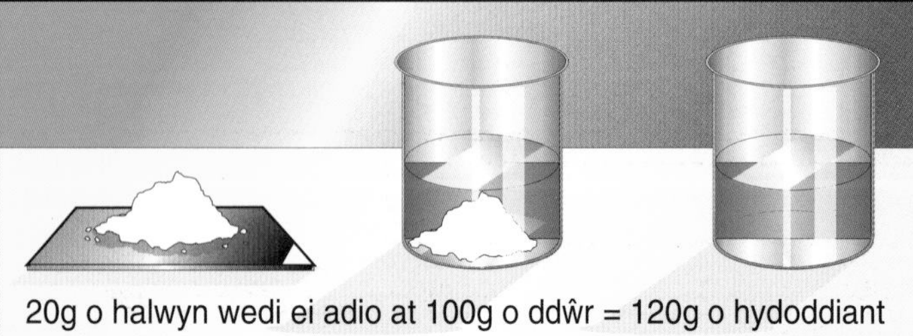

20g o halwyn wedi ei adio at 100g o ddŵr = 120g o hydoddiant

Dysgwch y saith diffiniad hyn:

1) **Hydoddyn**: – yw'r solid sy'n cael ei hydoddi.
2) **Hydoddydd**: – yw'r hylif y caiff ei hydoddi ynddo.
3) **Hydoddiant**: – yw'r hydoddyn a'r hydoddydd.
4) **Hydawdd**: – fe fydd yn hydoddi.
5) **Anhydawdd**: **NI** fydd yn hydoddi.
6) **Dirlawn**: – hydoddiant na all hydoddi rhagor o hydoddyn ar y tymheredd hwnnw.
7) **Hydoddedd**: – faint wnaiff hydoddi.

1) Cofiwch nad yw halwyn yn diflannu wrth iddo hydoddi – mae'n dal i fod yno – ni chollir unrhyw fàs.
2) Wrth i chi anweddu'r hydoddydd (y dŵr) daw'r hydoddyn (yr halwyn) i'r golwg unwaith eto.

Mae Hydoddedd yn Cynyddu gyda'r Tymheredd

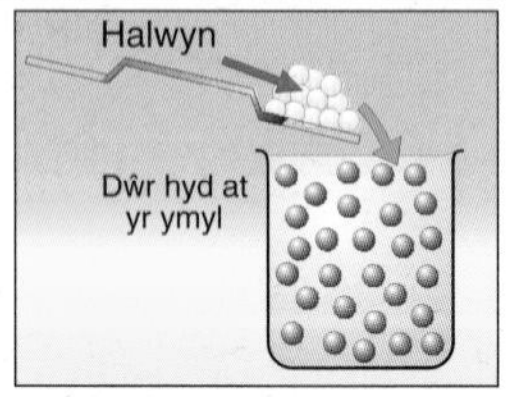

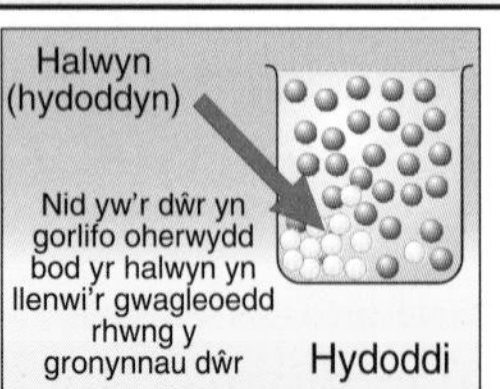

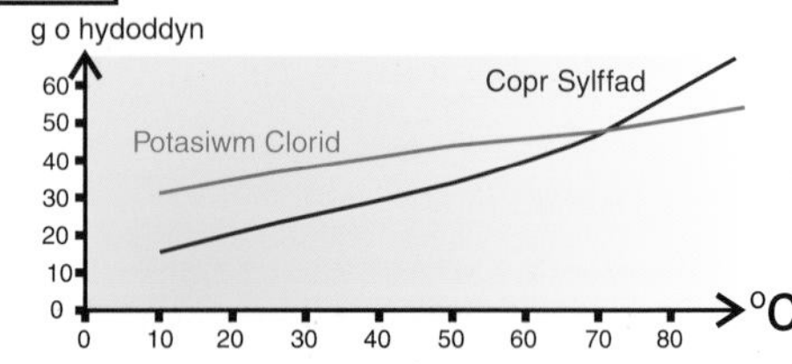

1) Mae'r gronynnau dŵr yn tueddu i daro yn erbyn y lwmp halwyn gan symud y gronynnau ar wahân. Mae'r gronynnau halwyn rhydd wedyn yn cymysgu i lenwi'r gofod rhwng y gronynnau dŵr – gan ffurfio HYDODDIANT.
2) Bydd mwy o'r hydoddyn yn hydoddi yn yr hydoddydd ar dymereddau uwch oherwydd bod y gronynnau'n symud yn gynt.
3) Er hyn mae rhai hydoddion yn gwrthod hydoddi mewn hydoddyddion penodol. E.e. nid yw halwyn yn hydoddi mewn petrol.

Dydy pethau ddim yn diflannu. Wir ! Ond peidiwch â dweud hynny wrth Rosfa...

Dysgwch y pedwar prif bennawd ar y dudalen hon nes y medrwch eu hysgrifennu i lawr oddi ar eich cof. Yna dysgwch beth sydd oddi tanynt, gan gynnwys y diagramau. Cuddiwch y dudalen ac ysgrifennwch y cyfan i lawr.

Mwy o Newidiadau Ffisegol

Mae Sylweddau'n Newid Cyflwr ar Wahanol Dymereddau

1) Gall defnyddiau newid cyflwr ar bob math o dymereddau:
e.e. Mae dŵr yn ymdoddi ar 0°C ac yn berwi ar 100°C.
Mae haearn yn ymdoddi ar 1540°C ac yn berwi ar 2750°C.
2) Mae'r grymoedd sy'n dal y gronynnau gyda'i gilydd mewn dŵr yn wan felly does dim angen llawer o egni gwres i'w rhyddhau neu eu torri. Mae'r grymoedd sy'n dal y gronynnau gyda'i gilydd mewn haearn yn gryf felly mae angen llawer o egni gwres i'w rhyddhau neu eu torri.

Rhagfynegi Cyflwr Sylwedd

1) Mae sylwedd yn solid hyd at ei ymdoddbwynt.
2) Mae'n dechrau ymdoddi ar y pwynt hwnnw gan newid yn hylif.
3) Mae'n dal i fod yn hylif uwchben ei ymdoddbwynt.
4) O leiaf nes iddo gyrraedd ei ferwbwynt...
...yna mae'n newid yn nwy.
5) Os rhoir gwres i sylwedd wedi hynny – dim ond poethi a wna.

Berwbwynt
Ymdoddbwynt
NWY yw'r sylwedd uwchben y berwbwynt
HYLIF yw'r sylwedd ar dymereddau rhwng ei ferwbwynt a'i ymdoddbwynt
SOLID yw'r sylwedd o dan ei ymdoddbwynt

Bydd angen i chi fedru cael gwybodaeth o dabl er mwyn i chi ateb cwestiynau arno. Byddant fel arfer yn gofyn, "Beth yw cyflwr 'hwn a hwn' ar y 'tymheredd hyn a hyn'?"

Sylwedd	Ymdoddbwynt/°C	Berwbwynt/°C
hydrogen	-259	-253
nitrogen	-210	-196
ocsigen	-218	-183
bromin	-7	59

C.1) Beth yw cyflwr Bromin ar dymheredd ystafell?
1) Mae bromin yn hylif uwchben -7°C ac yn nwy uwchben 59°C. Mae 20°C rhwng y ddau.
2) Felly rhaid bod bromin yn hylif ar 20°C.

C.2) Beth yw cyflwr Ocsigen ar dymheredd ystafell?
1) Mae ocsigen yn hylif uwchben -218°C ac yn nwy uwchben -183°C. Mae 20°C dipyn uwch na'i ferwbwynt.
2) Felly rhaid bod Ocsigen yn nwy ar 20°C.

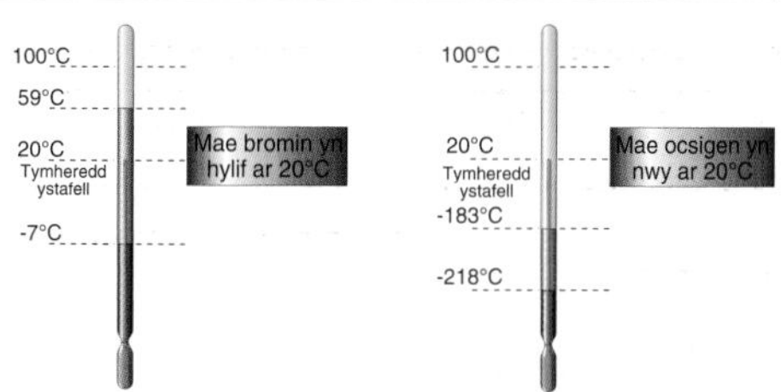

Mae Ehangiad yn digwydd ym mhob un o Gyflyrau Mater

1) Mae cynnydd yn y tymheredd yn peri i ronynnau symud o gwmpas mwy. Mae hyn yn golygu eu bod yn cymryd mwy o le sy'n peri i'r defnydd ehangu – gyda grym mawr.
2) Nid yw'r gronynnau'n mynd yn fwy – ond mae angen mwy o le arnynt i symud o gwmpas.

Oer
Poeth

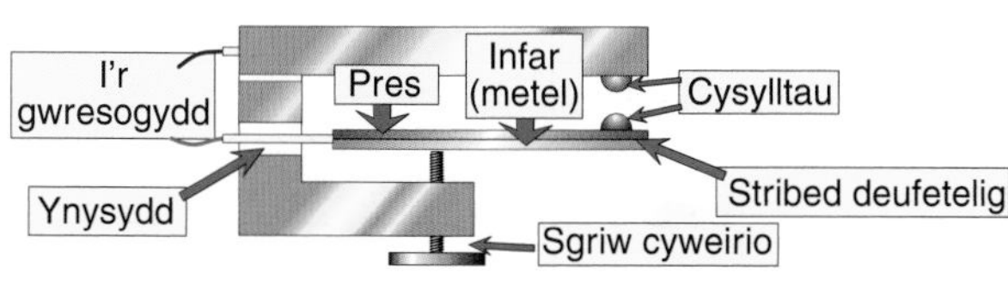

1) Mae thermostatau yn cynnwys dau fetel sy'n ehangu'n wahanol wedi eu glynu wrth ei gilydd gan beri i'r stribed blygu.
2) Wrth iddo oeri neu boethi mae'r stribed yn plygu gan dorri neu ffurfio'r cyswllt.

1) Wrth boethi hylif bydd ei gyfaint yn ehangu wrth i'r gronynnau symud ar wahân gyda'u hegni ychwanegol.
2) Felly bydd y hylif yn symud i fyny'r tiwb cul – fel hyn mae thermomedr yn gweithio.

Colynnau
Colfach
Ffenestr
Hylif neu nwy wedi ei selio
Tŷ gwydr
Piston

Mae'r nwy neu'r hylif sydd wedi ei selio yn ehangu wrth boethi ac yn gwthio'r piston i'r dde – gan agor ffenestr y tŷ gwydr.

Pa gyflwr fydd arnoch chi ar ôl i chi ddysgu hwn i gyd...

Yr hyn sy'n rhaid i chi ei wneud nawr yw dysgu popeth sydd ar y dudalen hon. Y ffordd orau yw trwy ddechrau gyda'r penawdau. Wedi i chi eu dysgu, cuddiwch y dudalen a'u hysgrifennu i lawr. Yna triwch ysgrifennu traethawd byr ar gyfer pob un i weld a ydych chi wedi ei ddysgu. Yna edrychwch yn ôl a dysgwch ychydig mwy.

Newidiadau Daearegol

Yma ceir newidiadau i greigiau y tu mewn a'r tu allan i'r Ddaear.

Torri Creigiau i lawr yn Ddarnau Llai yw Hindreulio

Mae TRI MATH o hindreulio sy'n rhaid i chi wybod amdanynt:

1) Hindreulio ffisegol

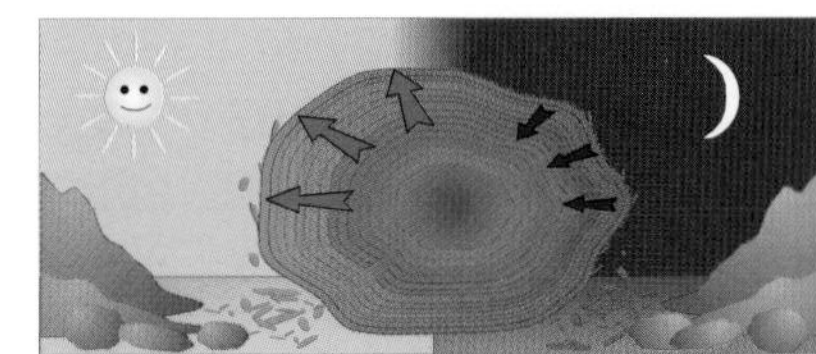

a) Hindreulio Croen nionyn: Mae hwn yn digwydd wrth i'r haul gynhesu wyneb craig yn ystod y dydd – ac yna mae'r graig yn oeri yn ystod y nos. Mae hyn yn peri i'r wyneb ehangu a chyfangu ac yn y diwedd bydd yn torri i ffwrdd yn union fel plicio nionyn.

b) Hindreulio Rhewi-Dadmer: Wrth i ddŵr rewi mae'n ehangu – os yw hyn yn digwydd mewn crac yn y graig yna bydd y crac yn mynd yn fwy. Yn y diwedd bydd darnau'n disgyn i ffwrdd.

Grymoedd mawr yn malu'r graig

2) Hindreulio Cemegol

Glaw Asid: Mae glaw yn naturiol asidig oherwydd y carbon deuocsid sydd yn yr aer – ond gall llygredd beri iddo fod yn fwy asidig. Os yw'n disgyn ar greigiau carbonad fel calchfaen yna bydd adwaith cemegol yn digwydd. Gall hyn dorri'r graig i lawr. Gweler Tud. 71.

3) Hindreulio Biolegol

Anifeiliaid a Phlanhigion: Mae cwningod bach yn tyrchu o dan greigiau – mae hyn yn eu gwanhau. Mae gwreiddiau coed yn tyfu trwy greigiau ac yn eu gwanhau. Mae creigiau gwan yn torri'n hawdd.

Mae'r Gylchred Greigiau yn Cymryd Miliynau o Flynyddoedd i'w Chwblhau

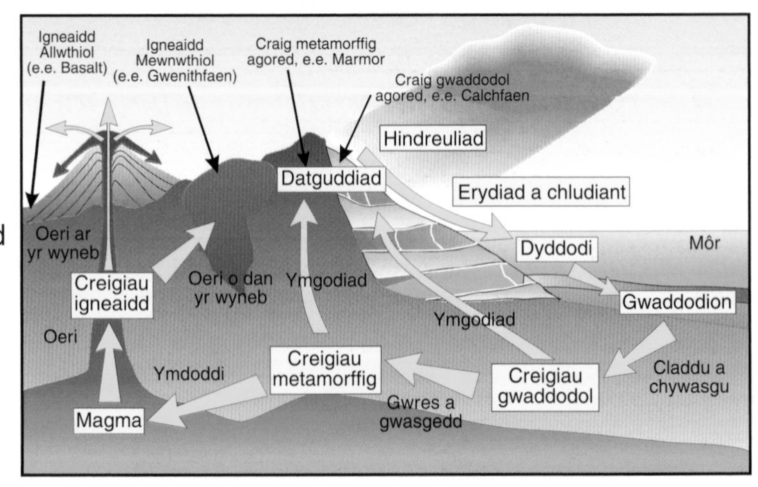

Caiff y tri math o graig (IGNEAIDD, GWADDODOL a METAMORFFIG) eu newid o un i'r llall yn y gylchred greigiau. Mae hyn yn digwydd trwy:

1) HINDREULIAD: torri'r creigiau i lawr.
2) ERYDIAD: treulio'r creigiau.
3) CLUDIANT: symud y darnau o graig sydd wedi erydu o amgylch y byd ar y gwynt neu gan ddŵr (yn bennaf).
4) DYDDODI: gosod gwaddodion i lawr.
5) CLADDU/CYWASGU: gwasgu a chywasgu'r haenau nes iddynt ffurfio creigiau gwaddodol yn y diwedd.
6) GWRES/GWASGEDD: mwy o wasgu a gwresogi sy'n newid y creigiau yn greigiau metamorffig.
7) YMDODDI: mae gwresogi'n gryf yn ymdoddi'r graig yn llwyr a'i newid yn greigiau igneaidd.
8) OERI: y graig tawdd yn ymsolido.
9) DATGUDDIAD: yn ôl at hindreuliad ac erydiad unwaith eto. Hawdd ynte.

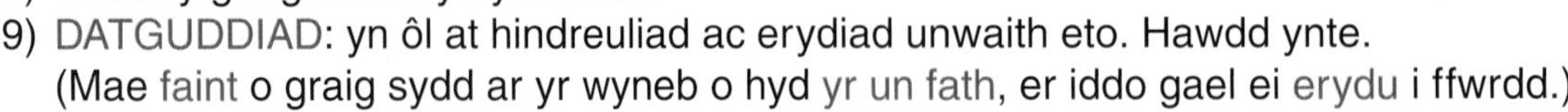

(Mae faint o graig sydd ar yr wyneb o hyd yr un fath, er iddo gael ei erydu i ffwrdd.)

Mae'r Gylchred Greigiau yn debyg i waith cartref – mae'n ddiddiwedd...

Yn gyntaf dysgwch y penawdau. Rhaid i chi ymarfer nes y medrwch chi ailadrodd pob un oddi ar eich cof. Yna dysgwch y manylion sydd o dan bob un, gan gynnwys naw cam y gylchred greigiau. Nawr gadewch i ni weld beth yn union ydych chi'n ei wybod – cuddiwch y dudalen, ysgrifennwch y penawdau i lawr yna gwnewch draethawd byr ar gyfer pob un.

Mathau o Greigiau

Mae Tri Gwahanol fath o Graig

1) Creigiau igneaidd

1) Caiff y rhain eu ffurfio o fagma tawdd a gaiff ei wthio i fyny at wyneb y gramen – ac weithiau allan trwy losgfynyddoedd.
2) Maent yn cynnwys mwynau amrywiol wedi eu trefnu ar hap mewn grisialau sy'n cydgloi.
3) Mae dau fath o graig igneaidd: allwthiol a mewnwthiol.
   ENGHREIFFTIAU: Gwenithfaen, basalt.

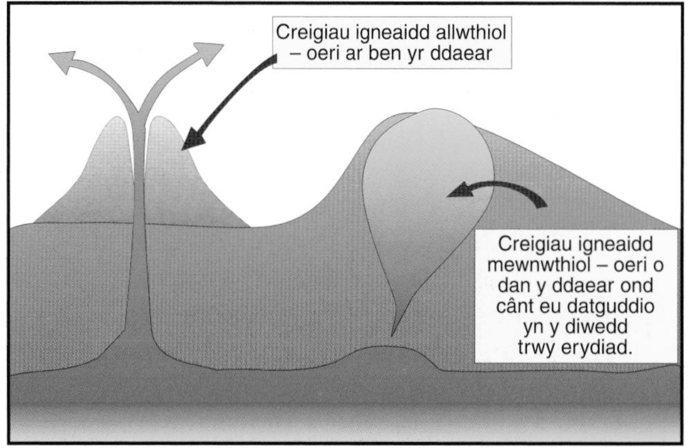

2) Creigiau Gwaddodol

1) Cânt eu ffurfio o haenau o waddodion a osodir i lawr mewn llynnoedd neu foroedd dros filiynau o flynyddoedd.
2) Mae'r haenau wedi eu smentio at ei gilydd gan risialau halwyn.

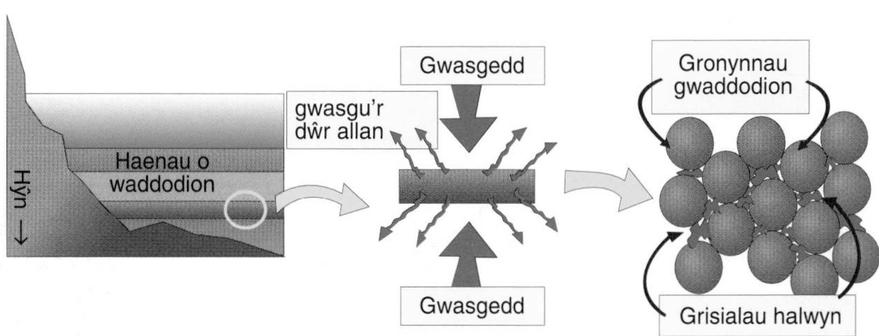

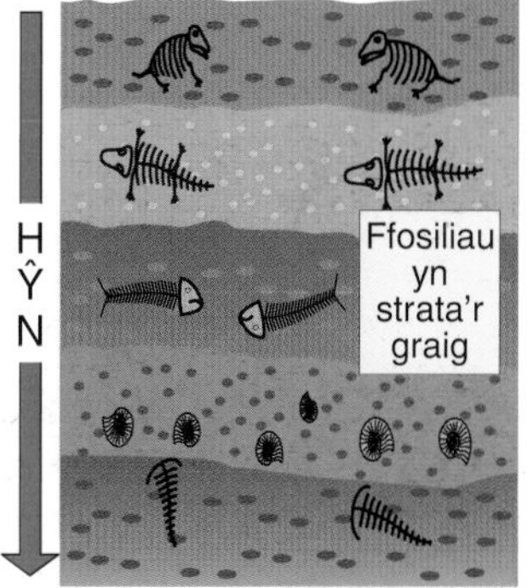

3) Gall ffosiliau ffurfio yn y gwaddodion. Gweddillion marw planhigion ac anifeiliaid yw'r rhain. Defnyddir y math o ffosil i ddarganfod oed craig.
   ENGHRAIFFT: Calchfaen, sialc, tywodfaen.

3) Creigiau metamorffig

1) Canlyniad gwres a gwasgedd dros gyfnod hir ar greigiau oedd eisoes yn bodoli yw'r rhain.
2) Gallant gynnwys grisialau pitw ac mae rhai yn cynnwys haenau.

   ENGHREIFFTIAU: Marmor, llechen, sgist.

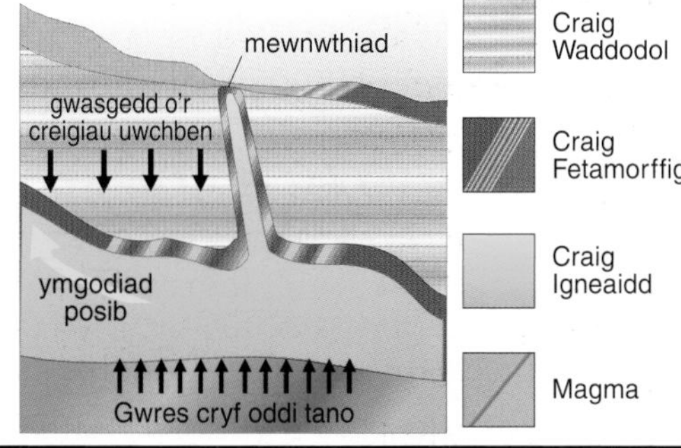

Daw Mwynau o Gyfansoddion

Mae elfennau yn ffurfio cyfansoddion sy'n ffurfio mwynau – ac mae'r rhain yn ffurfio creigiau E.e.

Elfennau	Cyfansoddion	Mwynau	Craig
Silicon	Silicon deuocsid	Cwarts	Gwenithfaen
ac ocsigen	Silicon deuocsid	Mica	Basalt

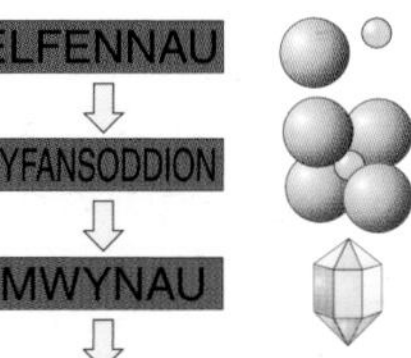

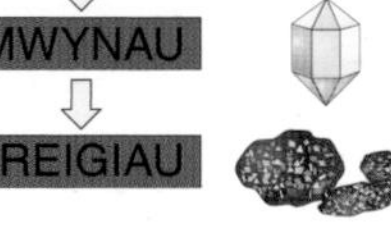

Wel, beth am y Cerrig Melys...

Tri math o graig i chi eu dysgu – gwnewch yn siŵr eich bod chi'n gwneud hynny. Efallai bod ganddynt enwau eithaf rhyfedd ond dysgwch yr enwau a bydd gweddill y gwaith dipyn yn hawsach. Dysgwch y pedwar pennawd, yna ysgrifennwch draethawd byr ar gyfer pob un.

Newid Cemegol

Mae adweithiau cemegol yn eithaf pwysig. Hebddynt, dim ond tua 100 o wahanol sylweddau fyddai'n bodoli – h.y. y 100 elfen.
Crewyd yr holl ddefnyddiau eraill yn y byd gan newidiadau cemegol (adweithiau cemegol).
Ac mae popeth byw wedi eu gwneud a'u cadw'n fyw gan adweithiau cemegol. Gwych.

Ffeithiau Sylfaenol ynglŷn ag Adweithiau Cemegol

1) Ni chaiff unrhyw fàs ei golli yn ystod adwaith cemegol wrth i'r adweithyddion newid yn gynnyrch.
2) Defnyddir hafaliad geiriau i ddangos beth sy'n digwydd.
3) Mae'r newid mewn adweithiau cemegol yn un parhaol nid dim ond dros dro.
4) Ceir newid yn yr egni bob tro, h.y. mae adweithiau o hyd yn rhyddhau neu'n amsugno egni. Egni gwres yw hwn fel arfer, sy'n golygu bod tymheredd yr adwaith naill ai'n codi neu'n disgyn.
5) Gall newidiadau gweledol ddigwydd yn y cymysgedd adwaith. Mae'r rhain yn dangos bod adwaith wedi digwydd. Er enghraifft – rhyddhau nwy; solid yn ffurfio; y lliw yn newid.

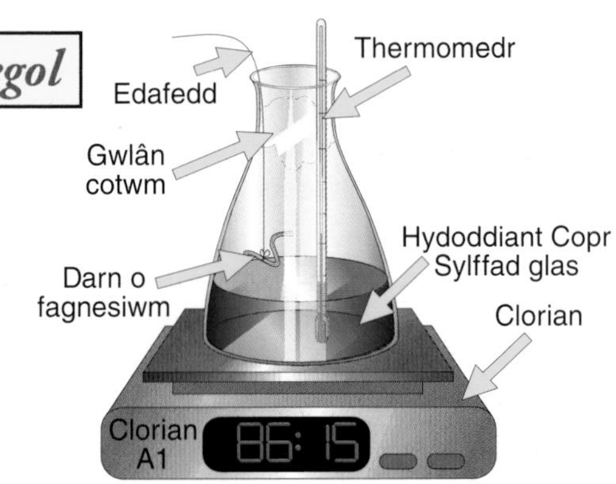

Mae'r hydoddiant yn mynd yn glir ac mae'r tymheredd yn codi, ond mae'r màs yn aros yr un fath.

Saith gwahanol Math o Adwaith Cemegol

1) OCSIDIAD – Ychwanegu Ocsigen

Mae ocsigen fel arfer yn cyfuno gyda sylweddau i ffurfio ocsid. Enghreifftiau:
RHYDU: Mae haearn yn troi'n haearn ocsid (rhwd).
HYLOSGIAD: Caiff tanwydd fel methan ei losgi i ffurfio carbon deuocsid a dŵr – ocsidau carbon a hydrogen.

2) RHYDWYTHO – Tynnu Ocsigen

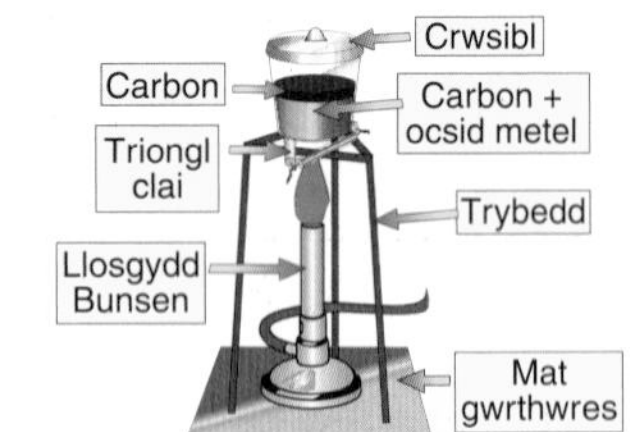

1) Caiff ocsigen ei dynnu o sylwedd gan gemegyn arall.
2) Os yw RHYDwytho ac OCSidio yn digwydd gyda'i gilydd gelwir yr adwaith yn un RHYDOCS. Enghraifft: SMELTIO METELAU: Newidir haearn ocsid yn haearn mewn ffwrnais chwyth trwy rydwytho gyda charbon.

3) DADELFENIAD – Torri cyfansoddyn i lawr

Dadelfeniad Thermol – trwy ddefnyddio Gwres

Defnyddir egni gwres i dorri cyfansoddyn i lawr yn ddarnau symlach.
Enghraifft: DADELFENIAD THERMOL CALCHFAEN:
Calsiwm carbonad → Calsiwm ocsid + Carbon deuocsid.

Electrolysis – Dadelfeniad trwy ddefnyddio Trydan

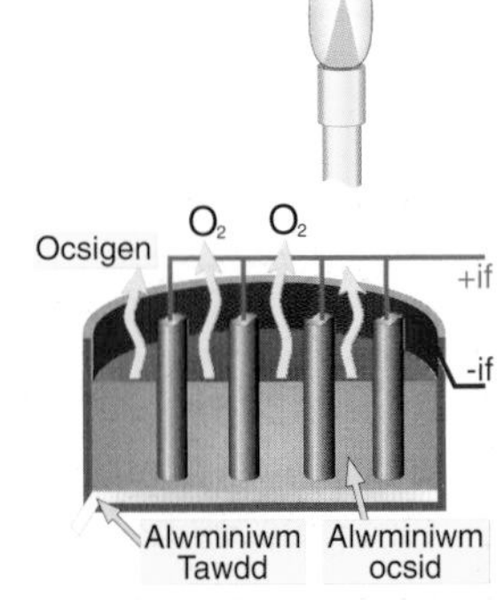

Defnyddir egni trydanol i dorri cyfansoddyn i lawr yn ddarnau symlach.
Enghraifft: ELECTROLYSIS BAWCSIT (ALWMINIWM OCSID):
Alwminiwm ocsid → Alwminiwm + Ocsigen.

Newid Cemegol

4) ADWEITHIAU ECSOTHERMIG – Rhyddhau Egni Gwres

1) Mae'r adwaith yn darparu'r egni (ar ffurf gwres).
2) Caiff yr egni gwres hwn ei roi i'r amgylchynau.
3) Gall tymheredd y cymysgedd adwaith godi gan beri iddo deimlo'n boeth.

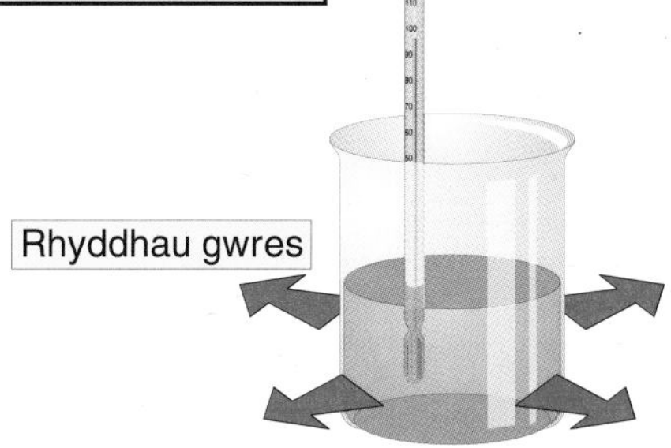

Enghreifftiau: HYLOSGIAD – tanwyddau yn llosgi.
FFRWYDRADAU – TNT yn ffrwydro.

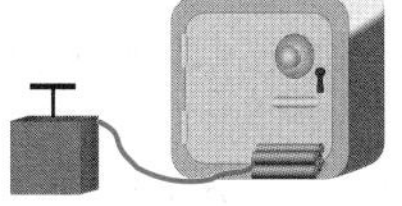

5) ADWEITHIAU ENDOTHERMIG – Amsugno Egni Gwres

1) Rhaid darparu'r adweithiau hyn ag egni o'r tu allan, fel arfer ar ffurf gwres.
2) Mae'r adwaith yn cymryd yr egni gwres i mewn ac yn ei ddefnyddio i ffurfio cemegau newydd.
3) Gall tymheredd y cymysgedd adwaith ddisgyn gan beri iddo deimlo'n oer.

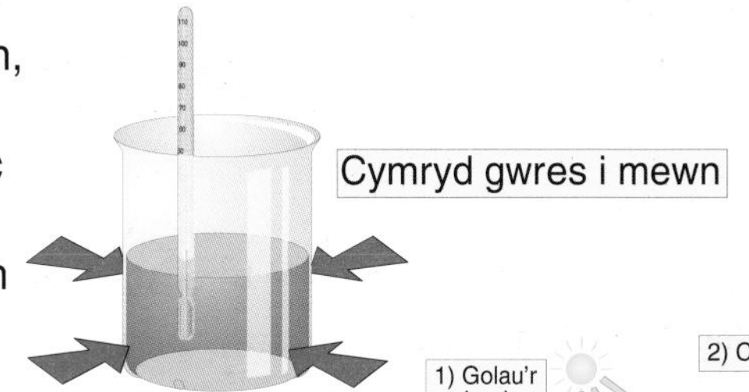

Enghreifftiau: SMELTIO – Cael plwm o blwm ocsid.
FFOTOSYNTHESIS – Planhigion yn cynhyrchu eu bwyd.

1) Golau'r haul
2) Cloroffyl
Glwcos
Ocsigen
3) Dŵr
4) Carbon deuocsid

6) NIWTRAILAD – dinistrio Asidedd neu Alcalinedd

1) Mae asidau yn adweithio gyda basau, alcaïau, metelau adweithiol a charbonadau.
2) Mae gan asidau pH isel – mae niwtraliad yn codi'r pH gan ddinistrio'r asidedd.

ENGHREIFFTIAU:

ASID + BAS	→	HALWYN + DŴR
ASID + ALCALI	→	HALWYN + DŴR
ASID + METEL	→	HALWYN + HYDROGEN
ASID + CARBONAD	→	HALWYN + DŴR + CARBON DEUOCSID

7) ADWEITHIAU DADLEOLI – un metel yn gwthio un llai adweithiol allan

1) Bydd elfen fwy adweithiol yn dadleoli elfen lai adweithiol o'i chyfansoddyn.
2) Mae elfennau adweithiol yn cyfuno gydag elfennau eraill â bondiau cryf.
3) Mae elfennau llai adweithiol yn cyfuno gydag elfennau eraill â bondiau gwan.

ENGHRAIFFT: SINC + COPR SYLFFAD → SINC SYLFFAD + COPR

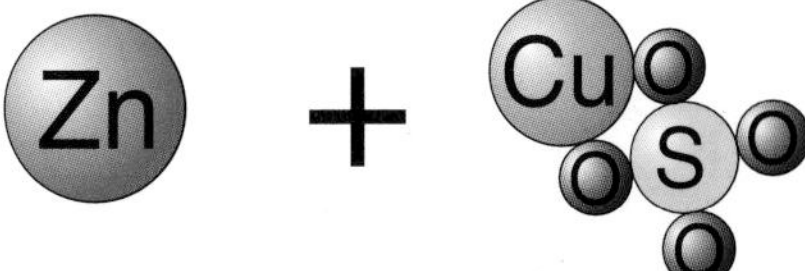

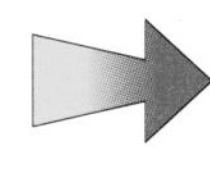

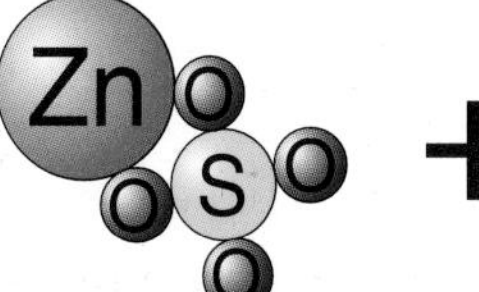

Ymlaciwch gydag Adwaith Rhydocs...

Peidiwch ag anghofio mai'r syniad yw eich bod chi'n dysgu'r gwaith hwn i gyd. Dysgwch y penawdau yn gyntaf. Nesaf rhaid i chi ymarfer cuddio'r dudalen a'u hysgrifennu i lawr. Yna ceisiwch ddysgu'r manylion ar gyfer pob un. Trowch y dudalen ac ysgrifennwch draethawd byr ar gyfer pob pennawd. Gofioch chi bob dim? Os naddo, triwch eto a daliwch ati.

Adweithiau Cemegol Defnyddiol

Llosgi yw Hylosgiad

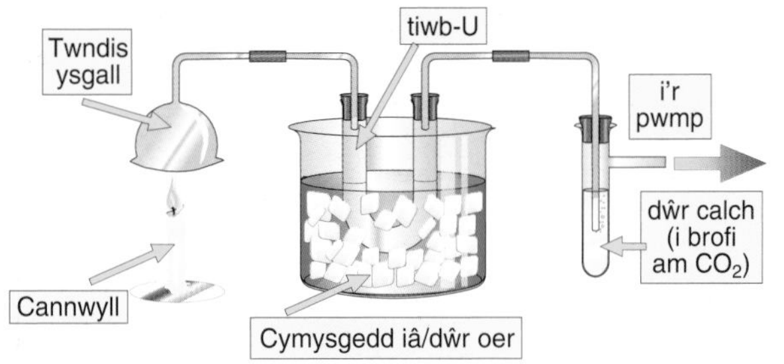

1) Llosgi yw hylosgiad – mae tanwydd yn adweithio gydag ocsigen i ryddhau egni defnyddiol.
2) Hydrocarbonau yw'r rhan fwyaf o danwyddau, h.y. DIM OND carbon a hydrogen sydd ynddynt.
3) Ocsidau hydrogen a charbon yw cynnyrch llosgi – h.y. dŵr (H_2O) a charbon deuocsid.
4) Mae angen tri pheth ar gyfer hylosgiad: TANWYDD, GWRES ac OCSIGEN.
   DIBENION: Gwresogi, tanwyddau, generadu trydan.

Gwneud Alcohol yw Eplesu

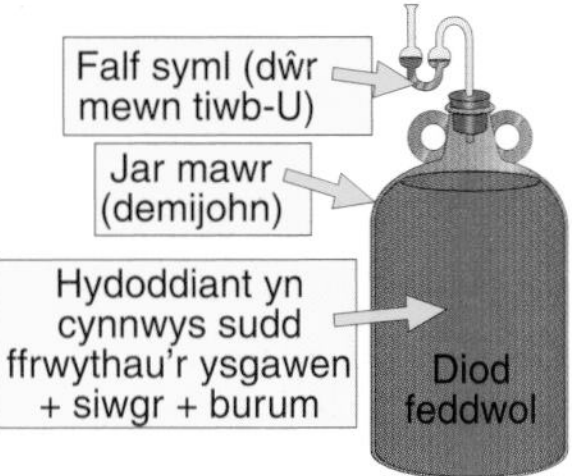

1) Caiff siwgrau eu troi'n ethanol (alcohol) gan furum.
2) Ffurfir carbon deuocsid yn sgil-gynnyrch, sy'n ddefnyddiol iawn gan ei fod yn rhoi "fizz" mewn diodydd – fel Champagne.
3) Ni ddylai fod aer yn bresennol gan y byddai'n troi'r alcohol yn finegr – gan roi blas ych-a-fi i'r gwin.
4) HAFALIAD: Glwcos + Dŵr → Ethanol + Carbon Deuocsid
   DIBENION: Gwneud moddion; gwneud bara; gwneud diodydd meddwol.

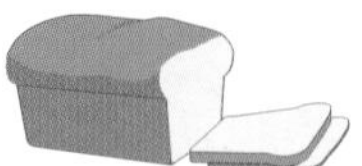

Echdynnu Metelau o'u Mwynau yw Smeltio

Crwsibl
Carbon
Carbon + plwm ocsid
Triongl Clai
Trybedd
Llosgydd Bunsen
Mat gwrthwres

1) Darn o graig sy'n cynnwys canran uchel o fetel yw mwyn metel.
2) Mae carbon yn dadleoli metel o gyfansoddyn wrth smeltio.
3) Rhaid bod y metel yn is na charbon yn y GYFRES ADWEITHEDD.
4) Enghraifft: Alwminiwm + Haearn Ocsid → Alwminiwm Ocsid + Haearn
   DIBENION: Gwneud haearn a sinc.

Symud asid neu alcali yw Niwtraliad

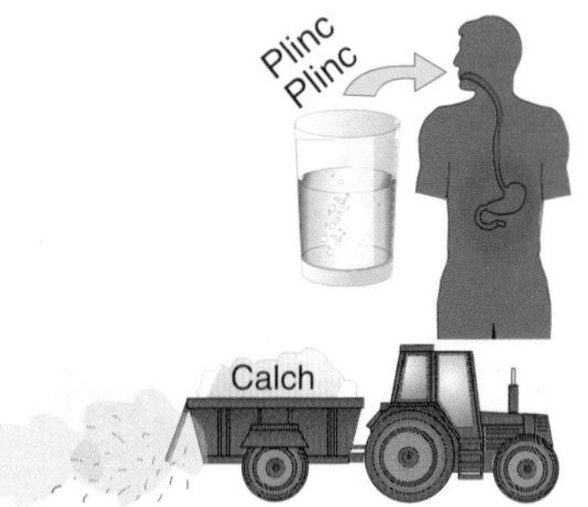

1) Defnyddir carbonadau metel i symud gormodedd yr asid yn y stumog, sy'n achosi camdreuliad. Gweler Tud. 70.
2) Defnyddir calch i symud yr asidedd mewn priddoedd. Mae calchu (ychwanegu Calsiwm hydrocsid at y pridd) yn helpu i gael y pH yn iawn ar gyfer cnydau. Gweler Tud. 70.

Hollti Cyfansoddion yw Electrolysis

1) Gellir hollti cyfansoddion sy'n cynnwys metel ac anfetel trwy ddefnyddio electrolysis.
2) Defnyddir egni trydan i hollti'r cyfansoddyn.
   DIBENION: Araenu gemwaith gydag arian; puro copr; echdynnu metelau adweithiol o'u mwynau, e.e. alwminiwm a sodiwm.

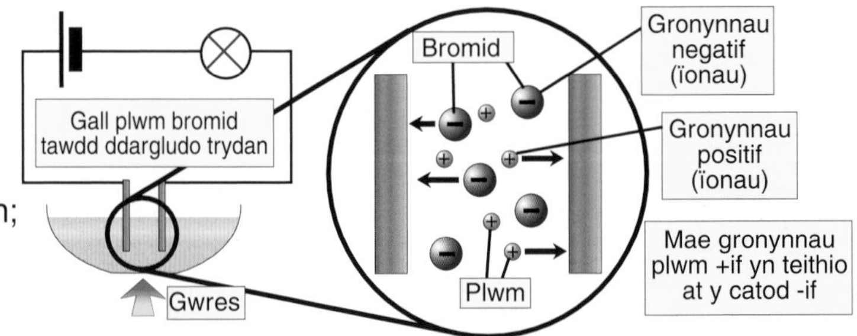

Tydi electrolysis yn wych – mae'n danfon ias trwydda i...

Wel, dyma ni eto – pum pennawd i'w dysgu ac wrth gwrs y manylion ar gyfer pob un. Mae'n wir rhaid i chi ddysgu hyn oll. Cuddiwch y dudalen ac ysgrifennwch y cyfan i lawr i weld sut ydych chi'n dod ymlaen.

Adweithiau Cemegol Llai Defnyddiol

Cyrydiad Haearn yw Rhydu

1) Yma mae cyrydu'n golygu ocsidio'n araf – wrth i fetel newid yn fetel ocsid.
2) Po fwyaf adweithiol yw'r metel, y cyflymaf y bydd hyn yn digwydd.
3) Mae'r ocsid fel arfer yn wannach na'r metel ac felly'n achosi tipyn o broblemau adeileddol.

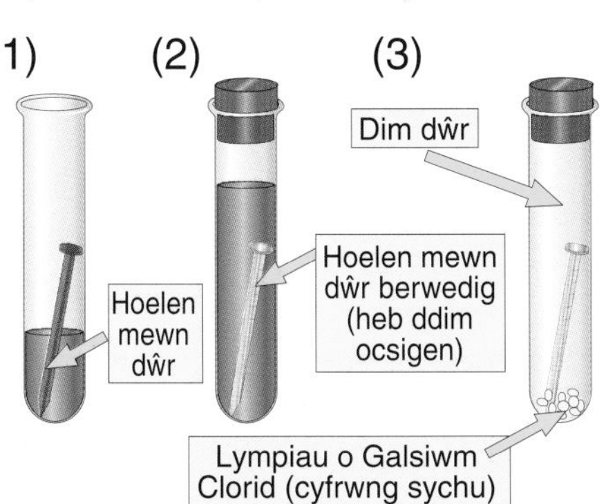

Mae angen dŵr ac ocsigen ill dau er mwyn i rydu ddigwydd – felly dim ond yn nhiwb prawf (1) y bydd rhwd yn ffufio.

Rhwd

Enghraifft: HAEARN + DŴR + OCSIGEN → HAEARN OCSID

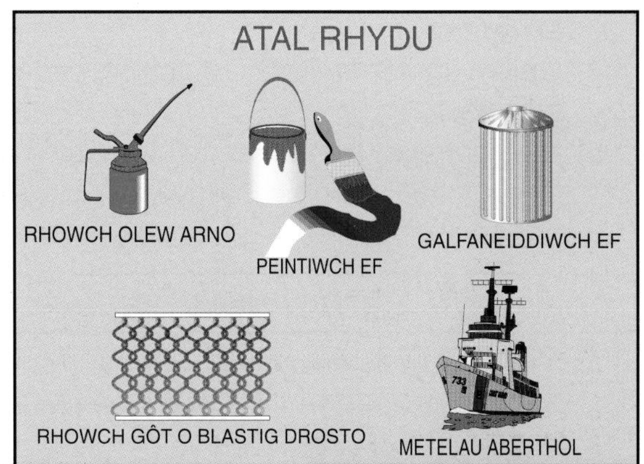

Difetha Bwyd – y bwyd yn "Troi"

1) Mae ocsigen yn adweithio gyda'r bwyd – mae hyn yn gwneud iddo droi.
2) Mae microbau pitw (fel bacteria a ffyngau) yn tyfu ar y bwyd ac yn rhyddhau cemegau. Mae'r rhain yn peri i'r bwyd ddrewi neu flasu'n ddrwg.
3) Mae germau'n hoff iawn o wres, lleithder a pH penodol. Wrth newid y rhain, ni allant weithio cystal – gelwir hyn yn GADW BWYD.

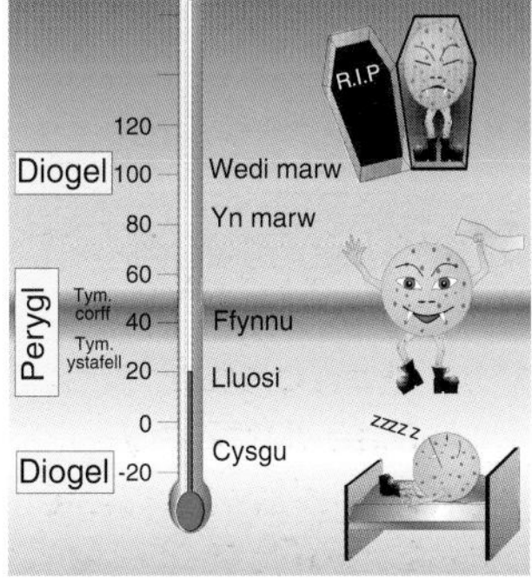

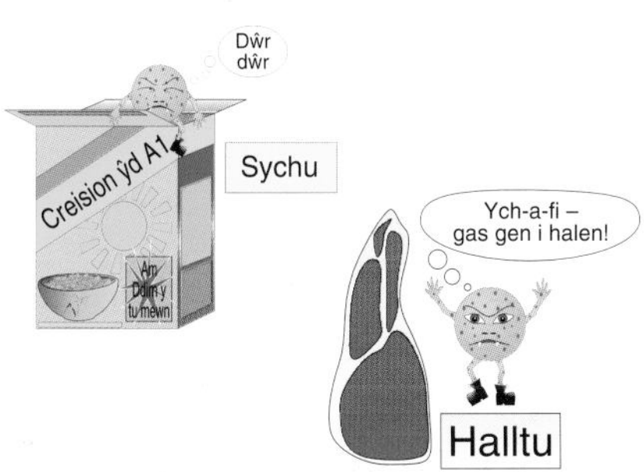

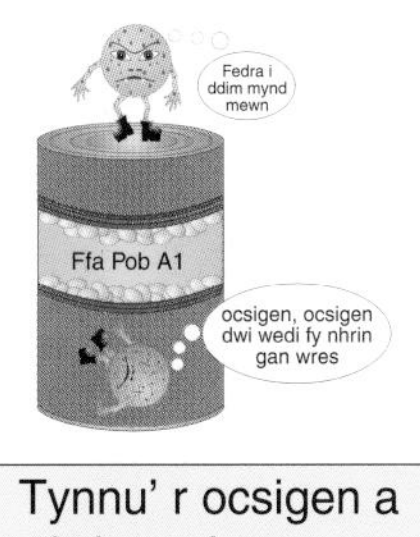

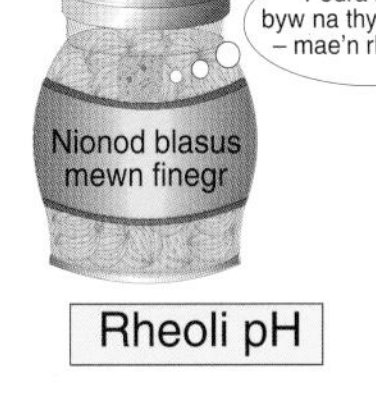

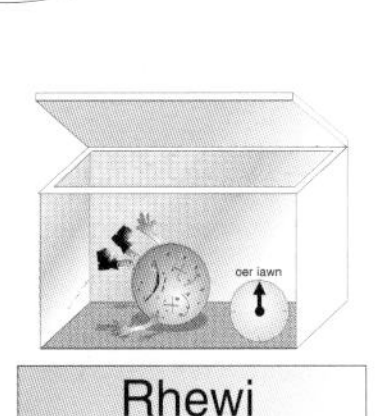

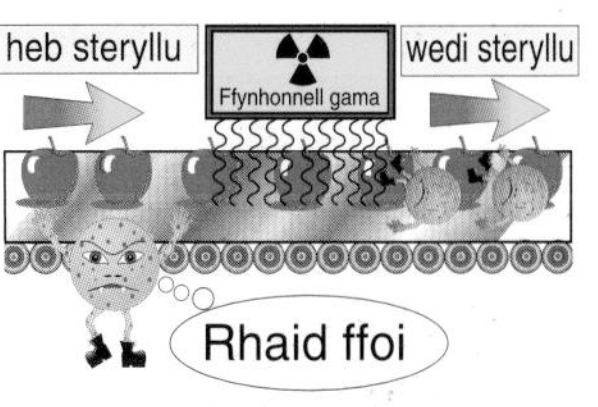

Llygredd ar ôl Hylosgi

1) Yr Effaith Tŷ Gwydr

1) Caiff carbon deuocsid (CO_2) ei gynhyrchu wrth i danwyddau losgi. Yna mae'n aros yn yr atmosffer.

2) Mae'n gweithio fel cwrlid sy'n cadw gwres i mewn. Mae hyn yn achosi i'r Ddaear gynhesu'n araf. Mae'n swnio'n grêt ond...

3) a) Gallai achosi i'r capiau rhew pegynnol ddadmer, a byddai hyn yn codi lefel y môr.
b) Gallai'r hinsawdd newid hefyd.

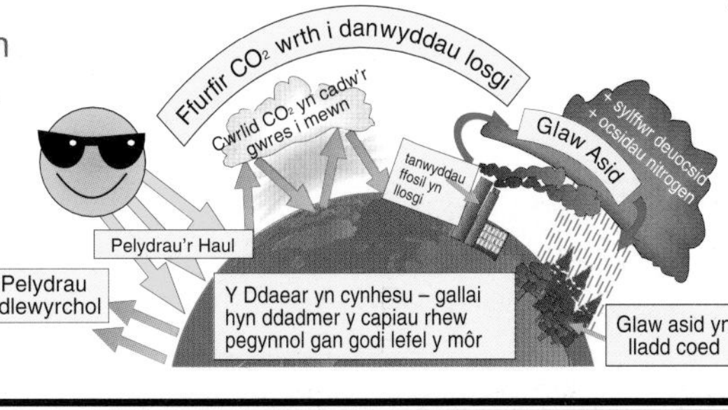

2) Glaw Asid

1) Mae'r rhan fwyaf o danwyddau yn cynnwys amhureddau sylffwr.
2) Mae'r rhain yn newid yn sylffwr deuocsid wrth i'r tanwydd losgi.
3) Mae gwres y llosgi hefyd yn ffurfio ocsidau nitrogen o'r aer...
4) Mae'r ocsidau hyn yn adweithio gyda dŵr ac yn ffurfio GLAW ASID.

Wel, mae'r dudalen hon yn llawn hwyl a sbri...

Tair adran ar wahanol adweithiau diflas sy'n gwneud bywyd yn anodd – o leiaf mae'r lluniau'n ddel. Dysgwch, cuddiwch, ysgrifennwch, mwynhewch, dysgwch, cuddiwch ac yn y blaen...

Cydbwyso Hafaliadau

Mae Hafaliadau Cemegol yn Hafal ar y Ddwy Ochr

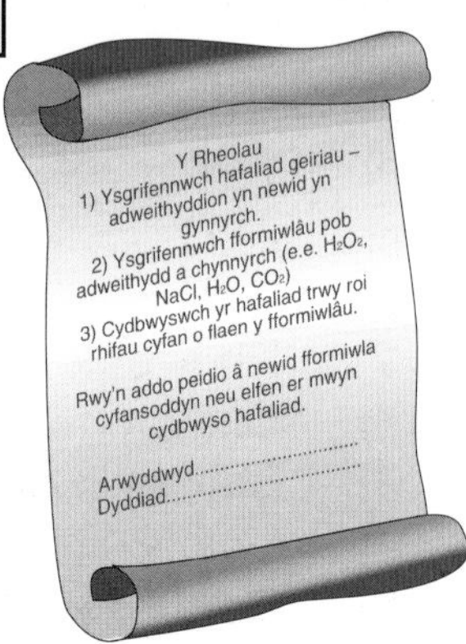

Y Rheolau
1) Ysgrifennwch hafaliad geiriau – adweithyddion yn newid yn gynnyrch.
2) Ysgrifennwch fformiwlâu pob adweithydd a chynnyrch (e.e. H_2O_2, NaCl, H_2O, CO_2)
3) Cydbwyswch yr hafaliad trwy roi rhifau cyfan o flaen y fformiwlâu.
Rwy'n addo peidio â newid fformiwla cyfansoddyn neu elfen er mwyn cydbwyso hafaliad.
Arwyddwyd.........................
Dyddiad.........................

1) Mewn adwaith cemegol ni chaiff atomau eu creu na'u dinistrio.
2) Mae'r atomau ar ddechrau'r adwaith yn dal i fod yno ar y diwedd.
3) Caiff bondiau eu torri a'u ffurfio yn yr adwaith wrth i atomau aildrefnu eu hunain wrth newid o adweithyddion yn gynnyrch. Ond NID yw'r atomau eu hunain yn NEWID.
4) Gellir ysgrifennu hafaliad geiriau i ddangos beth sy'n digwydd mewn adwaith.
5) Mae hafaliad symbolau cytbwys, sy'n defnyddio symbolau elfennau, yn dangos faint o bob cemegyn sy'n adweithio neu'n ffurfio mewn adwaith penodol.

Enghraifft: Ysgrifennwch Hafaliad Cytbwys ar gyfer Llosgi Magnesiwm mewn Ocsigen

1) Ysgrifennwch yr hafaliad geiriau: Magnesiwm + Ocsigen → Magnesiwm Ocsid
2) Ysgrifennwch fformiwla pob adweithydd a chynnyrch: $Mg + O_2 \rightarrow MgO$
3) Gwiriwch fod yr hafaliad yn gytbwys trwy gyfri faint o bob atom sydd ar ddwy ochr yr hafaliad a gwnewch gamau A, B, C ac CH i gydbwyso'r atomau, pob un yn ei dro.

Faint o bob atom sydd gennym ni?

Ochr Chwith yr Hafaliad	Ochr Dde'r Hafaliad
Un magnesiwm	Un magnesiwm
Dau ocsigen	Un ocsigen

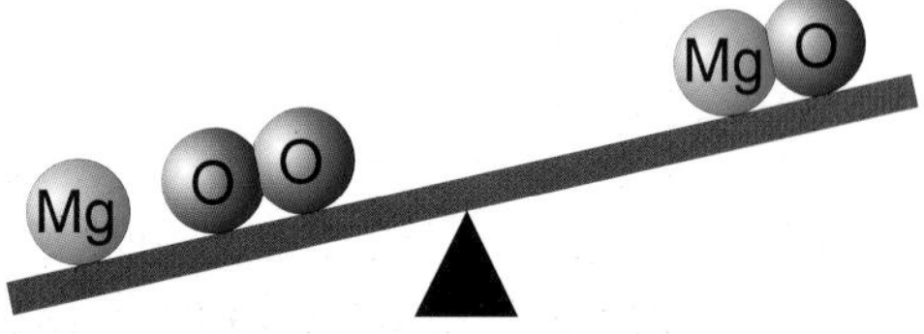

A) Chwiliwch am elfen nad yw'n cydbwyso ac ysgrifennwch rif mewn pensil er mwyn ceisio ei gydbwyso.

Does dim digon o ocsigen ar ochr dde'r hafaliad – ychwanegwch "2" o flaen MgO

$$Mg + O_2 \rightarrow 2MgO$$

B) Rhifwch yr atomau unwaith eto.

Faint o bob atom sydd gennym ni?

Ochr Chwith yr Hafaliad	Ochr Dde'r Hafaliad
Un magnesiwm	Dau fagnesiwm
Dau ocsigen	Dau ocsigen

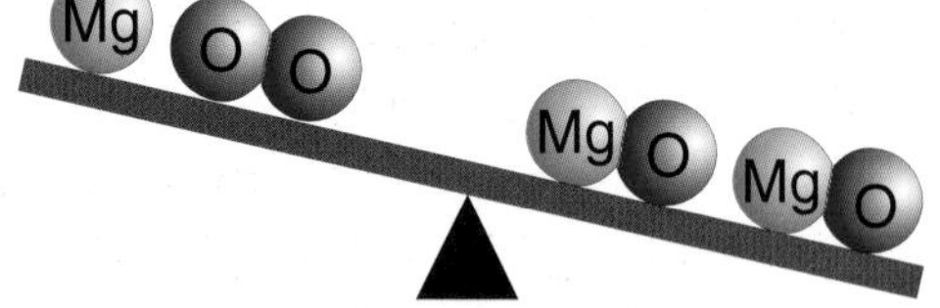

C) Daliwch ati i chwilio am yr atomau anghytbwys trwy fynd at A – ysgrifennwch rif mewn pensil o flaen y fformiwla yna rhifwch yr atomau.

Does dim digon o fagnesiwm ar ochr chwith yr hafaliad – ychwanegwch "2" o flaen Mg

$$2Mg + O_2 \rightarrow 2MgO$$

CH) Rhifwch yr atomau unwaith eto.

Faint o bob atom sydd gennym ni

Ochr Chwith yr Hafaliad	Ochr Dde'r Hafaliad
Dau fagnesiwm	Dau fagnesiwm
Dau ocsigen	Dau ocsigen

Ac yn y blaen –
nes bod yr hafaliad yn cydbwyso.

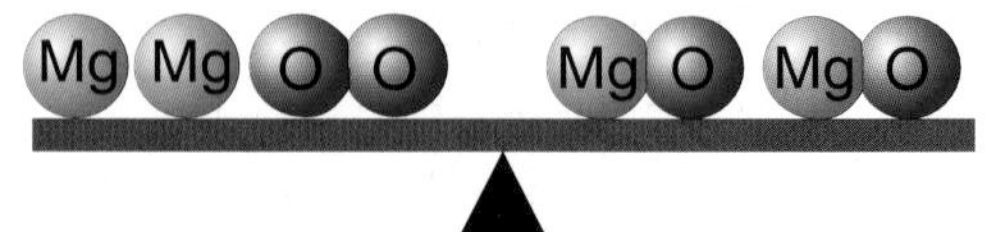

Wrth bwyso a mesur, byddwch chi'n medru gwneud hyn cyn hir...

Dyma'r peth anoddaf y byddan nhw'n gofyn i chi ei wneud, felly peidiwch â phoeni os yw'n edrych yn anodd. Dysgwch y dull yna triwch wneud hyn: Sodiwm + Clorin → Sodiwm Clorid.

(Atebion ar dud.104)

Crynodeb Adolygu ar gyfer Adran Saith

Mae pob math o bethau'n ymddangos yn Adran Saith – newidiadau ffisegol, daeareg a chreigiau, gwahanol fathau o adweithiau, adweithiau defnyddiol, adweithiau sy'n llai defnyddiol, ac ar ben hyn oll cydbwyso hafaliadau – cawl potes go iawn. Does dim ond rhaid i chi ei ddysgu nawr. Ac oes, mae gen i gwestiynau isod i'ch helpu chi. Gwnewch yn siŵr eich bod chi'n gallu ateb pob un yn dda.

1) Rhowch enghraifft o newid ffisegol.
2) Caiff 50g o haearn ei ymdoddi. Faint o haearn hylifol a geir?
3) Beth sy'n digwydd yn ystod darnau gwastad cromlin oeri?
4) Beth yw hydoddyn – rhowch enghraifft?
5) Beth yw hydoddydd – rhowch enghraifft?
6) Beth yw hydoddiant – rhowch enghraifft?
7) Beth yw ystyr hydawdd – rhowch enghraifft?
8) Beth yw ystyr anhydawdd – rhowch enghraifft?
9) Caiff 100g o siwgr ei hydoddi mewn 200g o ddŵr. Beth fydd màs yr hydoddiant?
10) Beth sy'n digwydd wrth i rywbeth hydoddi?
11) Nid beth yw hydoddi?
12) Beth sy'n digwydd ar ymdoddbwynt sylwedd?
13) Beth sy'n digwydd ar ferwbwynt sylwedd?
14) Beth yw berwbwynt nitrogen? Beth yw cyflwr nitrogen ar 20°C?
15) Beth sy'n digwydd i'r gronynnau mewn solid wrth iddo ehangu?
16) Enwch dri theclyn sy'n defnyddio ehangu – eglurwch sut y maent yn gweithio.
17) Beth yw hindreuliad? Enwch dri math o hindreuliad ac esboniwch sut y maent yn digwydd.
18) Tynnwch lun o'r gylchred greigiau'n gyflawn gan gynnwys y labeli i gyd.
19) Enwch y tri math o graig, disgrifiwch sut olwg sydd arnynt a rhowch ddwy enghraifft yr un.
20) Beth sy'n rhaid digwydd i greigiau gwaddodol i'w newid yn greigiau metamorffig?
21) Enwch ddau fwyn ac enwch yr elfennau sydd ynddynt.
22) Rhestrwch saith math o adwaith cemegol gan roi enghraifft o bob un.
23) Enwch bump adwaith cemegol defnyddiol. Rhowch enw arall am hylosgiad.
24) Sut fedrwch chi brofi bod CO_2 a dŵr yn ffurfio wrth hylosgi tanwydd?
25) Beth gaiff ei gynhyrchu yn ystod eplesiad?
26) Beth sy'n ffurfio wrth rydwytho haearn ocsid gyda charbon?
27) Rhestrwch dri adwaith cemegol llai defnyddiol.
28) Pa ddau sylwedd sy'n rhaid eu cael er mwyn i rydu ddigwydd?
29) Enwch bum ffordd o atal rhwd.
30) Rhestrwch chwe dull o gadw bwyd.
31) Beth yw'r effaith tŷ gwydr? Pam y mae'n broblem?
32) Beth yw glaw asid? Pam y mae'n broblem?
33) Rhestrwch y rheolau y dylech eu dilyn wrth geisio cydbwyso hafaliad.
34) Beth sy'n rhaid i chi addo peidio â'i wneud wrth gydbwyso hafaliad?
35) Cydbwyswch yr hafaliad hwn: Sylffwr + Ocsigen → Sylffwr deuocsid (Cliw: $S + O_2 \rightarrow$?).
36) Cydbwyswch yr hafaliad hwn: Calsiwm + Ocsigen → Calsiwm ocsid.

(Atebion i C.2, C.9, C.35 a C.36 ar dud.104)

Cyfres Adweithedd ac Echdynnu Metelau

Mae'n rhaid i chi wybod pa fetelau yw'r rhai mwyaf adweithiol - a pha rai yw'r lleiaf adweithiol.

Y Gyfres Adweithedd – pa mor dda bydd Metel yn Adweithio

Mae'r Gyfres Adweithedd yn rhestru'r metelau yn nhrefn eu hadweithedd tuag at sylweddau eraill.

Gwnewch yn siŵr eich bod chi'n dysgu hwn:

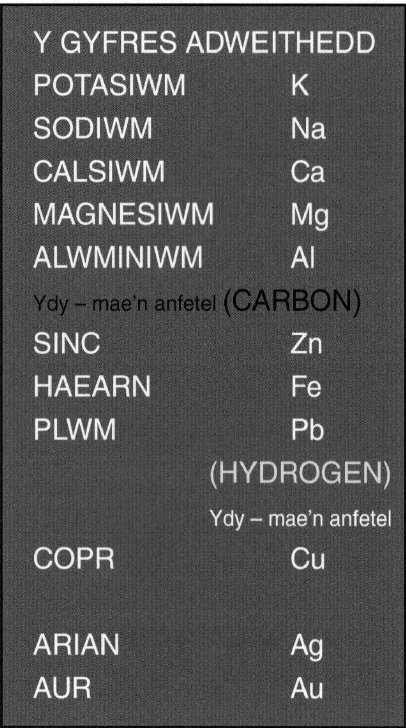

Y GYFRES ADWEITHEDD		
POTASIWM	K	Adweithiol dros ben
SODIWM	Na	
CALSIWM	Ca	
MAGNESIWM	Mg	Gweddol adweithiol
ALWMINIWM	Al	
Ydy – mae'n anfetel (CARBON)		
SINC	Zn	
HAEARN	Fe	Gweddol anadweithiol
PLWM	Pb	
(HYDROGEN) Ydy – mae'n anfetel		
COPR	Cu	
ARIAN	Ag	Anadweithiol dros ben
AUR	Au	

Hawdd eu Hechdynnu o'u Mwynau?

Metelau		
POTASIWM SODIWM CALSIWM MAGNESIWM ALWMINIWM	NA	1) Mae angen electrolysis (lle mae egni trydanol yn hollti'r mwyn i'w elfennau cyfansoddol) ar y pum metel hyn. 2) Ni chafodd y pum metel hyn eu hechdynnu o'u mwynau nes yr 19^{eg} Ganrif (ar ôl i rywun ddarganfod trydan). 3) Ni ellir defnyddio carbon – nid yw'n ddigon adweithiol. Mae'r metel yn dal y darn anfetel yn rhy dda.
SINC HAEARN PLWM	GWEDDOL HAWDD	1) Mae angen adwaith rhydwytho gyda golosg (Carbon) ar y rhain. 2) Mae'r metelau hyn wedi bod yn hysbys ers oddeutu 2000 o flynyddoedd.
COPR ARIAN AUR	HYNOD O HAWDD	1) Mae'r tri metel hyn mor anadweithiol fel y medrwch chi ddod o hyd iddynt yn gorwedd yn y ddaear ac mewn afonydd. 2) Ond mae'n rhaid i chi chwilio'n ofalus.

Sut wnaethon nhw ddarganfod haearn?..

Chwarae teg, dyma waith digon elfennol ar fetelau. Un o'r pethau cyntaf y dylech ddysgu am fetelau yw'r gwahaniaeth yn eu hadweithedd – adweithedd metel yw'r nodwedd bwysicaf o bell ffordd mewn Cemeg oherwydd mai hyn sy'n penderfynu sut y bydd yn ymddwyn ym mhob adwaith. Gwnewch yn siŵr eich bod chi'n dysgu popeth ar y dudalen hon. Rydych chi'n gwybod y dull... Mwynhewch.

Adweithiau Metelau

Adeiladwyd y Gyfres Adweithedd trwy wneud ychydig o Wyddoniaeth Ymarferol. Bydd angen i chi wybod sut mae'r holl fetelau hyn yn adweithio gyda: 1) Aer 2) Dŵr 3) Asid gwanedig 4) Ei gilydd.

Adweithiau Metelau gydag Aer

Metel + Ocsigen → Metel Ocsid

1) Mae'r rhan fwyaf o fetelau yn tarneisio ar ôl ychydig yn yr aer.
2) Adwaith gyda'r ocsigen yn yr aer yw hyn. Mae'n ffurfio haen o fetel ocsid afloyw ar yr wyneb.
3) Po fwyaf adweithiol yw'r metel y mwyaf grymus fydd yr adwaith wrth iddo losgi mewn ocsigen neu aer.

ENGHRAIFFT:
Sinc + Ocsigen → Sinc Ocsid

$2Zn + O_2 \rightarrow 2ZnO$

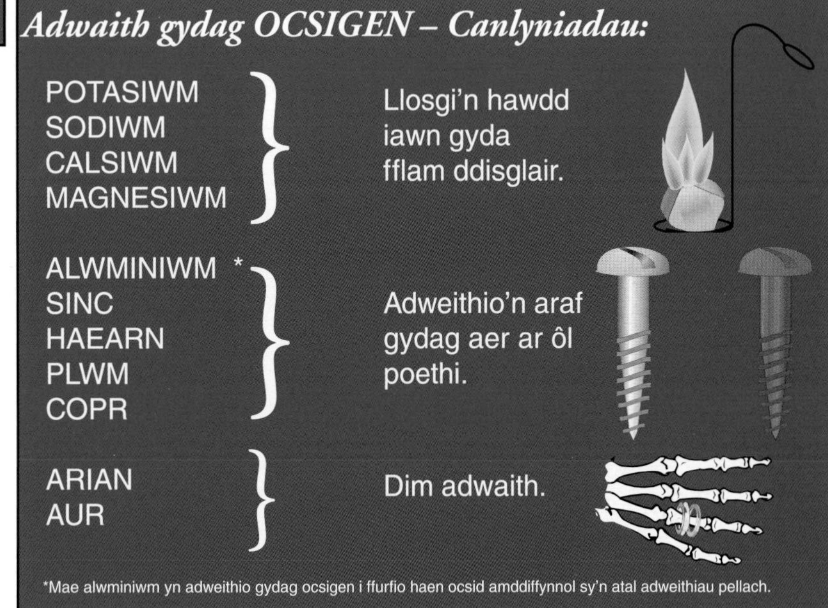

Adweithio Metelau gyda Dŵr

Metel + Dŵr → Metel Hydrocsid + Hydrogen
(Metel llai adweithiol + Ager → Metel ocsid + hydrogen)

Adwaith gyda DŴR – Canlyniadau:

POTASIWM, SODIWM, CALSIWM	Adweithio gyda dŵr oer
MAGNESIWM, ALWMINIWM *, SINC, HAEARN	Adweithio gydag ager *(Al yn ymddangos yn araf)
PLWM, COPR, ARIAN, AUR	Dim adwaith gyda dŵr nac ager

Ager — Magnesiwm

*Mae alwminiwm yn adweithio gydag ocsigen i ffurfio haen ocsid amddiffynnol sy'n atal adweithiau pellach.

1) Mae metelau uwchben hydrogen yn y gyfres adweithedd o hyd yn adweithio gyda dŵr i gynhyrchu hydrogen.
2) Mae'r metelau mwy adweithiol yn adweithio'n rymus gyda dŵr oer i gynhyrchu hydrocsidau.
3) Mae'r metelau llai adweithiol yn adweithio'n araf gyda dŵr, (ond yn gyflym gydag ager), i ffurfio ocsidau.

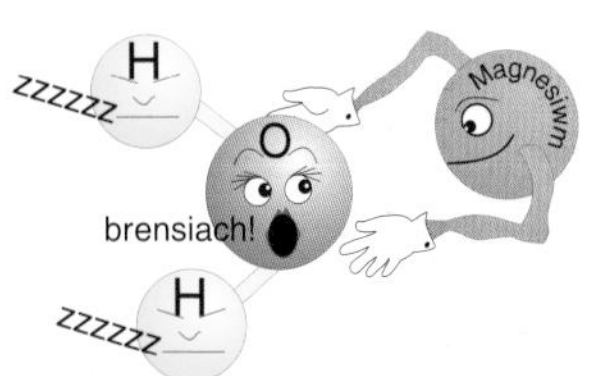

ENGHREIFFTIAU:

a) Magnesiwm + Ager → Magnesiwm Ocsid + Hydrogen

$Mg + H_2O \rightarrow MgO + H_2$

b) Sodiwm + Dŵr → Sodiwm Hydrocsid + Hydrogen

$2Na + 2H_2O \rightarrow 2NaOH + H_2$

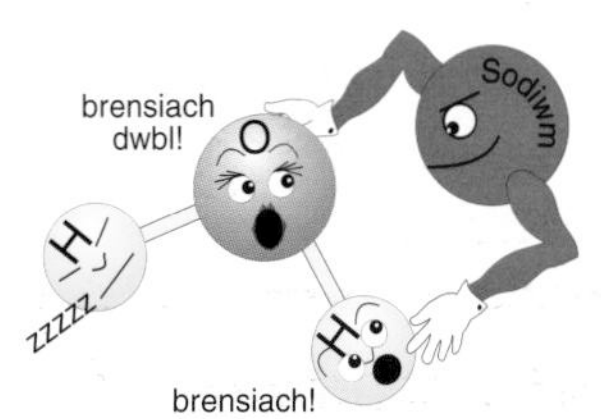

Arian – nid yw'n adweithio gydag unrhyw beth...

Mae dau wahanol adwaith ar y dudalen hon: 1) metel gydag aer 2) metel gyda dŵr.
Mae'r metelau'n rhannu'n dri grŵp ar gyfer y ddau adwaith. Dysgwch y manylion i gyd, yna cuddiwch ac ysgrifennwch.

Adweithiau Metelau gydag Asidau

Adweithio Metelau gydag Asid Gwanedig

Metel + Asid → Halwyn + Hydrogen

1) Mae metelau sydd uwchben hydrogen yn y gyfres adweithedd yn adweithio gydag asidau i ffurfio halwyn a hydrogen.
2) NID yw'r metelau sydd o dan hydrogen yn y gyfres adweithedd YN ADWEITHO gydag asidau.
3) Mae'r adwaith hyd yn oed yn llai cyffrous wrth i chi ddisgyn y gyfres.

Mae'r Metelau mwy Adweithiol yn adweithio'n Fwy Grymus

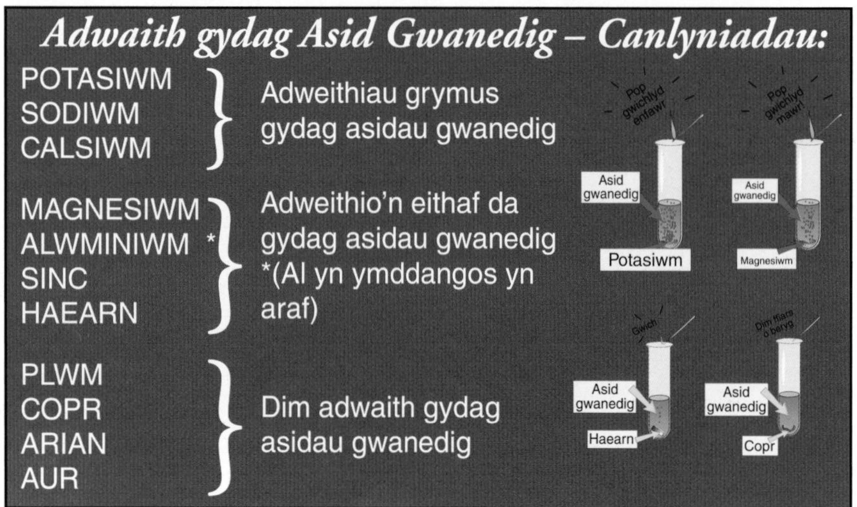

Adwaith gydag Asid Gwanedig – Canlyniadau:
POTASIWM
SODIWM
CALSIWM
Adweithiau grymus gydag asidau gwanedig
MAGNESIWM
ALWMINIWM *
Casglu'r nwy hydrogen dros ddŵr
Mae hwn yn wahanol i Ocsigen sy'n ailgynnau prennyn sy'n mudlosgi.
SINC
HAEARN
Adweithio'n eithaf da gydag asidau gwanedig *(Al yn ymddangos yn araf)
PLWM
COPR
ARIAN
AUR
Dim adwaith gydag asidau gwanedig
Asid gwanedig
Potasiwm
Asid gwanedig
Magnesiwm
Asid gwanedig
Haearn
Asid gwanedig
Copr

*Mae Al yn adweithio gydag ocsigen i ffurfio haen ocsigen amddifynnol sy'n atal adweithiau pellach.

Po isaf yw'r adweithedd – y lleiaf gweladwy yw'r adwaith.

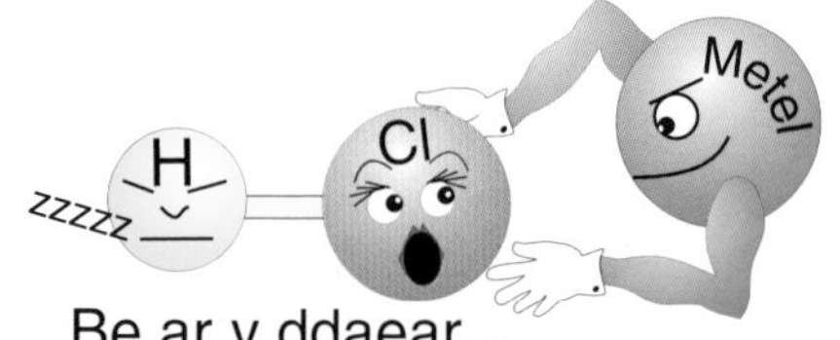

Be ar y ddaear...

ENGHREIFFTIAU:

a) Sinc + Asid Sylffwrig → Sinc Sylffad + Hydrogen

$$Zn + H_2SO_4 \rightarrow ZnSO_4 + H_2$$

Mae'r sinc yn cymryd lle'r hydrogen yn yr asid gan ei fod yn fwy adweithiol na'r hydrogen.

b) Sodiwm + Asid Hydroclorig → Sodiwm Clorid + Hydrogen

$$2Na + 2HCl \rightarrow 2NaCl + H_2$$

Mae'r sodiwm yn cymryd lle'r hydrogen yn yr asid – eto oherwydd ei fod yn fwy adweithiol na'r hydrogen.

Y Prawf am Hydrogen – y Pop Gwichlyd Enwog

1) Cynhyrchir hydrogen trwy ddefnyddio generadur nwy fel yr un yn y diagram hwn.
2) Mae gronynnau sinc yn adweithio gydag asid hydroclorig a chaiff yr hydrogen a gynhyrchir ei gasglu yn y tiwb prawf trwy ddŵr.
3) Wrth ddal prennyn sy'n llosgi yn agos at y tiwb clywir y pop gwichlyd enwog.
4) Gofynnwch i'r athro ddangos rhagor o bethau diddorol sy'n ymwneud â hydrogen – os yw'n ddigon dewr!

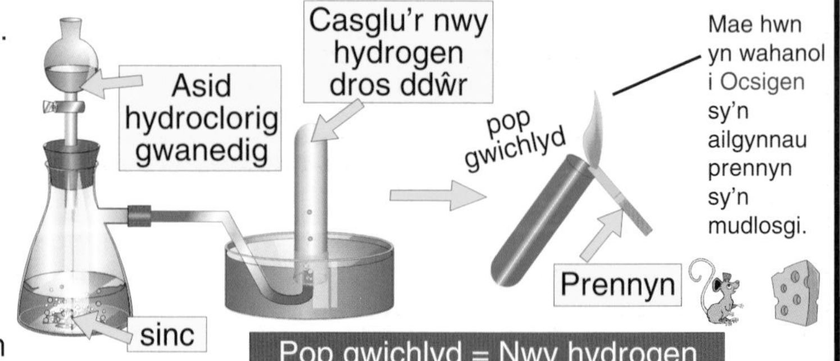

Arbrofion Anhygoel gyda H_2 – fel y Zeppelin R101...

Rwy'n cytuno'n llwyr, mae'n hen bryd dod â'r nonsens yma am adweithedd metelau i ben. Ond os medrwch chi ddysgu'r manylion sydd ar y dudalen hon bydd yr arholwr yn falch iawn. Felly... anadl ddofn, ysgwyddau yn ôl ac EWCH AMDANI – dysgwch, cuddiwch, ysgrifennwch, gwiriwch, dysgwch, cuddiwch, ysgrifennwch...

Adweithiau Dadleoli

Ystyr 'Dadleoli' yw 'cymryd lle'

DYSGWCH Y REOL HON:

Bydd metel MWY ADWEITHIOL yn dadleoli metel LLAI ADWEITHIOL o'i gyfansoddyn

1) Mae'r gyfres adweithedd yn dweud wrthych pa rai yw'r metelau mwyaf adweithiol – h.y. y rhai sy'n adweithio gryfaf gyda phethau eraill.
2) Wrth roi metel mwy adweithiol fel magnesiwm mewn hydoddiant o gyfansoddyn metel llai adweithiol, fel copr sylffad, yna bydd y magnesiwm yn cymryd lle'r copr – gan ffurfio magnesiwm sylffad.
3) Bydd y metel a "giciwyd allan" wedyn yn araenu ei hun ar y metel adweithiol, felly fe welwn gopr.
4) Dim ond os yw'r metel a ychwanegir yn fwy adweithiol y bydd hyn yn digwydd– mae uwch yn dadleoli is. Deall?

Ymchwiliad ar y Gyfres Adweithedd

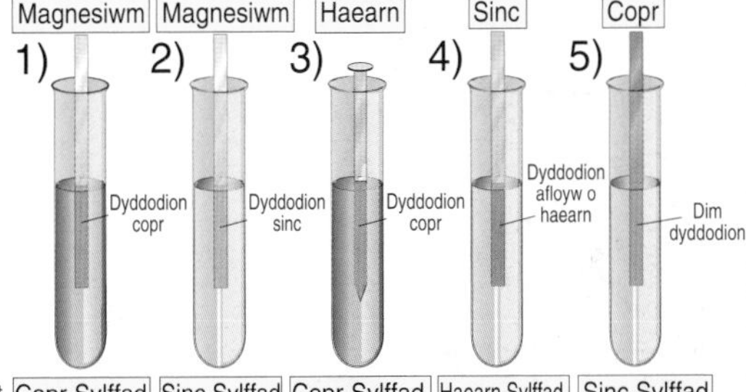

Dull: Taflwch ddarn o fetel i hydoddiannau halwyn i weld beth sy'n digwydd.

Tiwb 1

- mae'r copr sylffad yn troi'n ddi-liw ac mae'r copr yn araenu'r stribed magnesiwm.

Magnesiwm + Copr Sylffad → Magnesiwm Sylffad + Copr

Rhaid bod magnesiwm yn fwy adweithiol na chopr gan ei fod yn cymryd ei le.

Mic Magnesiwm — Caradog Copr — Siwan Sylffad

Tiwb 2

- gwelir y sinc yn araenu'r stribed magnesiwm.

Magnesiwm + Sinc Sylffad → Magnesiwm Sylffad + Sinc

Rhaid bod magnesiwm yn fwy adweithiol na chopr gan ei fod yn cymryd ei le.

Tiwb 3

- mae'r copr sylffad yn troi'n ddi-liw wrth i'r copr araenu'r hoelen.

Haearn + Copr Sylffad → Haearn Sylffad + Copr

Rhaid bod haearn yn fwy adweithiol na chopr gan ei fod yn cymryd ei le.

Caradog Copr — Mic Magnesiwm — Siwan Sylffad

Tiwb 4

- gwelir yr haearn yn araenu'r stirbed sinc.

Sinc + Haearn Sylffad → Sinc Sylffad + Haearn

Rhaid bod sinc yn fwy adweithiol na haearn gan ei fod yn cymryd ei le.

Mwyaf Adweithiol

Magnesiwm
Sinc
Haearn
Copr

Lleiaf Adweithiol

Tiwb 5

Does dim byd i'w weld – felly does DIM ADWAITH.

Copr + Sinc Sylffad → Dim gobaith

Ni all copr ddadleoli sinc – NID yw'n ddigon ADWEITHIOL.

Dadleoli – Dysgwch a mwynhewch...

Dysgwch y rheol ar ben y dudalen. Yna penderfynwch ym mha diwbiau prawf y bydd yr adweithiau hyn yn digwydd: 1) $Mg + CuSO_4 \rightarrow MgSO_4 + Cu$ 2) $Zn + FeSO_4 \rightarrow ZnSO_4 + Fe$ (Atebion ar dud. 104)

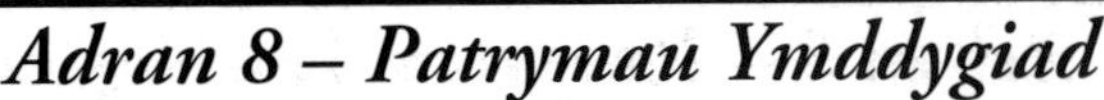

Asidau ac Alcalïau

Asidau

1) Mae gan Asidau pH isel

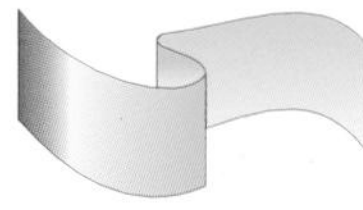

Mae gan asidau pH o dan 7 felly maent yn troi papur pH yn goch neu'n oren.

2) Mae Asidau'n blasu'n Sur

Gellir bwyta rhai asidau gwan ond mae ganddynt flas sur.

3) Mae Asidau'n Lladd rhai Celloedd

Gall asidau niweidio celloedd byw fel y croen neu facteria.

4) Gall Asidau fod yn Gyrydol

Tydi asid mainc yn eich llygad ddim yn hwyl. Byddwch yn ofalus – iawn.

5) Caiff Asidau eu Niwtralu gan Fasau

Caiff asidau eu niwtralu gan fasau i ffurfio halwynau a dŵr.

HALEN

6) Mae Asidau yn gwneud Hydrogen

Mae asidau'n gwneud hydrogen wrth iddynt adweithio gyda rhai metelau.

7) Mae Asidau'n gwneud Carbon deuocsid

Mae carbonadau metel fel calsiwm carbonad yn adweithio gydag asidau i ffurfio carbon deuocsid.

8) Mae Asidau'n cynnwys hydrogen – ac mae eu henwau'n cynnwys y gair "ASID"!

Asid hydroclorig (HCl)
Asid sylffwrig (H_2SO_4)
Asid nitrig (HNO_3)
Asid ethanoig (CH_3COOH)
Asid sitrig ($C_6H_8O_7$)
Asid rhywbeth ($H_{rhywbeth}$)

Alcalïau

1) Mae gan Alcalïau pH Uchel

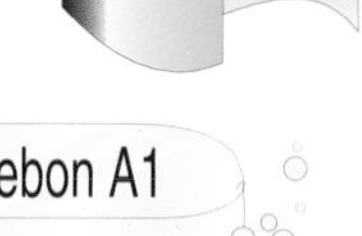

Mae'r pH dros 7 felly mae papur pH yn troi'n las/porffor.

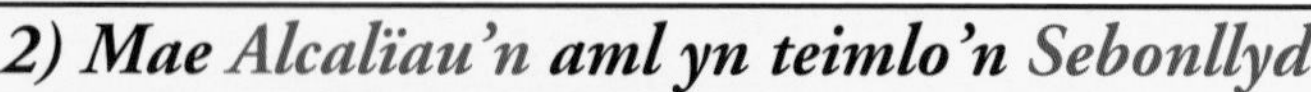

2) Mae Alcalïau'n aml yn teimlo'n Sebonllyd

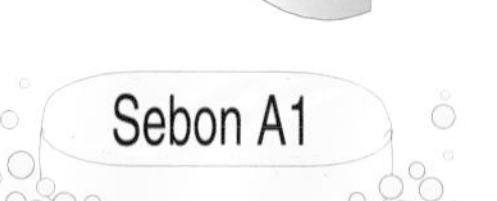

Maent yn teimlo'n llysnafeddog!

3) Gall Alcalïau fod yn Gyrydol

Maent yn aml yn anodd i'w golchi i ffwrdd felly gallant losgi'r croen yn waeth nag asid.

4) Mae Alcalïau'n Niwtralu Asidau i wneud Halwynau

Maent yn ffurfio halwyn a dŵr wrth niwtralu asid.

HALEN

Mae basau'n niwtralu asidau

Alcalïau – basau hydawdd

5) Basau Hydawdd yw ALCALÏAU

Mae basau hydawdd yn hydoddi mewn dŵr i ffurfio hydoddiant ALCALÏAIDD.

6) Ocsidau, Hydrocsidau neu Garbonadau Metel yw Basau fel arfer

Sodiwm hydrocsid (NaOH)
Calsiwm hydrocsid ($Ca(OH)_2$)
Calsiwm carbonad ($CaCO_3$)
Sodiwm hydrogencarbonad ($NaHCO_3$)
Hydoddiant amonia (NH_4OH)
Magnesiwm ocsid (MgO)

Peidiwch â chwerwi – dysgwch am asidau a basau...

Dyna ni – wyth o briodweddau asidau, chwech o briodweddau basau a chwech enghraifft o bob un. Bydd yr holl wybodaeth hyfryd yma'n werth marciau hyfryd yn yr arholiad – dim ond i chi ei dysgu a'i hychwanegu at y potes o wybodaeth sydd eisoes yn eich pen. Bendigedig.

Y Raddfa pH

Mae Dangosydd Cyffredinol yn dangos y pH gyda Gwahanol Liwiau

pH 1 2 3 4 5 6 7 8 9 10 11 12 13 14

ASIDAU cryf ASIDAU gwan | ALCALÏAU gwan ALCALÏAU cryf

Llifynnau Arbennig sy'n Newid Lliw yw Dangosyddion

1) Dim ond llifyn sy'n newid ei liw mewn ASID neu mewn ALCALI yw dangosydd.
2) Cymysgedd defnyddiol o lifynnau yw DANGOSYDD CYFFREDINOL sy'n rhoi'r lliwiau a ddangosir ar ben y dudalen a hefyd gyferbyn:
3) Mae PAPUR LITMWS yn ddangosydd poblogaidd – ond NI ALL dweud wrthych pa mor GRYF yw hydoddiant, dim ond ai asid neu alcali ydyw.

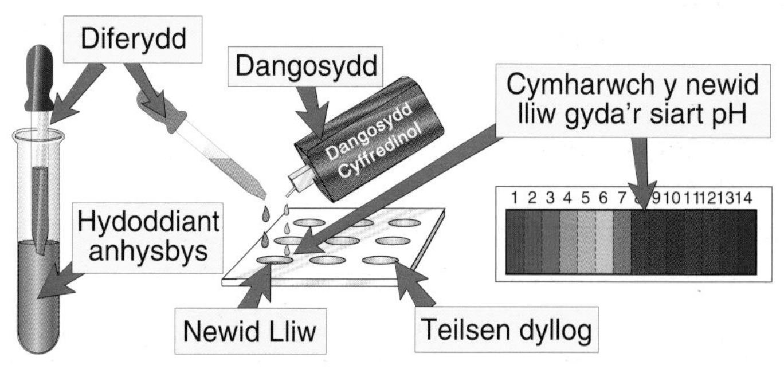

pH – lliwgar iawn...

Mae'r lluniau uchod i gyd wedi eu gosod yn union o dan eu pH ar y raddfa. Gwnewch yn siŵr eich bod chi'n gwybod yn union lle mae pob un – gallant ofyn i chi beth yw pH llaeth neu asid batri neu asid stumog heb feddwl ddwywaith. Rhaid i chi ei ddysgu – a dim ond un ffordd sydd o wneud hynny wrth gwrs... dysgu, cuddio, ysgrifennu, ac ati...

Adweithiau Asid Defnyddiol

Mae Niwtralu o hyd yn cynhyrchu Halwyn a Dŵr

a) Poen yn y Frest yw Camdreuliad

1) Achosir "camdreuliad" gan ormod o asid hydroclorig yn y stumog (neu fwyd bras).
2) Er mwyn ei symud, rhaid niwtralu'r asid gormodol gyda bas o gryfder canolig fel magnesiwm ocsid.

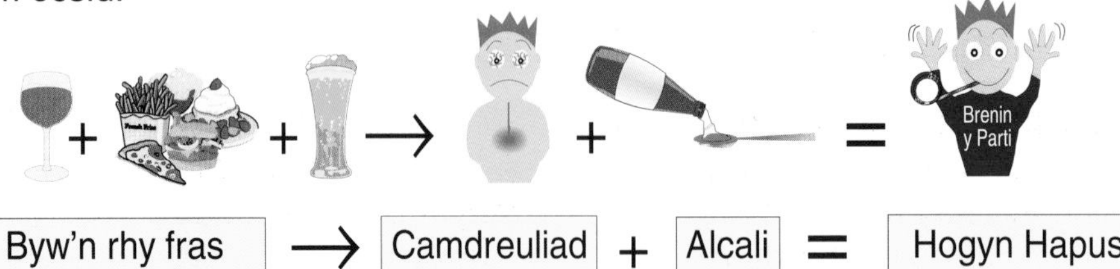

Byw'n rhy fras ⟶ Camdreuliad + Alcali = Hogyn Hapus

3) Ni ellir defnyddio alcalïau cryf fel sodiwm hydrocsid mewn tabledi camdreuliad, oherwydd byddai hyd yn oed ychydig bach gormod yn danfon y pH lawer yn rhy uchel.
4) Byddai hyn yn effeithio ar actifedd yr ensymau yn y stumog – felly NI fyddai'r bwyd yn treulio'n iawn. Gallai niweidio'r stumog ei hun hefyd.
5) Fel y gwyddoch, canlyniad niwtralu yw halwyn. Mae pob halwyn yn cynnwys metel ac anfetel.
6) Wrth i chi gymryd tabledi camdreuliad, (sy'n cynnwys bas, e.e. magnesiwm ocsid) yna bydd halwyn yn ffurfio yn eich stumog (- magnesiwm clorid yn yr enghraifft hon).

Hafaliad cyffredinol: **Asid + Bas → Halwyn + Dŵr**

E.e. Asid hydroclorig + Magnesiwm ocsid → Magnesiwm Clorid + Hydrogen

Gormod o asid	Bas yn y tabledi camdreuliad	Yr Halwyn	Hydrogen

b) Gall Pridd Asidig arafu Twf Planhigion

1) Gall pridd fod yn asidig naill ai o ganlyniad i law asid neu oherwydd bod mwynau asidig yn y creigiau lleol. (Gweler tud. 61).
2) Mae'n well gan rai planhigion briddoedd asidig tra bo'n well gan eraill briddoedd niwtral neu alcalïaidd.
3) Y gwir yw bod planhigion yn lletchwith – mae'r pH anghywir yn golygu twf gwael.
4) Mae "calchu'r" pridd yn niwtralu'r asid er mwyn cynhyrchu pH sy'n addas ar gyfer y planhigyn.

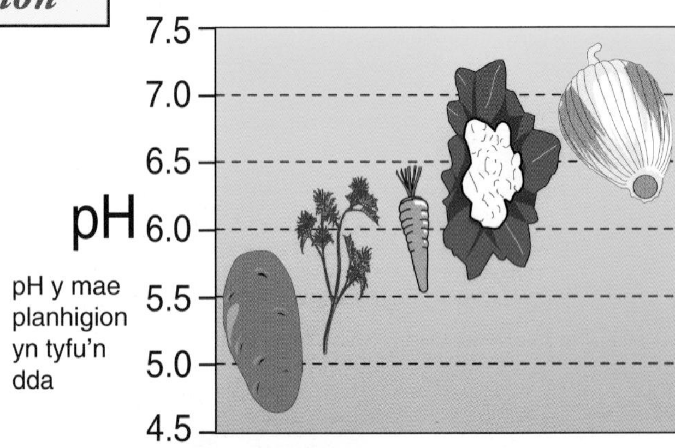

Hafaliad cyffredinol: **Asid + Bas → Halwyn + Dŵr**

Asid Sylffwrig + Calsiwm hydrocsid → Calsiwm sylffad + Dŵr

Mewn Glaw Asid	Bas – "calch"	Yr Halwyn	Dŵr

Mae Bwyd Bras yn debyg i waith cartref – mae gormod ohono'n codi cyfog...

Rhagor o wybodaeth i'w gwasgu i mewn i'ch pen. Camdreuliad yn gyntaf – chwe phwynt, llun del a thair ffordd o ddangos yr un hafaliad. Yna daw pridd asidig – tri phwynt, llun tipyn llai diddorol a'r un hafaliad tair ffordd. Dysgwch y cwbl. Mwynhewch.

Adweithiau Asidau Llai Defnyddiol

Mae Asidau'n ymosod ar Fetelau

E.e. mae bwyd asidig yn ymosod ar ganiau dur ac mae glaw asid yn ymosod ar fetelau noeth.

1) Mae glaw ychydig yn asidig yn naturiol o ganlyniad i'r carbon deuocsid sydd yn yr aer.

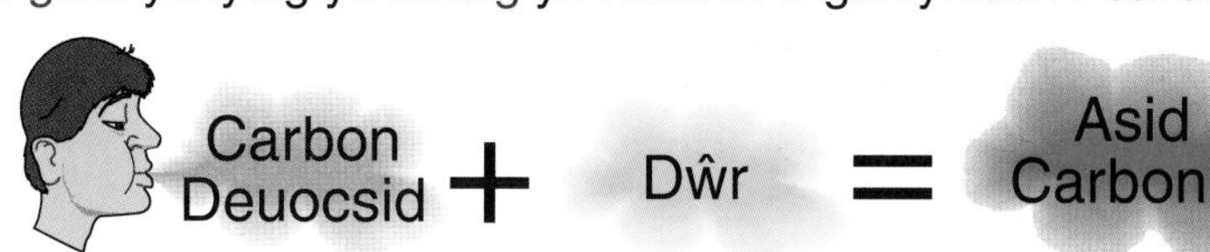

Carbon Deuocsid + Dŵr → Asid Carbonig

Syniad gwael

CERFLUN MAGNESIWM

2) Mae llygryddion asidig fel sylffwr deuocsid ac ocsidau nitrogen yn cymysgu gyda dŵr yn yr atmosffer ac yn ffurfio glaw asid (gweler isod).
3) Wrth ddinoethi metelau sy'n uwch na hydrogen yn y gyfres adweithedd i asidau, maent yn cyrydu o ganlyniad i adwaith cemegol.
4) Mae hyn yn gwanhau'r metel gyda chanlyniadau difrodus dros ben.
5) Caiff caniau dur eu haraenu â thun (metel llai adweithiol) er mwyn atal adwaith cemegol.

Gwell syniad

PENDDELW EFYDD O LENIN

Ffa Pob A1

Hafaliad cyffredinol: **Asid + Metel → Halwyn + Hydrogen**

Asid Sylffwrig + Haearn → Haearn sylffad + Hydrogen

E.e. Asid | Gwrthrych metel | Yr Halwyn | Nwy hydogen

Hindreuliad Creigiau gan Law Asid

1) Mae creigiau fel calchfaen, sialc a marmor yn cynnwys calsiwm carbonad.
2) Os oes glaw asid yn disgyn ar y creigiau hyn bydd adwaith cemegol yn eu newid yn halwyn calsiwm, dŵr a charbon deuocsid. Mae hyn yn hindreulio'r graig.

Dŵr calch yn troi'n llaethog

Asid Nitrig

Calsiwm Carbonad

Llaethog

Llaethog

Hafaliad cyffredinol: **Asid + Metel Carbonad → Halwyn + Dŵr + Carbon deuocsid**

Asid nitrig + Calsiwm carbonad —> Calsiwm nitrad + Dŵr + Carbon deuocsid

Mewn glaw asid | Gwrthrych carbonad | Yr Halwyn | Dŵr | Carbon deuocsid

Achosir glaw asid yn bennaf wrth i lygryddion asidig adweithio gyda dŵr. Caiff hyn ei esbonio'n well ar dud. 61.

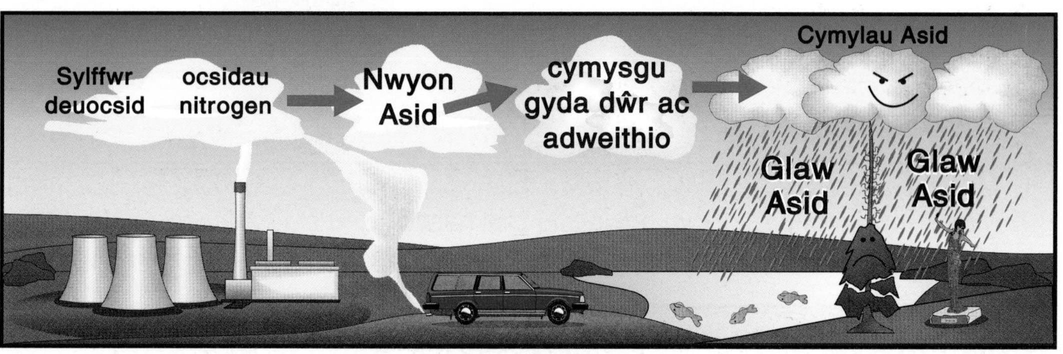

Dysgwch am Law Asid – pwnc llosg yr wythnos...

Mae dwy adran ar y dudalen hon – gyda phennawd, nifer o bwyntiau, hafaliad tair ffordd a digon o ddiagramau difyr yn y ddwy. Dysgwch y cyfan gam wrth gam yn y drefn honno. Daliwch ati i brofi eich hun trwy guddio'r dudalen ac ysgrifennu i lawr popeth rydych chi'n ei wybod.

Gwneud Halwynau

Efallai eich bod chi wedi gwneud rhywbeth tebyg i hyn yn y labordy – gwnewch yn siŵr eich bod chi'n gwybod y cyfan:

Niwtralu yw gwneud Halwynau

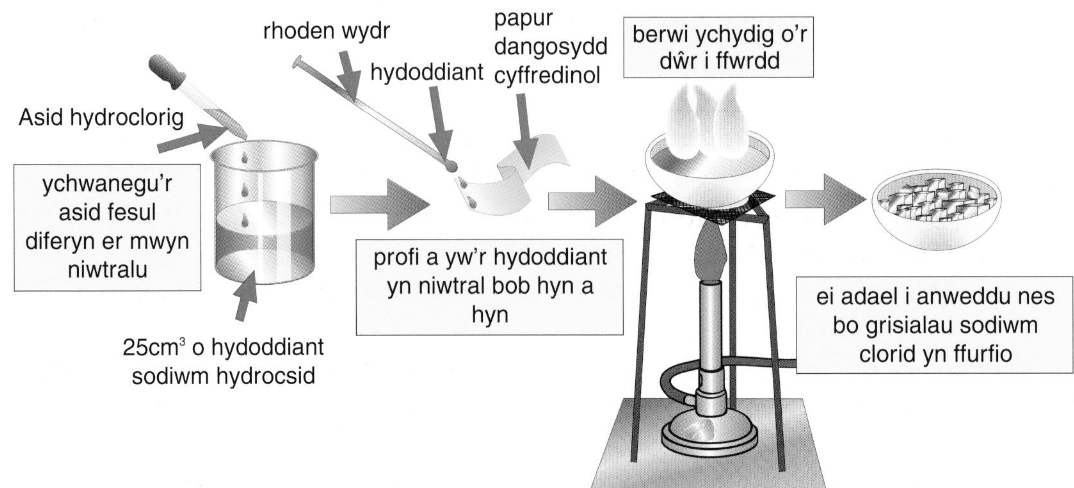

1) Gan wisgo SBECTOL DDIOGELWCH, ychwanegwch asid at alcali fesul diferyn gyda phibed.
2) Ar ôl hyn a hyn o ddiferion, codwch sampl bach i wirio a yw'r pH yn niwtral (pH7).
3) Daliwch ati i ychwanegu asid nes bod yr hydoddiant yn niwtral.
4) Pan fydd yr hydoddiant yn niwtral, caiff ei drosglwyddo i ddysgl anweddu a gellir berwi oddeutu dau draean ohono i ffwrdd er mwyn gadael hydoddiant dirlawn o'r halwyn.
5) Gadewch yr hydoddiant hwn dros nos a bydd grisialau mawr hyfryd yn ffurfio. Po arafaf yw'r grisialu, y mwyaf yw'r grisialau (yn union fel y mae magma sy'n oeri'n araf yn rhoi grisialau craig mawr).

Adwaith Dadleoli yw Niwtralu

1) Caiff hydrogen yr asid hydroclorig ei ddadleoli neu ei amnewid gan sodiwm o'r alcali (sodiwm hydrocsid yn yr enghraifft hon).
2) Caiff yr H ei amnewid gan Na.
3) Mae hyn yn rhoi NaCl a H_2O.
4) SODIWM CLORID yw NaCl – halen cyffredin, ac wrth gwrs DŴR yw H_2O. Wrth gwrs eich bod chi'n gwybod.

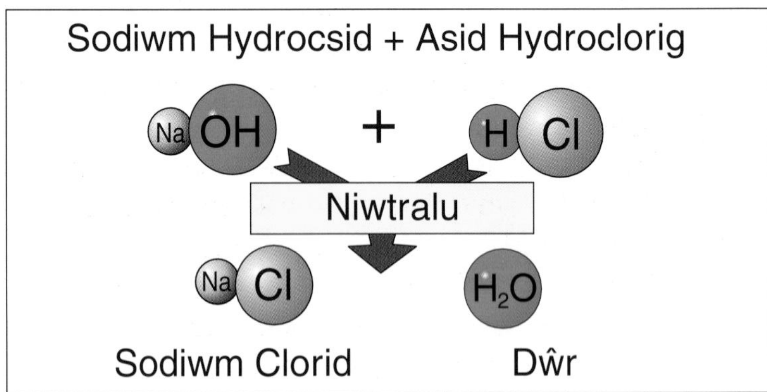

Er mwyn Newid yr Halwyn – Rhaid Newid yr Asid

1) Mae ASID HYDROCLORIG yn adweithio i roi halwynau CLORID... fel SODIWM CLORID.
2) Mae ASID SYLFFWRIG yn adweithio i roi halwynau SYLFFAD... fel COPR SYLFFAD.
3) Mae ASID NITRIG yn adweithio i roi halwynau NITRAD... fel SODIWM NITRAD.

Mae halwyn yn grêt ar eich sglodion – ac i roi ar friw...

Gwnewch yn siŵr eich bod chi'n gwybod sut i wneud arbrawf niwtralu iawn, a hefyd sut i gael grisialau mawr o halwyn ar y diwedd. Rhaid i chi wybod hefyd pam y mae adweithiau niwtralu yn adweithiau dadleoli. Yn olaf gwnewch yn siŵr eich bod chi'n gwybod pa fath o halwynau a ddaw o ba fath o asid. Fe ddylwn ni eich atgoffa chi nawr wrth gwrs, os na fedrwch chi ddysgu'r gwaith syml yn y llyfr hwn ewch chi ddim ymhell – ond rhoi halen ar y briw fyddai hynny...

Crynodeb Adolygu ar gyfer Adran Wyth

Dyma ni unwaith eto – crynodeb adolygu arall i lonni eich calon. Peidiwch ag anghofio mai dim ond sicrhau eich bod chi wedi dysgu popeth ddylech chi yn Adran Wyth y mae'r cwestiynau hyn. Fe ddylech chi allu ateb y cwestiynau hyn yn ddiffwdan – felly daliwch ati tan hynny. Nid dyma'r peth mwyaf cynhyrfus y medrwch chi ei wneud gyda'r nos – ond dyna ni, egni a lwydd...

1) Rhestrwch y gyfres adweithedd yn y drefn gywir. Defnyddiwch lythyren gyntaf pob elfen i wneud rhigwm i'ch helpu – ddaw hynny â gwên i'ch wyneb.
2) Pa fetel yn y gyfres actifedd sydd anoddaf ei echdynnu o'i fwyn?
3) Pam yr oedd alwminiwm yn brin iawn yn y 1600au?
4) Disgrifiwch yr hyn a welwch wrth i'r metelau canlynol adweithio gydag aer:
   a) magnesiwm b) sodiwm c) arian.
5) Sut y mae metelau adweithiol dros ben yn y gyfres adweithiol yn adweithio gyda dŵr?
6) Beth y mae magnesiwm yn ei "ddwyn" oddi ar foleciwl dŵr wrth iddo adweithio gydag ager?
7) Pam y mae alwminiwm yn ymddangos mor anadweithiol er ei fod yn uchel yn y gyfres adweithedd?
8) Beth y mae metelau yn ei gynhyrchu wrth iddynt adweithio gydag asid?
9) Pa fetel sy'n adweitho fwyaf grymus gydag asid?
10) Beth yw'r prawf am hydrogen?
11) Beth yw ystyr dadleoli?
12) Beth yw'r rheol ar gyfer adweithiau dadleoli?
13) Eglurwch pam y gall magnesiwm ddadleoli copr o gopr sylffad.
14) Rhestrwch wyth priodwedd asidau.
15) Rhestrwch chwe phriodwedd alcaliau.
16) Rhowch enwau a fformiwlâu chwe asid a chwe bas.
17) Disgrifiwch sut y byddech chi'n mesur pH hylif anhysbys.
18) Dosbarthwch y canlynol naill ai'n asid, bas neu halwyn.
    a) asid sitrig b) calsiwm ocsid c) calsiwm carbonad ch) sodiwm clorid d) asid fformig.
19) Beth yw niwtralu?
20) Sut y gellir helpu camdreuliad trwy ddefnyddio niwtralu?
21) Rhowch hafaliad ar gyfer adwaith bas gydag asid hydroclorig yn y stumog.
22) Beth sy'n digwydd os yw pH pridd yn anghywir?
23) Rhowch yr hafaliad cyffredinol ar gyfer adwaith asid o gyda metel.
24) Mae ffa pob yn asidig – beth fyddent yn ei wneud i du mewn tun wedi'i dolcio?
25) Pam y mae glaw i gyd yn naturiol asidig?
26) Rhowch yr hafaliad cyffredinol ar gyfer adwaith asid gyda charbonad metel.
27) Mae plac yn bwydo ar y siwgr ar eich dannedd i ffurfio asid. Pam y mae'n ddoeth defnyddio past dannedd bicarbonad a glanhau'r plac i ffwrdd ddwywaith y dydd? (Meddyliwch am C.26)
28) Beth yw'r prawf ar gyfer carbon deuocsid?
29) Nodwch sut mae gwneud halen cyffredin – sodiwm clorid.
30) Mae asid hydroclorig yn gwneud halwynau clorid – pa halwynau y mae asid sylffwrig yn eu gwneud?
31) Pa fath o halwynau a geir gydag asid nitrig?

(Atebion i C.18 ar dud. 104)

Trydan a Gwefr Statig

Dim ond Metelau sy'n Dargludo Trydan

(OK, mae graffit yn gwneud hefyd, a rhai hylifau a hydoddiannau – ond metelau yn bennaf.)

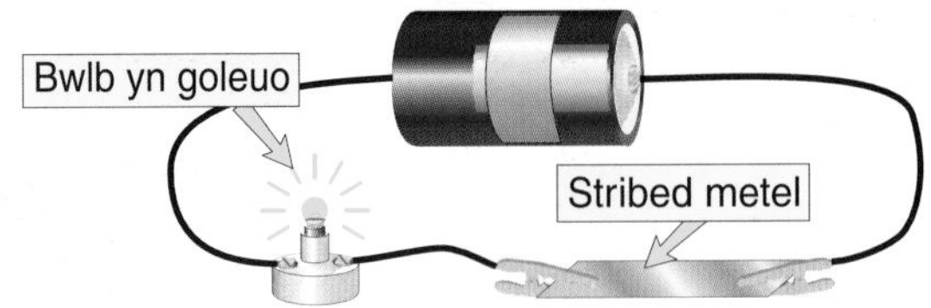

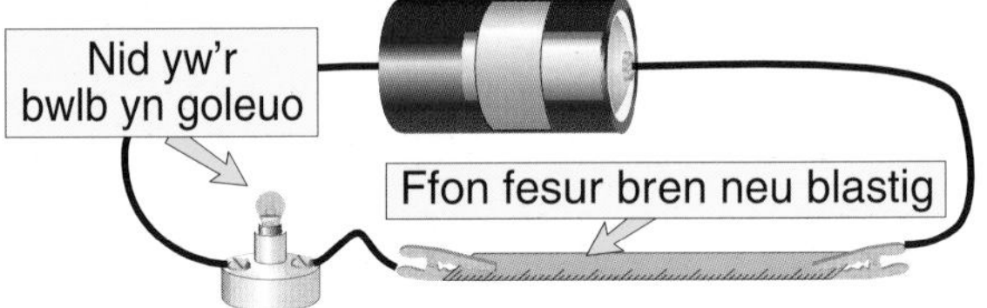

1) Dim ond mewn cylched gyflawn y bydd trydan yn llifo.
2) Mae hyn fel arfer yn golygu bod yn rhaid i fetel fod mewn cysylltiad â metel yr holl ffordd o amgylch.
3) Os oes toriad, ni fydd y cerrynt yn llifo.
4) Mae hyn oherwydd mai dim ond metelau sy'n caniatáu i wefr (electronau) basio trwyddynt. (Ie, ie, a graffit a hydoddiannau, wn i.)
5) Mae metelau yn ddargludyddion trydan.
6) Mae bron pob defnydd arall yn ynysydd – sy'n golygu nad ydynt yn caniatáu i wefrau trydanol basio trwyddynt.
7) Dyma rai ynysyddion cyffredin: pren, plastig, rwber, gwydr, ceramig (crochenwaith), ac ati.

Gellir Gwefru Defnyddiau Ynysu gyda Ffrithiant

1) Gallwch gynhyrchu gwefr statig ar ddarn o roden blastig yn hawdd trwy ei rhwbio gyda chadach. (Mae dau fath o roden blastig yn y labordy: "polythen" ac "asetad".)
2) Ar y dechrau mae'r un nifer o wefrau positif a negatif. Mae rhwbio'n ychwanegu gwefrau negatif (h.y. electronau) at y rhoden wydr neu'n tynnu rhai oddi arni. Cofiwch – ni fydd y wefr bositif byth yn symud.
3) Peiriant sydd â chromen fawr fetel ar ei ben yw'r Generadur Van de Graaff. Caiff y gromen ei gwefru gan electronau – yn debyg i rwbio rhoden blastig gyda chadach, ond mai gwregys rwber sy'n rhwbio dros frwsys neilon gan wefru'r gromen. Dyna hwyl.

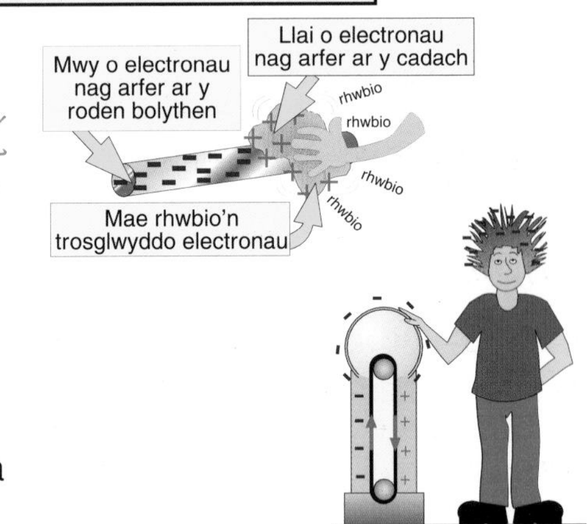

Mae Gwefrau Annhebyg yn Atynnu

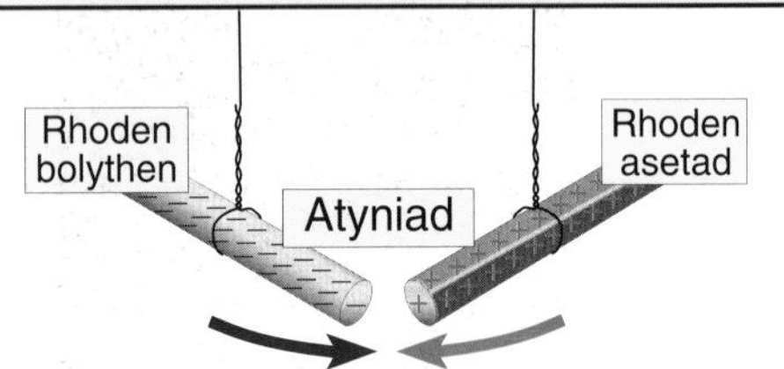

Nodwch mai grymoedd digyffwrdd yw'r rhain – sy'n golygu bod y rhodenni'n gwthio neu'n tynnu ei gilydd heb gyffwrdd! Rhyfedd o fyd.

Mae Gwefrau Tebyg yn Gwrthyrru

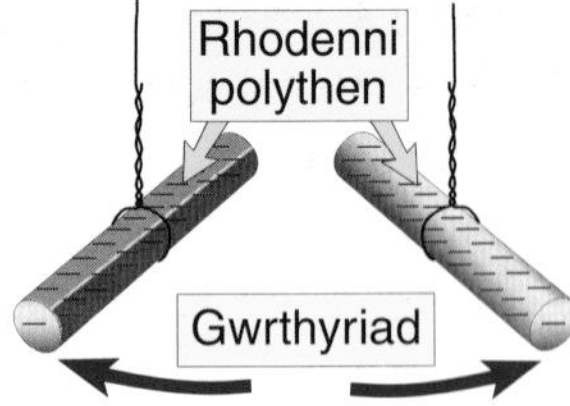

Yr Electrosgop Deilen Aur – mae'n neidio i fyny os oes Gwefr yn Bresennol

1) Mae pob rhan o'r electrosgop yn niwtral fel arfer. (Nifer hafal o wefrau + a -.)
2) Wrth i ddefnydd â gwefr negatif nesáu at y plât uchaf, mae'n gwrthyrru'r wefr negatif i lawr coes yr electrosgop. Mae hyn yn peri i'r goes a'r ddeilen aur wefru'n negatif ac felly maent yn gwrthyrru ei gilydd gan achosi i'r ddeilen aur fflicio i fyny.

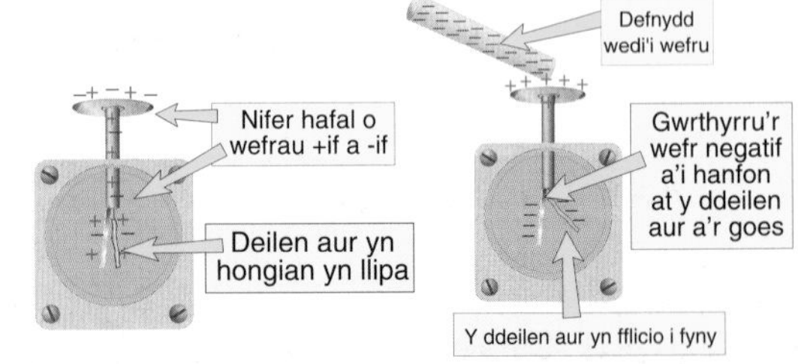

Van de Graaff – fetiwn i ei fod yn foel a dyma'i ffordd ef o ddial...

Mae'r dudalen hon yn sôn am yr holl stwff sylfaenol ar drydan. Mae'n siŵr bod y rhan ar fetelau'n dargludo trydan yn hysbys yn fyd eang, ond mae'r darnau ynglŷn â gwefr statig ychydig yn anoddach. Mae'n rhaid i chi ddychmygu'r gwefrau + a'r gwefrau – dros bob peth.

Y Gwir am Wefr Statig

Mae'n wir bod gan drydan statig nifer o ddibenion gwefreiddiol – ond gall fod yn boen hefyd.

1) Defnyddir Trydan Statig i Symud Gronynnau Mwg

1) Defnyddir dyddodyddion electrostatig i symud y llwch a ddaw allan o ffwrneisi pwerdai bron i gyd – rhag iddo chwydu allan i'r aer i gyd.
2) Mae'r llwch yn teithio heibio i wifrau sydd wedi eu gwefru'n negatif ac mae hyn yn rhoi gwefr negatif ar y gronynnau.
3) Yna caiff y gronynnau llwch eu hatynnu at y plât sydd wedi ei wefru'n bositif, gan lynu wrtho.
4) Mae'r llwch yn ymgasglu ar y platiau a chaiff ei ysgwyd i ffwrdd a'i gymryd oddi yno bob hyn a hyn. Hawdd.

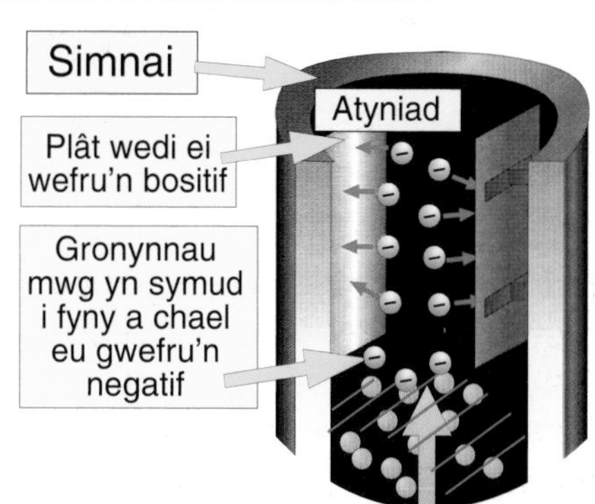

2) Mae Gwefrau Statig yn rhoi Côt dda o Baent

1) Rhoir gwefr negatif i gorff y car – a gwefr bositif i'r paent.
2) Gan fod gwefrau tebyg yn gwrthyrru, mae'r diferion paent sydd wedi eu gwefru'n bositif yn gwrthyrru ei gilydd ac yn gwasgaru'n ardderchog.
3) Ac oherwydd bod gwefrau annhebyg yn atynnu – caiff y gronynnau paent eu hatynnu ar gorff y car.

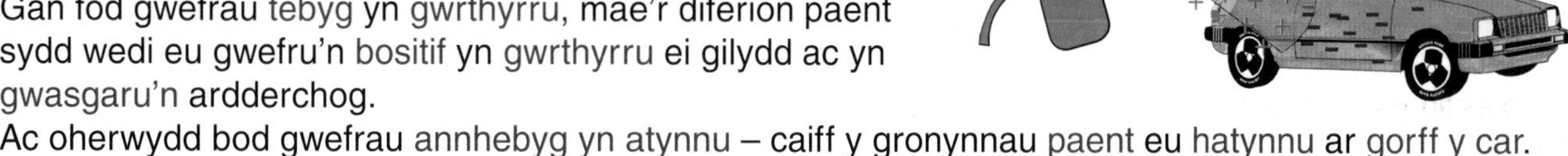

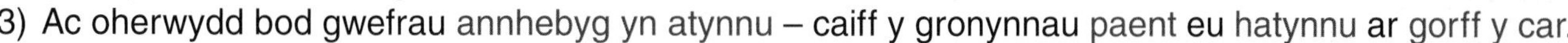

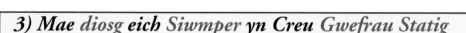

3) Mae diosg eich Siwmper yn Creu Gwefrau Statig

Wrth i chi lusgo'ch siwmper dros eich pen, caiff electronau eu crafu i ffwrdd o'ch gwallt ar y siwmper. Mae hyn yn gadael gwefrau statig ym mhobman, ac o ganlyniad ceir cracellu, gwreichion, pethau'n glynu wrth ei gilydd a'ch gwallt yn sefyll i fyny – diweddglo da i ddiwrnod blinedig.

4) Caiff Mellt eu hachosi gan Wefrau Statig

1) Y tu mewn i gymylau du, stormus, caiff gronynnau rhew eu gwefru wrth iddynt chwyrlïo o gwmpas yn y gwyntoedd a'r ceryntau aer cryf.
2) Bydd y gronynnau hyn yn disgyn ar ffurf glaw a chanddynt wefr positif yn y diwedd.
3) Mae hyn yn gadael gwefr negatif ar waelod y cwmwl.
4) Mae'r wefr negatif hon yn cronni hyd at bwynt arbennig ac yna FFLACH! – mae'n dadwefru at y Ddaear gan greu mellten.

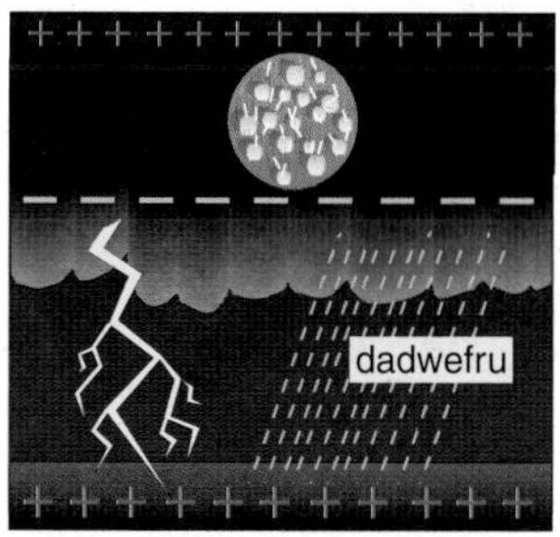

5) Mae Statig yn cronni ar Geir wrth iddynt gael eu gyrru

1) Bydd aer sy'n chwipio heibio i gar yn llusgo gwefrau negatif oddi ar gorff y car gan adael gwefr bositif arno.
2) Mae'n swnio'n ddigon diniwed – nes i chi ddod allan a chyffwrdd â'r car. A dyna'r adeg y bydd y wefr statig yn llifo'n sydyn – trwy flaen eich bys. Hyfryd.

Gair o gyngor – peidiwch â hedfan barcud mewn storm...

Wel, dyna ni. Pum cymhwysiad ar gyfer trydan statig – rhai'n ddefnyddiol ac eraill yn llai defnyddiol. Bydd rhaid i chi ymdrechu i ddysgu'r manylion i gyd oherwydd gallant ofyn cwestiynau eithaf cas ar drydan statig – sut fyddech chi'n dod i ben â'r ddau hyn heb wybod y manylion?: 1) Beth sy'n achosi mellt? 2) Disgrifiwch un o ddibenion "trydan statig".

Cerrynt Trydanol Mewn Cylchedau

Llif Gwefr yw Cerrynt

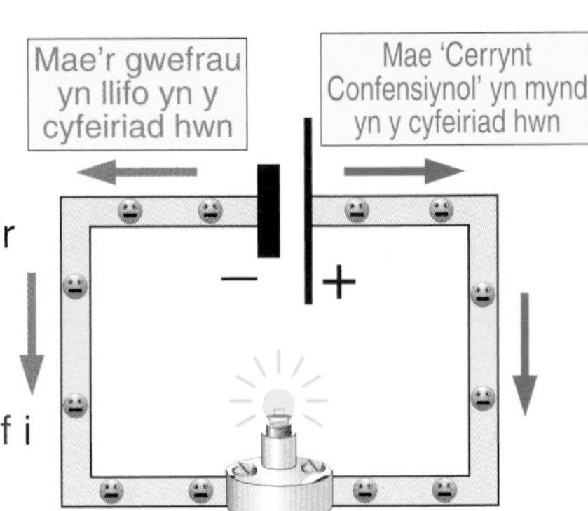

1) Llif gwefr o amgylch cylched yw cerrynt trydanol.
2) Dim ond os yw'r gylched yn gyflawn y gall lifo.
3) Mae'r batri yn gweithio fel pwmp mewn cylched – mae'n darparu'r grym gyrru i wthio'r wefr o amgylch y gylched.
4) Electronau negatif yw'r gwefrau symudol.
5) Er mwyn cymhlethu pethau, maent yn llifo'n groes i gyfeiriad cerrynt confensiynol a ddangosir gan saethau yn pwyntio o bositif i negatif bob tro ar gylchedau.
6) Mae'n hanfodol bwysig eich bod chi'n sylweddoli NA CHAIFF CERRYNT EI DDEFNYDDIO I FYNY.

Mae Cerrynt yn debyg i Ddŵr yn Llifo

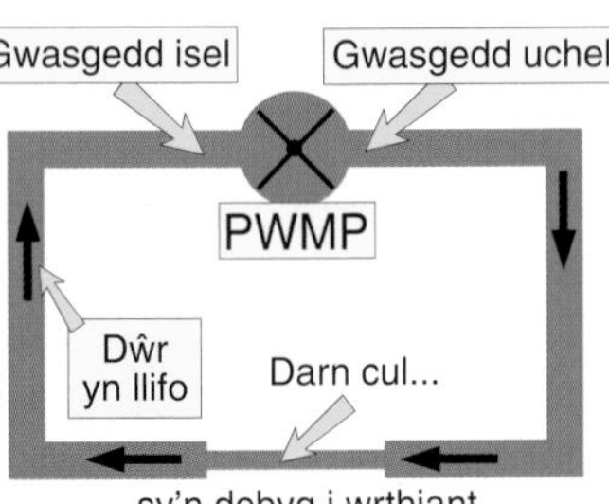

1) Mae'r pwmp yn gyrru'r dŵr yn ei flaen. Mae'r dŵr yno wrth y pwmp ac mae'n dal i fod yno pan ddaw yn ôl at y pwmp – ac yn union fel y dŵr ni chaiff cerrynt trydanol mewn cylched ei ddefnyddio i fyny chwaith.
2) Sylwch hefyd fod darn cul yn creu gwrthiant i'r llif.
3) Mae amedrau yn mesur cerrynt trydanol (mewn Amperau).

Cylchedau Cyfres – Does gan y Cerrynt ddim dewis Llwybr

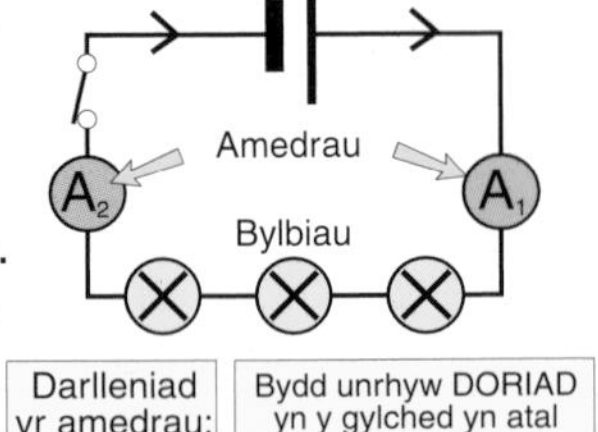

1) Mae cerrynt yn llifo allan o'r batri, trwy'r amedr, y bylbiau, yna trwy'r amedr arall a'r swits ac yn ôl at y batri. Wrth basio trwyddynt mae'r cerrynt yn trosglwyddo ychydig o'r egni i'r bylbiau.
2) Mae'r cerrynt yr un fath yn unrhyw le yn y gylched hon gan nad oes ganddo ddewis llwybr. Wrth gwrs, ni chaiff y cerrynt ei ddefnyddio i fyny – peidiwch ag anghofio hynny.
3) Mae'r cerrynt naill ai YMLAEN neu I FFWRDD mewn cylchedau cyfres – os yw'r swits ar agor neu os oes unrhyw doriad arall yn y gylched caiff y cerrynt ei atal rhag llifo i bobman.

Darlleniad yr amedrau: $A_1 = A_2$

Bydd unrhyw DORIAD yn y gylched yn atal gwefr rhag llifo – a bydd y bylbiau'n diffodd.

Cylchedau Paralel – mae gan y Cerrynt Ddewis

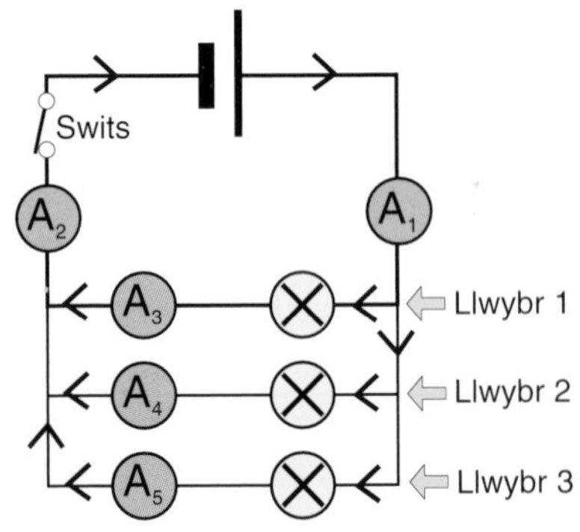

1) Mae cerrynt yn llifo allan o'r batri ac mae pob tamaid ohono'n llifo trwy'r amedr cyntaf, A_1. Wedyn mae ganddo "ddewis" o dri llwybr ac mae'r cerrynt yn rhannu i lawr llwybrau 1, 2 a 3.
2) Bydd darlleniadau amedrau A_3, A_4 ac A_5 fel arfer yn wahanol, gan ddibynnu ar wrthiant y cydrannau – h.y. y bylbiau.
3) Mae'r cerrynt rhanedig yn ailgyfuno eto ar ei ffordd yn ôl at y batri. Felly bydd darlleniadau $A_3 + A_4 + A_5$ o'u adio at ei gliydd yn hafal i ddarlleniad y cerrynt ar amedr A_2 (a fydd hefyd yn hafal i A_1).

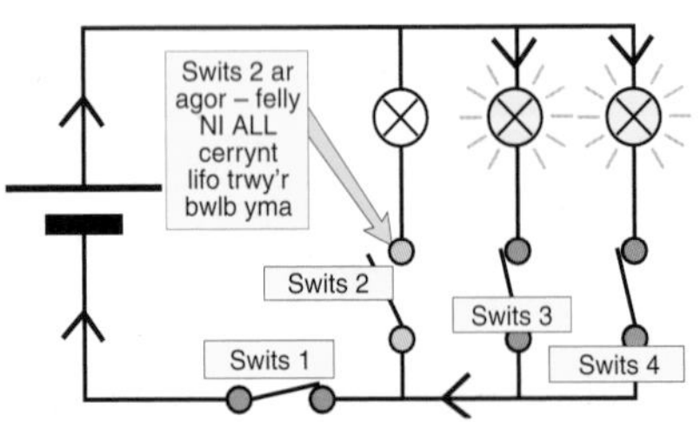

4) Mae'n anodd credu, wn i, ond mae'r cerrynt trwy A_1 yr un peth â'r cerrynt trwy A_2 - NI chaiff y cerrynt ei DDEFNYDDIO I FYNY. (Efallai mod i wedi sôn am hynny eisoes.)
5) Mae cylchedau paralel yn synhwyrol oherwydd gall rhan ohonynt fod YMLAEN tra bo rhannau eraill I FFWRDD.Yn y gylched hon, mae dau fwlb ymlaen ac mae'r llall i ffwrdd.

Cyfres o gylchedau – na dim ond dau fedra i weld...

Mae cylchedau yn achosi lot o ffwdan i rai, mae hynny'n sicr. Yn anffodus, fedrwch chi ddim gweld y cerrynt yn llifo, felly mae'n anodd gwerthfawrogi'r hyn sy'n digwydd. Anodd iawn!

Cylchedau Cyfres

Dysgwch Eich Symbolau Cylched

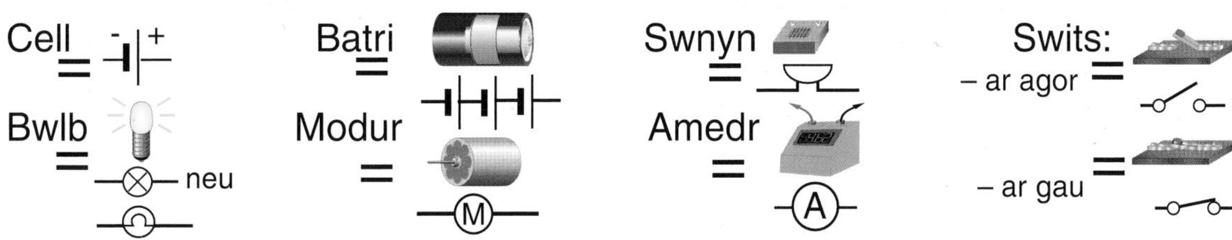

Mae Diagramau Cylched yn cynrychioli Cylchedau go Iawn

Dechreuwch wrth y batri ac ewch o amgylch y gylched gan roi'r symbol ar gyfer pob cydran nes cyrraedd yn ôl at y batri.

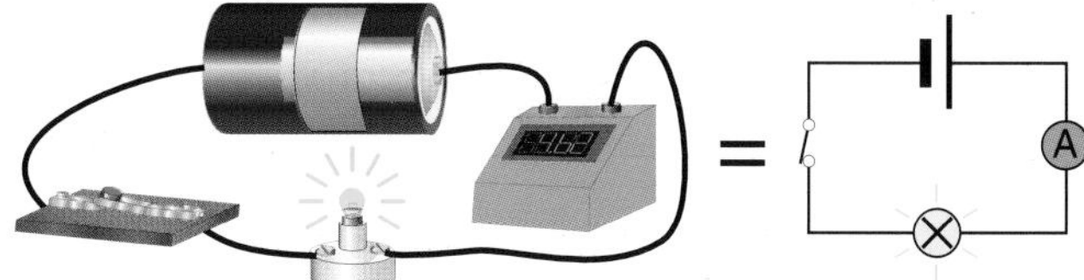

Cylchedau Cyfres Syml

(1)

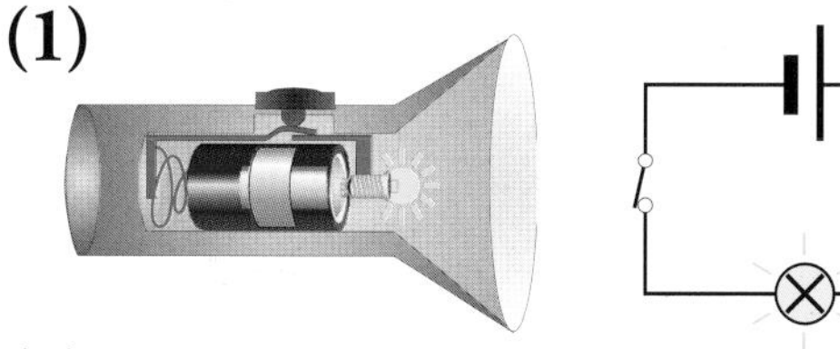

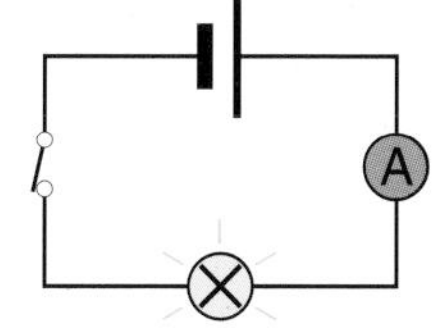

1) Mae'r gylched yn gylfawn pan fo'r swits ar gau – mae'r bwlb yn goleuo.
2) Darlleniad ar yr amedr = 4A.

(2)

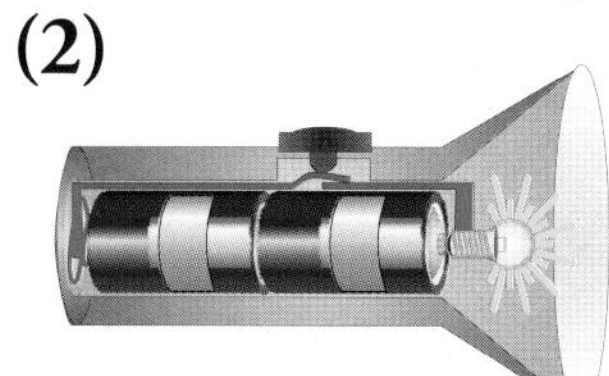

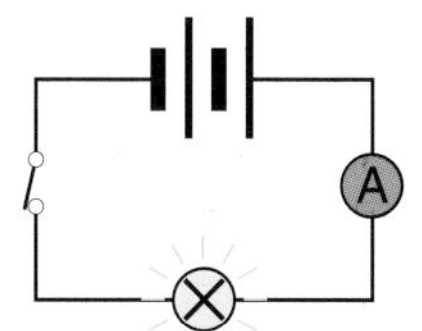

1) Mae'r bwlb ddwywaith mor ddisglair o'i gymharu ag (1).
2) Mae'r ddau fatri yn gwthio'r cerrynt ddwywaith cymaint, felly mae'r bwlb yn disgleirio'n fwy llachar.
3) Darlleniad ar yr amedr = 8A.

(3)

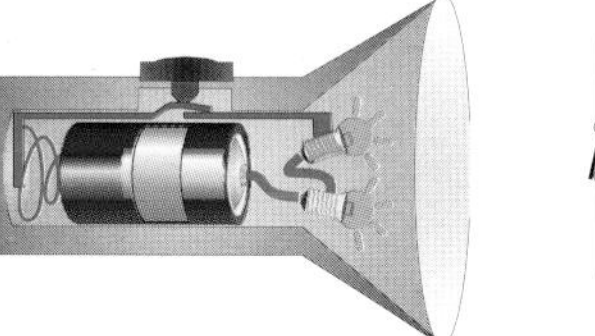

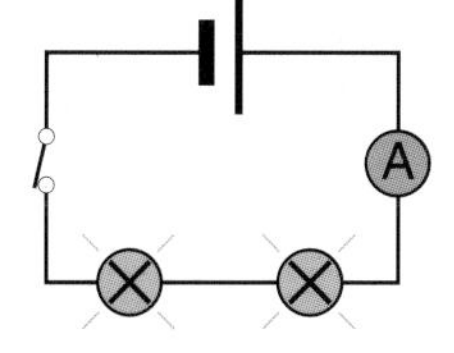

1) Mae'r bylbiau'n fwy pŵl nag yn (1).
2) Os oes dau fwlb mewn cyfres a dim ond un batri yn "gwthio", fydd y cerrynt ond hanner y maint.
3) Darlleniad ar yr amedr = 2A.
   Mae'n anodd deall, ond pe bai'r ddau fwlb yn baralel, byddai'r ddau mor ddisglair ag arfer.

(4)

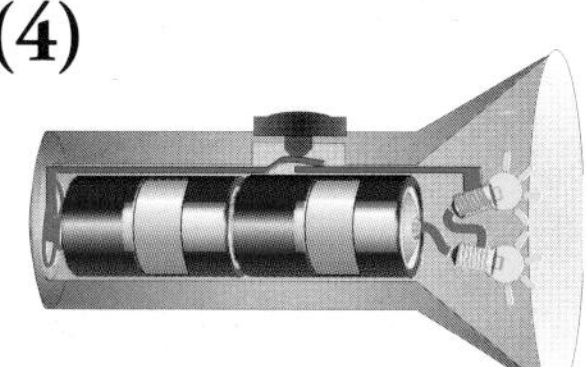

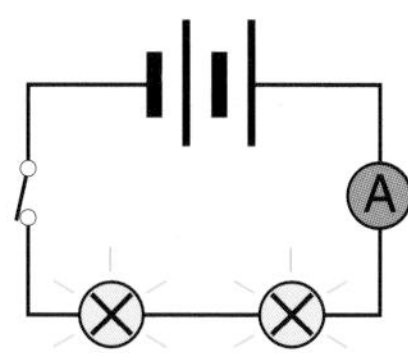

1) Mae'r bylbiau mor ddisglair ag yn (1).
2) Mae'r ddau fatri yn "gwthio" ddwywaith cymaint o'u cymharu ag (1), ond mae'r ddau fwlb yn darparu dwywaith y gwrthiant iddo "wthio" yn ei erbyn.
3) Darlleniad ar yr amedr = 4A. h.y. yr un fath â cherrynt (1).

Mae Gwefr Trydanol o hyd yn dilyn y Llwybr Hawsaf

1) Gallwch weld yn y diagram fod y cerrynt yn dilyn y llwybr hawdd o amgylch y bwlb ac nid trwyddo. Dyma'r gylched fer.
2) Mae'n haws i'r cerrynt deithio trwy'r wifren yn syml iawn oherwydd bod y wifren yn darparu tipyn llai o wrthiant i'r llif. Wedi gosod y gylched fer, bydd y gylched yn ymddwyn fel pe bai dim ond un bwlb.
3) Felly byddai'r darlleniad ar yr amedr yn 4A unwaith eto fel yn (1) uchod.

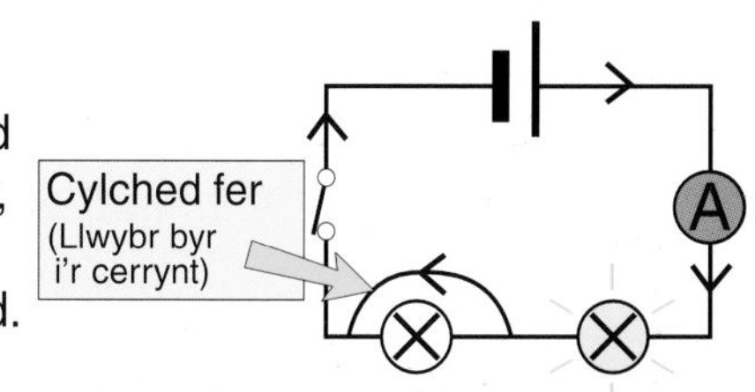

Mae gwefrau'n debyg i bobl ifanc – o hyd yn dilyn y trywydd hawdd...

Mae'r manylion hyn ar gylchedau ychydig yn haws eu dysgu na'r rhai ar y dudalen ddiwethaf. Defnyddiwch yr un hen dechneg adolygu: dysgwch y penawdau, yna'r diagramau, yna'r pwyntiau – a daliwch ati nes y medrwch chi ysgrifennu'r cwbl i lawr. Dyna'r unig fordd.

Magnetau

Mae Magnetau wedi eu Hamgylchynu gan Feysydd

1) Dim ond haearn, dur, nicel a chobalt sy'n fagnetig.
3) Mae'n RHAID defnyddio un o'r metelau hyn i wneud magnetau bar.
3) Mae gan bob magnet bar feysydd magnetig anweladwy o'u cwmpas.
4) Gelwir un pen y magnet bar yn bôl Gogledd, a gelwir y pen arall (yn rhyfedd iawn) yn bôl De.
5) Mae'r llinellau maes o hyd yn pwyntio o'r pôl-G at y pôl-D:

Llinellau grym magnetig

G D

Pôl Gogledd

Pôl De

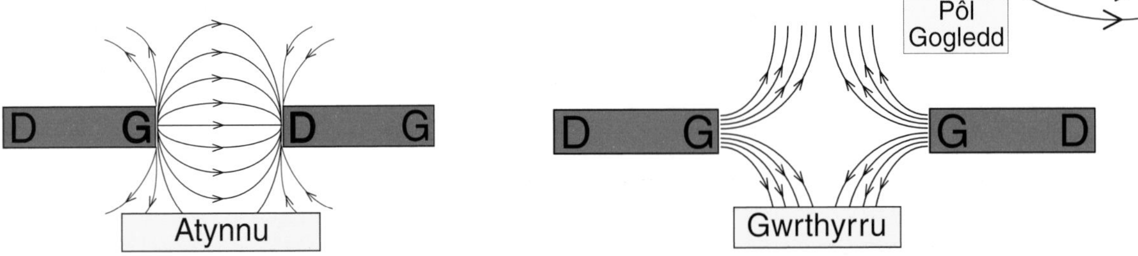

Ymchwilio i Feysydd Magnetig – Naddion Haearn neu Gwmpawd

Ardal lle bydd defnyddiau magnetig (e.e. haearn) yn teimlo grym yw maes magnetig. Gellir ymchwilio i feysydd magnetig trwy ddefnyddio naill ai naddion haearn neu gwmpawd plotio:

Bydd y naddion haearn yn alinio ar hyd llinellau'r maes – sy'n edrych yn eithaf del.

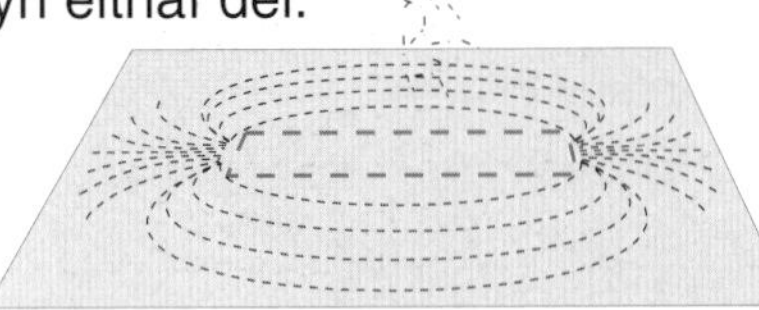

Mae llinellau'r maes (neu'r "llinellau grym") o hyd yn pwyntio o'r GOGLEDD at y DE.

Bydd y cwmpawd o hyd yn pwyntio o G i D ar hyd llinellau'r maes ym mha le bynnag y caiff ei osod yn y maes.

Mae Polau Annhebyg yn Atynnu – Mae Polau Tebyg yn Gwrthyrru

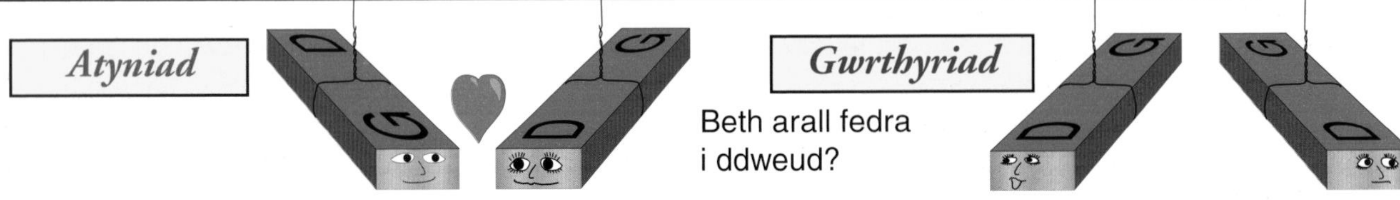

Gwrthyriad yw'r UNIG BRAWF ar gyfer Magnetedd

1) Yr unig wir brawf i ddangos a yw darn o fetel yn fagnet parhaol yw trwy chwilio am wrthyriad, oherwydd bod angen dau fagnet er mwyn gweld gwrthyriad.
2) Mae dau reswm posib pam y caiff darn o fetel anhysbys ei atynnu at fagnet:
   a) Gall fod yn fagnet ei hun, neu
   b) Gall fod wedi ei wneud o ddefnydd magnetig (haearn, nicel ac ati), heb fod yn fagnet ei hun.

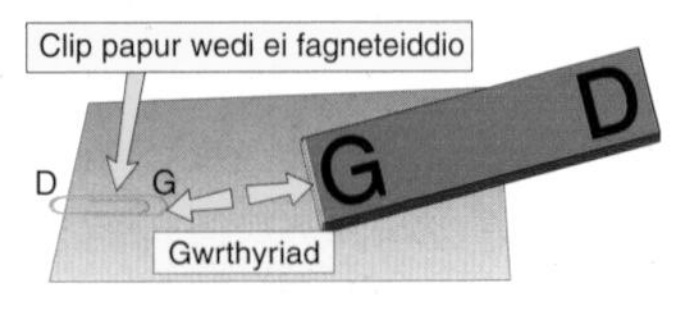

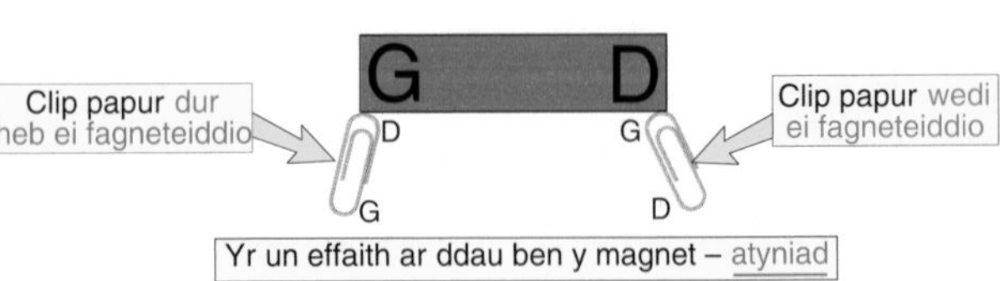

Mae magnetau fel ffermwyr – mae meysydd o'u cwmpas...

Aaa, tudalen hawdd i'w dysgu. Pedwar pennawd clir, llond llaw o ddiagramau del ac un neu ddau fanylyn syml. Nawr edrychwch ar y cloc i weld faint fedrwch chi ei ddysgu mewn pum munud. Dysgwch ac ysgrifennwch.

Electromagnetau

Mae gan Wifren sy'n cludo Cerrynt Faes Magnetig o'i Chwmpas

1) Mae cerrynt sy'n llifo trwy wifren yn creu maes magnetig o gwmpas y wifren.
2) Coil hir o wifren yw solenoid. Mae ei faes magnetig yn union fel un magnet bar.

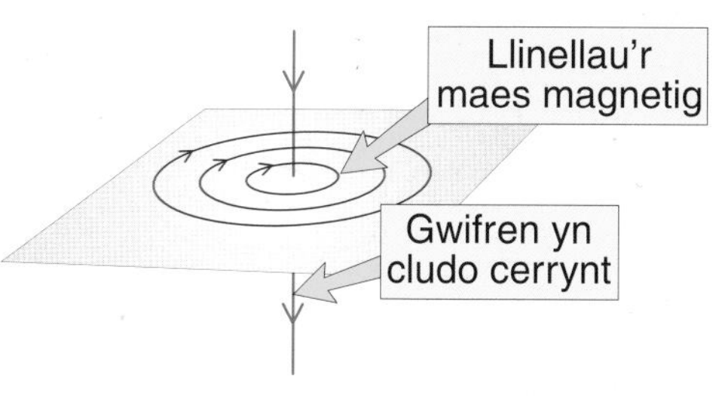

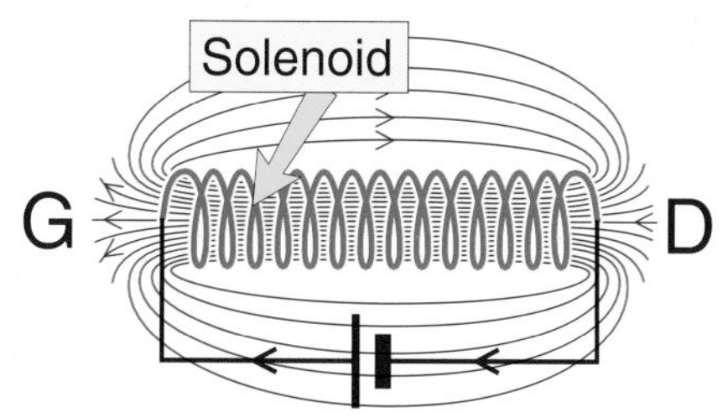

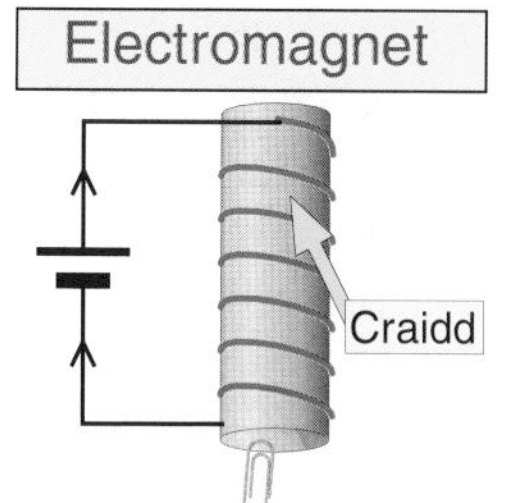

Gellir Cynyddu Cryfder Electromagnet mewn Tair Ffordd:

1) Mwy o gerrynt yn y wifren.
2) Mwy o droadau ar y solenoid.
3) Craidd o haearn meddal y tu mewn i'r solenoid.

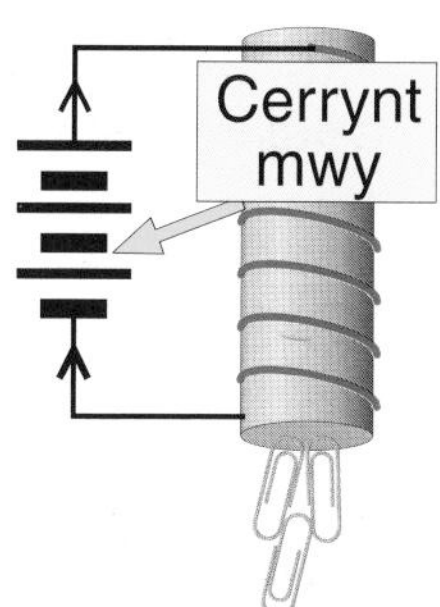

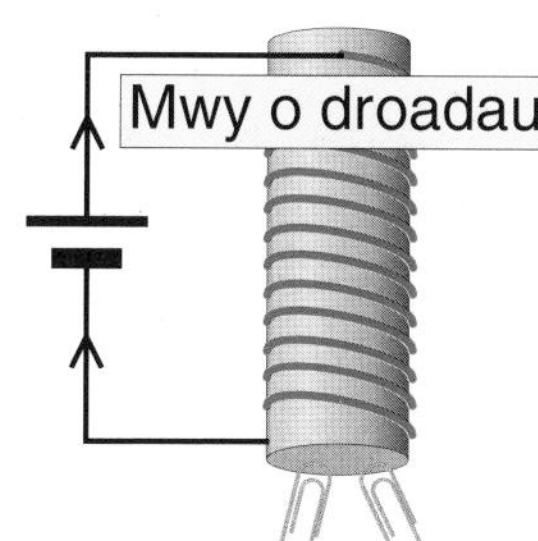

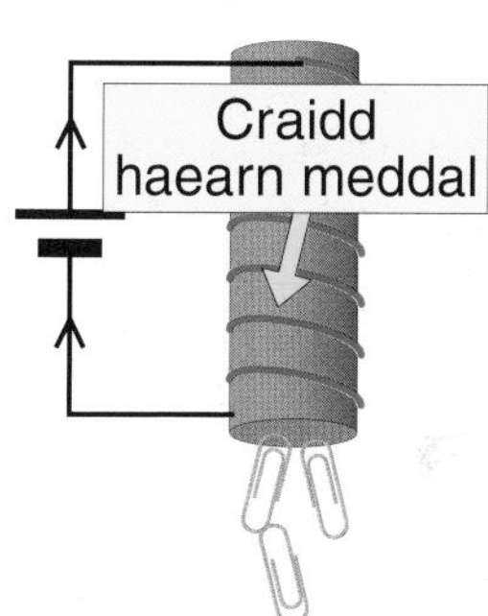

Mae'n rhaid defnyddio haearn meddal ar gyfer y craidd er mwyn iddo ymddwyn fel y dylai electromagnet – h.y. troi ymlaen ac i ffwrdd wrth i'r cerrynt droi ymlaen ac i ffwrdd. Pe defnyddir craidd dur, byddai'n aros wedi ei fagneteiddio ar ôl diffodd y cerrynt – a byddai hynny'n gwbl ddi-werth.

Gall Cloch Droi ei Electromagnet ymlaen-i ffwrdd-ymlaen-i ffwrdd yn gyflym iawn – BRRRRING

1) Wrth weithio'r swits mae'r cerrynt yn llifo trwy'r coil ac mae'r electromagnet yn atynnu'r morthwyl.
2) Wrth i'r morthwyl symud, bydd nid yn unig yn canu'r gloch, ond hefyd yn symud y cysylltau i ffwrdd a chaiff y gylched ei thorri. Mae hyn yn diffodd yr electromagnet, sy'n rhyddhau'r morthwyl ac mae'n neidio'n ôl i'w safle gwreiddiol.
3) Mae hyn yn troi'r electromagnet ymlaen unwaith eto sy'n atynnu'r morthwyl, sydd eto'n canu'r gloch...

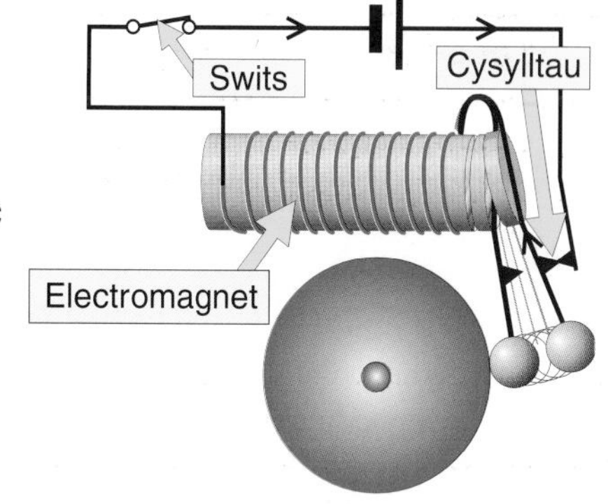

Swits Electromagnetig yw Relái

1) Defnyddir cerrynt bychan mewn un gylched er mwyn troi ymlaen gerrynt tipyn mwy mewn cylched arall.
2) Wrth droi'r cerrynt bychan ymlaen, mae'r electromagnet yn ysgogi a chaiff y lifer haearn ei atynnu ato. Mae hyn yn peri i'r lifer gylchdroi.
3) Wrth iddo gylchdroi mae pen arall y lifer yn gwthio'r cysylltau ynghyd sy'n troi'r gylched arall ymlaen.

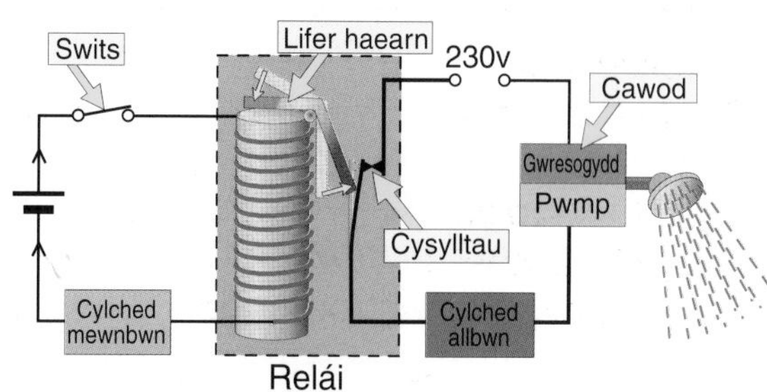

Dysgwch am Electromagnetau – yn ofalus iawn...

Hwre! Y dudalen olaf ar fagnetedd. A dweud y gwir, tydi magnetau ac electomagnetau ddim cynddrwg â hynny. Er hynny, mae penawdau pwysig i'w dysgu, ynghyd â diagramau defnyddiol – defnyddiol oherwydd wrth i chi eu tynnu fe fyddwch chi'n cofio'r manylion pwysig.

Crynodeb Adolygu ar gyfer Adran Naw

Ffiw. Trydan a Magnetedd – dyw e ddim yn fêl i gyd, mae hynny'n sicr. Mae ambell beth ych-a-fi yn yr adran hon. Ond eto, tydi bywyd ddim cynddrwg â hynny, edrychwch ar y cwestiynau hyfryd dwi wedi eu paratoi i chi. Mae'r rhain yn gwestiynau hawdd sy'n profi faint ydych chi wedi dysgu. Maent yn yr un drefn â'r gwaith yn Adran Naw – felly os oes rhai na fedrwch chi eu hateb, edrychwch yn ôl nes dod o hyd i'r ateb a'i ddysgu ar gyfer y tro nesaf. Ie, dyna ddywedais i y tro nesaf – holl fwriad y cwestiynau hyn yw eich bod chi'n eu hymarfer drosodd a thro – nes y medrwch chi eu hateb heb ddim trafferth o gwbl.

1) Enwch y grŵp o ddargludyddion mwyaf cyffredin.
2) Enwch bum ynysydd.
3) Beth sydd ei angen er mwyn i drydan lifo?
4) A all bwlb oleuo os nad oes trydan yn ei gyrraedd?
5) Sut fedrwch chi greu gwefr statig ar ynysydd?
6) Mae gan ddefnyddiau niwtral niferoedd hafal o... beth?
7) Beth y mae gwefrau annhebyg yn ei wneud i'w gilydd?
8) Beth y mae gwefrau tebyg yn ei wneud i'w gilydd?
9) Dangoswch sut y mae electrosgop deilen aur yn dangos bod gwrthrych wedi ei wefru.
10) Llif beth yw trydan?
11) Beth yw swydd batri mewn cylched?
12) Pa ddarn o offer a ddefnyddir i fesur cerrynt? Beth yw unedau cerrynt?
13) Beth sy'n digwydd os oes toriad yn y gylched?
14) Pa fath o gylched sy'n caniatáu i ran o'r gylched gael ei throi i ffwrdd?
15) Dewis o beth sydd gan y cerrynt mewn cylchedau paralel?
16) Beth na chaiff ei ddefnyddio i fyny mewn cylched?
17) Beth yw diagram cylched? Pam nad ydym ni'n tynnu llun o'r gylched iawn bob tro?
18) Brasluniwch y symbolau cylched ar gyfer y rhain:
    a) swnyn b) bwlb c) batri ch) swits (ar agor) d) cell.
19) Beth sy'n digwydd i'r cerrynt mewn cylched gyfres wrth i chi ddyblu nifer y batrïau?
20) Beth sy'n digwydd i'r cerrynt mewn cylched gyfres wrth i chi gynyddu nifer y cydrannau yn y gylched?
21) Beth yw cylched fer? Pam y mae trydan o hyd yn dilyn y llwybr hawsaf?
22) Beth sydd o hyd yn amgylchynu magnet? Enwch dri defnydd magnetig.
23) Tynnwch ddiagram o fagnet bar wedi ei labelu. Beth yw enw'r llinellau sydd o'i gwmpas?
24) Beth yw maes magnetig? I ba gyfeiriad bydd llinellau'r maes bob amser yn mynd?
25) Dangoswch y llinellau grym ar gyfer dau fagnet sy'n a) atynnu b) gwrthyrru.
26) Brasluniwch ddiagram i ddangos sut y bydd cwmpawd plotio'n pwyntio o amgylch magnet bar.
27) Dangoswch a) ddau bôl yn atynnu b) ddau bôl yn gwrthyrru.
28) Sut allwch chi brofi a yw defnydd yn fagnetig?
29) Beth yw solenoid? Sut olwg sydd ar linellau'r maes sydd o amgylch solenoid?
30) Beth yw electromagnet? Rhestrwch dair ffordd o gynyddu ei gryfder.
31) Esboniwch sut y mae cloch drydan sy'n defnyddio electromagnetau yn gweithio.
32) Esboniwch sut y mai relái yn gweithio. Enwch rywle y byddech chi'n disgwyl dod o hyd i relái.

Buanedd

Mae Buanedd yn dweud pa mor Gyflym ydych chi'n Mynd

$$\text{Buanedd} = \frac{\text{Pellter}}{\text{Amser}}$$

Mae'r linell hon yn golygu rhannu (÷)

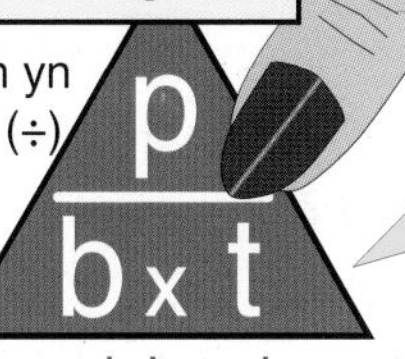

Triongl fformiwla

1) Yn syml iawn pa mor bell ydych chi wedi teithio mewn amser penodol yw buanedd.
2) Y triongl fformiwla yw'r ffordd orau o wneud cyfrifiadau buanedd.
3) Defnyddiwch y gair BYPDA i'ch helpu i gofio'r fformiwla:

Cofiwch BYPDA: Buanedd Yw Pellter Dros Amser.

4) Mae tair uned gyffredin ar gyfer buanedd, fel y gwelwch isod.
Dylech sylweddoli eu bod nhw fwy neu lai yr un peth: h.y. uned pellter yr uned amser:

Metrau yr eiliad – m/s (neu hyd yn oed ms^{-1})
milltiroedd yr awr – mya neu milltir/awr
cilometrau yr awr – km/a

Cyfrifo'r Buanedd – defnyddio'r Pellter ac Amser

Er mwyn cyfrifo BUANEDD mae'n rhaid i chi wybod y pellter a deithiwyd a'r amser a gymerwyd.

ENGHRAIFFT 1:

Mae dafad wallgo yn sglefrfyrddio i lawr llwybr fferm. Mae'n cymryd 5 eiliad union i symud rhwng dau bostyn ffens sydd 10 metr ar wahân. Beth yw BUANEDD y ddafad?

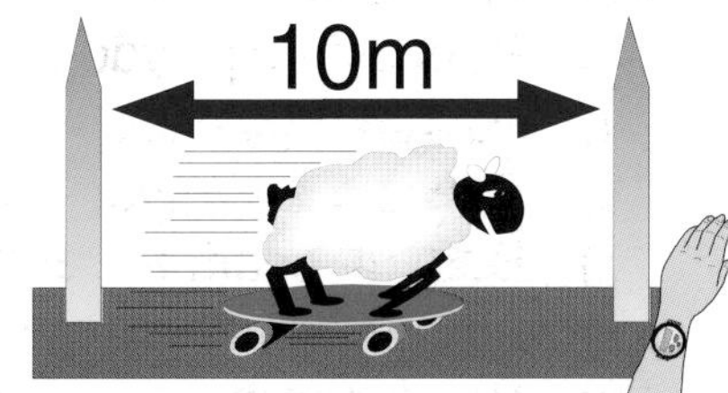

ATEB:

CAM 1) Ysgrifennwch bopeth rydych chi'n ei wybod i lawr:
pellter, p = 10m   amser, t = 5s

CAM 2 Rydym ni eisiau dod o hyd i'r buanedd, b
O'r triongl fformiwla: b = p/t
Buanedd = Pellter ÷ Amser = 10 ÷ 5 = 2m/s

Rhowch eich bys dros "b" yn y triongl fformiwla – sy'n gadael p/t (h.y. p÷t).

Mae cwestiynau ar fuanedd yn chwarae plant os dysgwch chi'r triongl fformiwla

ENGHRAIFFT 2:

Mae fan yn hedfan i lawr y draffordd ac yn teithio 15 milltir mewn 30 munud. Beth yw ei fuanedd?

CAM 1) Ysgrifennwch bopeth rydych chi'n ei wybod i lawr:
pellter, p = 15 milltir   amser, t = 30 munud = 0.5 awr.

CAM 2) Rydym ni eisiau dod o hyd i'r buanedd, b
O'r triongl fformiwla: b = p/t
Buanedd = Pellter ÷ Amser = 15 ÷ 0.5 = 30 milltir/awr (mya)

Er mwyn i'r ateb fod mewn milltiroedd yr awr roedd angen y pellter mewn milltiroedd a'r amser mewn oriau felly roedd yn rhaid newid 30 munud yn 0.5 awr.

Mae buanedd yn wych – all dim ei faeddu...

Mae buanedd yn syniad eithaf syml â dweud y gwir. Er hyn, mae rhai pobl o hyd yn gymysglyd yn ei gylch. Mae'r holl ffeithiau syml iawn a phwysig ar fuanedd ar y dudalen hon. Yn gyntaf dyna'r fformiwla, yna'r unedau ac yna dwy enghraifft wedi eu cyfrifo. Dysgwch bopeth. Nawr.

Grym a Symudiad

Gwthio a Thynnu yw Grymoedd bron Bob Tro

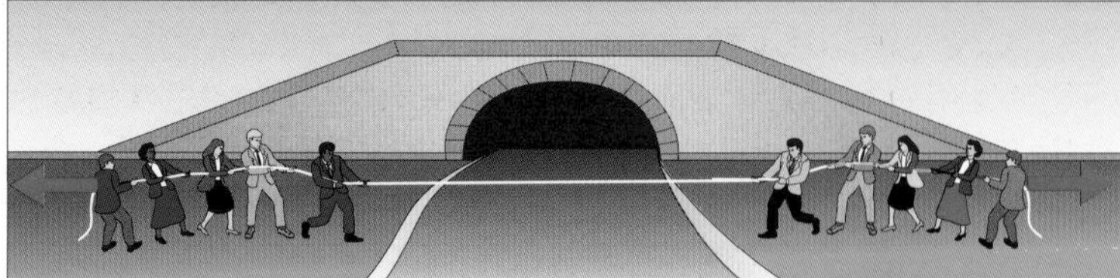

1) Ni ellir gweld grymoedd, ond gellir gweld eu heffaith.
2) Cânt eu mesur mewn newtonau – N.
3) Maent fel arfer yn gweithio mewn parau.
4) Maent o hyd yn gweithio mewn cyfeiriad penodol.
5) Defnyddir mesurydd newton i fesur grymoedd.

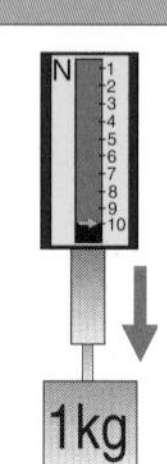

Gall Grymoedd Beri i Wrthrychau wneud Pum Peth

1) Cyflymu

- fel cicio pêl droed.

2) Arafu

- fel llusgiad neu wrthiant aer.

3) Newid Cyfeiriad

- fel taro pêl gyda bat.

Newid cyfeiriad

4) Troi

- fel troi sbaner.

5) Newid Siâp

- fel estyn, dirdroi, cywasgu, plygu.

Newid siâp
Tyniant
Estyn
Cywasgiad
Cywasgu
Tyniant
Cywasgiad
Plygu
Dirdroi

Dysgwch y ddau fynegiad pwysig hyn:

Nid yw grymoedd cytbwys yn cynhyrchu unrhyw Newid yn y Symudiad

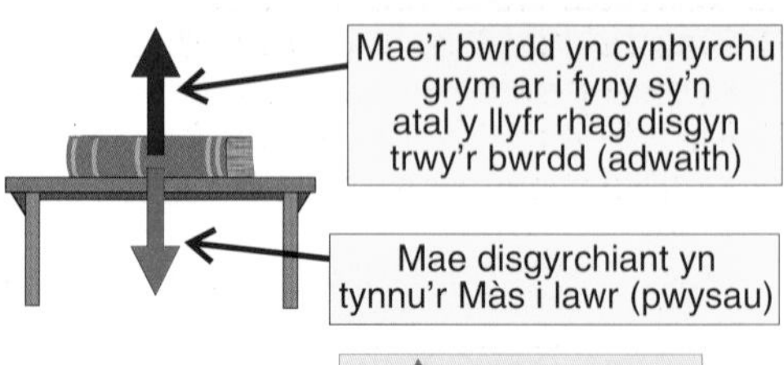

Mae Grymoedd anghytbwys yn Newid Buanedd a/neu Gyfeiriad Gwrthrychau Symudol

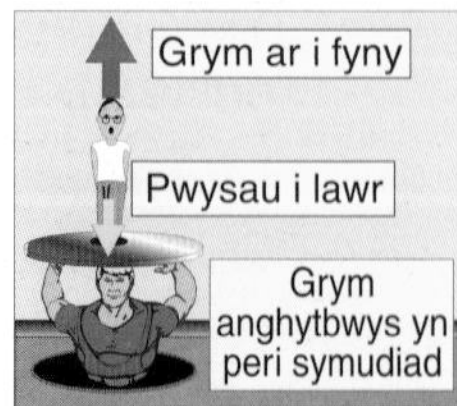

Mae grym yn wych – wel mae'n maeddu buanedd...

Mae grymoedd yn syniad digon syml. Y prif beth sy'n rhaid i chi ei gofio yw rhoi saethau ar ddiagramau i gynrychioli grymoedd – dyna'r union beth y byddant yn gofyn i chi ei wneud mewn arholiad. Maent hefyd yn debygol o ofyn am unrhyw rai o'r manylion ar y dudalen hon. Does dim llawer i'w ddysgu, wir – ond gwnewch yn siŵr eich bod chi yn ei ddysgu. Dysgwch, cuddiwch, ysgrifennwch, gwiriwch...

Gwrthiant Aer a Ffrithiant

Grym sy'n Gweithio yn Erbyn Unrhyw Wrthrych Symudol yw Gwrthiant Aer

1) Mae gwrthiant aer (neu "lusgiad") yn gwthio yn erbyn gwrthrychau sy'n symud trwy'r aer.
2) Math o rym ffrithiannol yw hwn gan ei fod yn ceisio arafu gwrthrychau.
3) Os oes angen i bethau symud yn gyflym, yna rhaid eu gwneud yn llilin iawn neu'n "aerodynamig" sy'n golygu y gallant lithro trwy'r aer heb ormod o wrthiant. Mae ceir cyflym yn enghraifft dda.

Tric y "Ddafad yn Neidio Allan o Awyren"

(Mae'n digwydd o hyd o gwmpas fan hyn.)

1) Cyflymu

2) Dal i Gyflymu

3) Arafu

4) Buanedd Cyson

5) Dim Buanedd

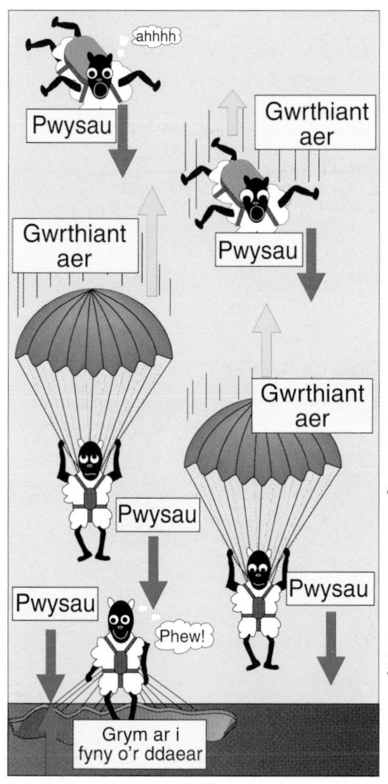

1) Ar y dechrau dim ond grym ei phwysau sydd gan y ddafad (h.y. disgyrchiant) yn ei thynnu i lawr – felly mae'n dechrau symud yn gynt.

2) Wrth iddi symud yn gynt, mae grymoedd croes gwrthiant aer yn cynyddu.

3) Wrth i'r parasiwt agor mae'r gwrthiant aer yn cynyddu'n enfawr – oherwydd bod arwynebedd mwy yn ceisio torri trwy'r aer. Mae'r ddafad yn colli buanedd ac yn arafu – diolch byth.

4) Yn fuan iawn mae'r gwrthiant aer yn hafal i'r pwysau – mae'r ddau rym yn gytbwys. Mae cyfanswm y grymoedd yn sero, felly mae'r ddafad yn symud ar fuanedd cyson.

5) Wedi iddi gyrraedd y ddaear yn ddiogel, mae pwysau'r ddafad yn gweithio i lawr gan gydbwyso'r grym ar i fyny o'r ddaear.

Mae Ffrithiant yn ceisio Atal Gwrthrychau Rhag Llithro Heibio'i gilydd

Pwyntiau Da Ffrithiant – mae'n galluogi i bethau ddechrau a stopio

1) Mae ffrithiant yn caniatáu i deiars afael yn wyneb y ffordd – heb y gafael hwn ni fyddech chi'n gallu symud y beic ymlaen na'i stopio chwaith – byddai fel reidio ar iâ.
2) Mae ffrithiant hefyd yn gweithio ar y brêc wrth iddo rwbio ar ymyl yr olwyn.
3) Ffrithiant sydd hefyd yn caniatáu i chi afael yn y beic – sy'n bwysig os ydych chi eisiau ei reidio heb lithro oddi arno.
4) Mae hefyd yn dal y nytiau a'r bolltau yn eu lle. Mae hynny'n ddefnyddiol.

Pwyntiau Drwg Ffrithiant – mae'n eich arafu chi

1) Mae ffrithiant o hyd yn gwastraffu egni – nid yw trosglwyddiad yr egni o goesau'r gyrrwr i'r olwynion yn berffaith – mae ffrithiant rhwng y darnau symudol yn cynhesu'r gerau a'r berynnau – gwastraff egni.
2) Mae ffrithiant yn rhoi terfyn ar y buanedd uchaf. Mae'r gwrthiant aer (neu'r llusgiad) yn defnyddio'r rhan fwyaf o'r egni ac yn rhoi terfyn ar eich buanedd macsimwm.

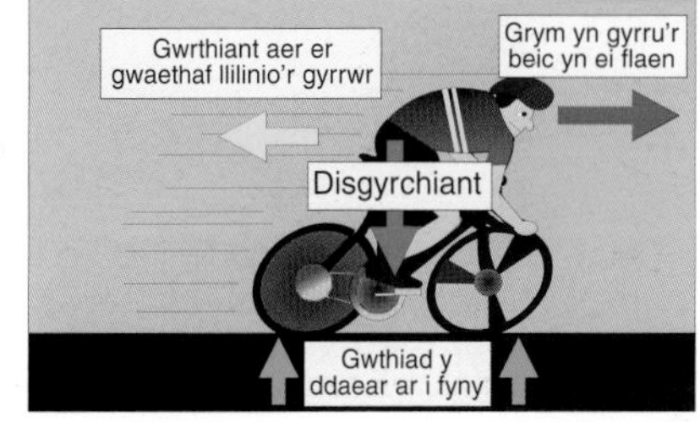

Mae gwrthiant aer yn ddigon i'ch gyrru at syrffed...

Gwrthiant aer – dyna'r broblem. Rwy'n aml yn dychmygu pa mor gyflym y gallech reidio beic ar y Lleuad lle nad oes unrhyw aer i'ch arafu – diddorol. Beth bynnag, yn ôl ar y Ddaear mae gennych chi dudalen arall o ffeithiau pwysig i'w dysgu. Penawdau, yna diagramau, ac yna manylion.

Grym a Chylchdroi

Mae Grymoedd yn Peri i Wrthrychau Droi o gwmpas Colynnau

1) Mae cylchdroi yn digwydd o gwmpas pwynt o'r enw colyn – fel canol si-so. Gelwir colyn hefyd yn ffwlcrwm.
2) Peiriant syml yw lifer. Fe'i gelwir yn beiriant gan ei fod yn ein helpu i wneud gwaith yn haws. Mae liferi'n aml yn gwneud gwaith tipyn yn haws trwy luosi'r grym rydych chi'n rhoi i mewn.
3) Mae codi craig fawr yn waith eithaf caled, neu hyd yn oed yn amhosib os yw'n fawr iawn – ond wrth ddefnyddio rhoden hir fel lifer, fel y gwelwch yn y diagram, mae angen tipyn llai o rym ymdrech gennych chi oherwydd bod y lifer yn lluosi'r grym rydych chi'n ei roi.

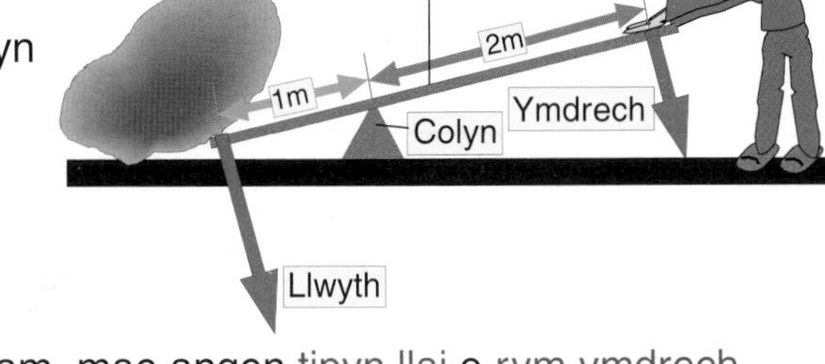

Dysgwch y RHEOL BWYSIG IAWN hon ynglŷn â liferi:

Po hiraf yw'r lifer, y mwyaf yw'r grym troi o gwmpas y colyn.

Mewn geiriau eraill:
po hiraf yw'r lifer a ddefnyddir ar gyfer y gwaith – yr hawsaf bydd y gwaith.

Enghreifftiau o Liferi Pob Dydd

Gwnewch yn siŵr eich bod chi'n dysgu ym mhle y dylid rhoi'r saethau llwyth ac ymdrech ar y lluniau hyn. Dylech ymarfer tynnu pob llun nes i chi ei gael yn hollol gywir.

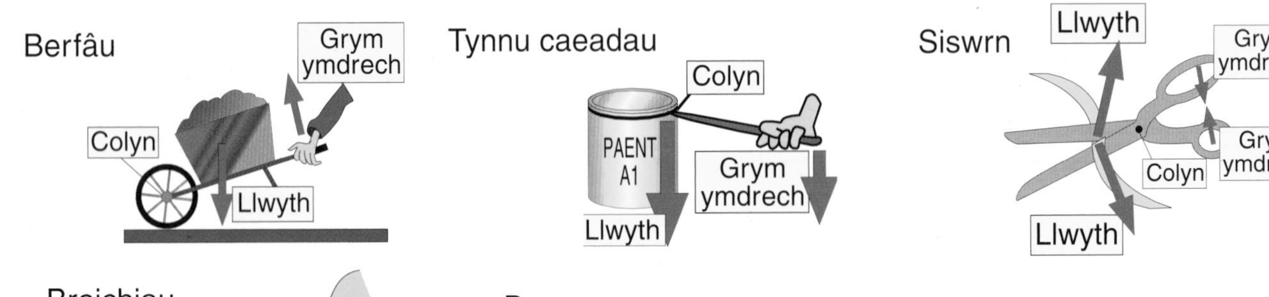

Breichiau

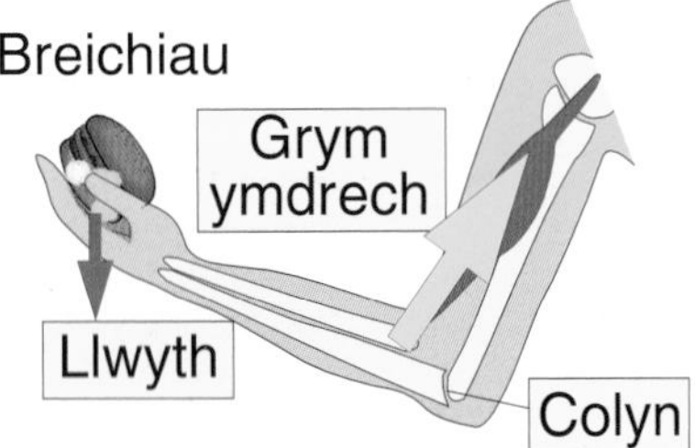

Mae'r fraich yn gweithio fel lifer, ond ei bod tu chwith – mae'n rhaid i ymdrech y cyhyryn fod tipyn yn fwy na'r llwyth.

Drysau

Disgyblion

Tydi liferi'n ddefnyddiol...

Gair o gyngor i yrwyr. Cadwch far metel hir yng nghist y car fel bod gobaith tynnu'r olwynion os gewch chi deiar fflat – mae'r nytiau wedi eu cau mor dynn gan y garej, does dim pwynt defnyddio'r tyndro bach sydd ym mlwch offer y car. Ond defnyddiwch bolyn mawr hir ac mi ddônt i ffwrdd mewn chwinciad. Dysgwch am liferi.

Momentau

Grym Troi yw Moment

1) Wrth i rym weithio ar rywbeth a chanddo golyn, mae'n creu grym troi.
2) Gelwir grym troi yn foment hefyd.

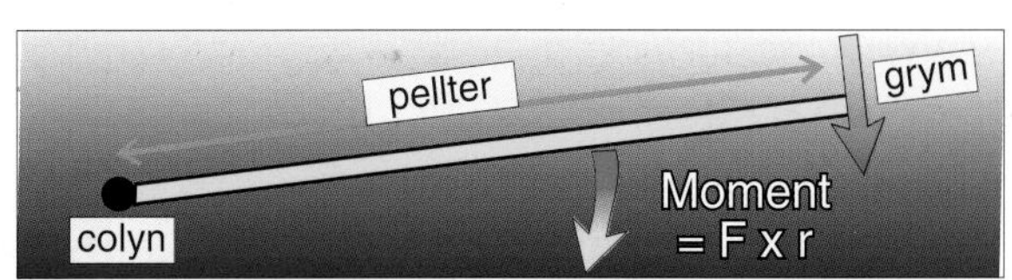

Dysgwch y diffiniad pwysig hwn:

Moment = grym x pellter perpendicwlar

M = F x r

Cydbwyso Momentau

momentau gwrthglocwedd = momentau clocwedd

Mae momentau cytbwys yn golygu...

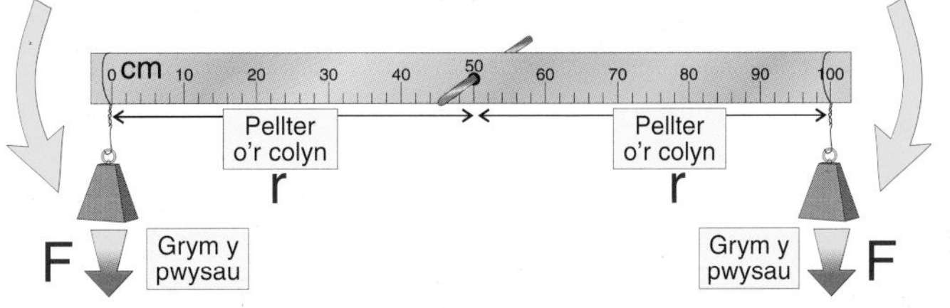

GWRTHGLOCWEDD: CLOCWEDD:

grym x pellter perpendicwlar = grym x pellter perpendicwlar

100N x 0.5m = 100N x 0.5m

50 Nm = 50 Nm - CYTBWYS

A yw'n gytbwys?

Pa ffyn mesur sy'n cydbwyso? Os ydych chi'n meddwl bod y ffon fesur wedi ei chydbwyso ysgrifennwch hynny o dan y llun. Os ydych chi'n meddwl nad yw wedi ei chydbwyso, ysgrifennwch anghytbwys ond nodwch pa ochr fydd yn disgyn. (Geiriau i'w defnyddio: Cytbwys, anghytbwys, ochr chwith i lawr, ochr dde i lawr.)

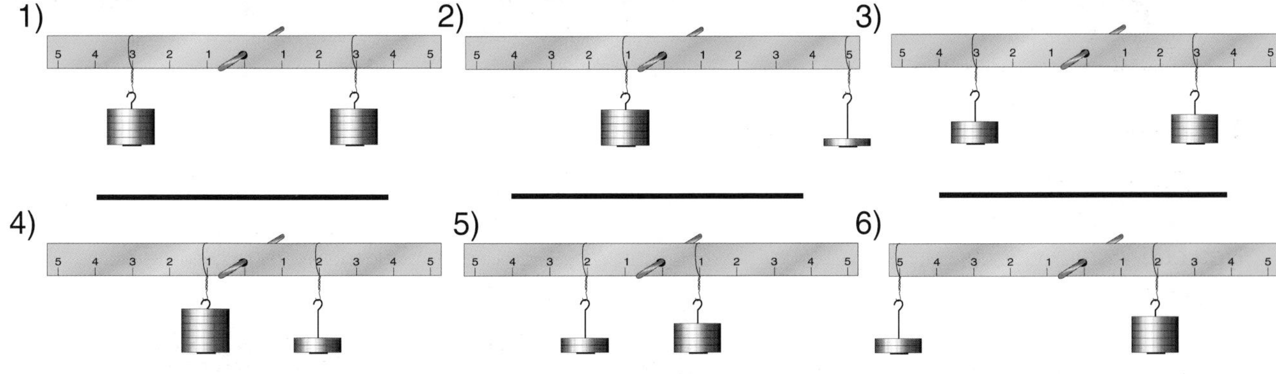

ATEBION:

1) Cytbwys. 2) Cytbwys. 3) Anghytbwys – ochr dde i lawr. 4) Anghytbwys – ochr chwith i lawr 5) Cytbwys. 6) Cytbwys.

Dysgwch y dudalen hon i gyd – dim ond moment fach fyddwch chi...

Hmmm... na... tydw i ddim yn deall. Wn i ddim o ble daeth yr enw "momentau". Mae'n air da i ddechrau, ond ar ôl ychydig o amser... Ond dyna ni, dydych chi ddim fod deall gwyddoniaeth yn syth bin.

Gwasgedd

Mae Gwasgedd yn dweud faint o Rym a roir ar Arwynebedd penodol

Mae gwasgedd, grym ac arwynebedd i gyd ynghlwm wrth ei gilydd – fel y gwelwch o'r fformiwla. Gellir rhoi'r fformiwla hon mewn triongl hefyd, sy'n eithaf braf.

Cofiwch fod arwynebedd = hyd x lled. Mae'r unedau yn gliw da wrth feddwl amdano: $m^2 = m \times m$ $cm^2 = cm \times cm$.

$$\text{Gwasgedd} = \frac{\text{Grym}}{\text{Arwynebedd}}$$

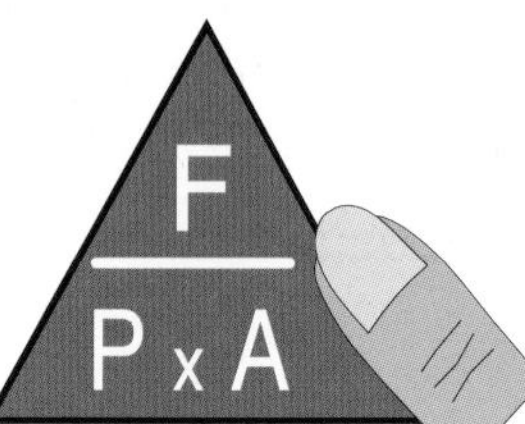

Caiff Gwasgedd ei fesur mewn Pascalau (Pa)

Os caiff grym o 1 Newton ei wasgaru dros arwynebedd o $1m^2$ (fel y dangosir) yna bydd yn rhoi gwasgedd o 1 Pascal. Mor syml â hynny.

$$1 \text{ Newton/metr}^2 = 1 \text{ Pascal}$$
$$1N/m^2 = 1 \text{ Pa}$$

Defnyddiwch y Triongl Fformiwla mewn Cyfrifiadau

Cyfrifwch wasgedd y blocyn llechen ar y ddaear yn y ddau safle isod:

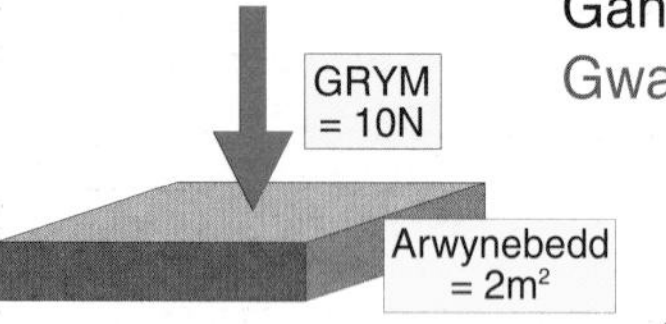

Gan ddefnyddio'r triongl fformiwla:
Gwasgedd = Grym ÷ Arwynebedd
= 10N ÷ 2m²
= *5N/m²* neu *5Pa*

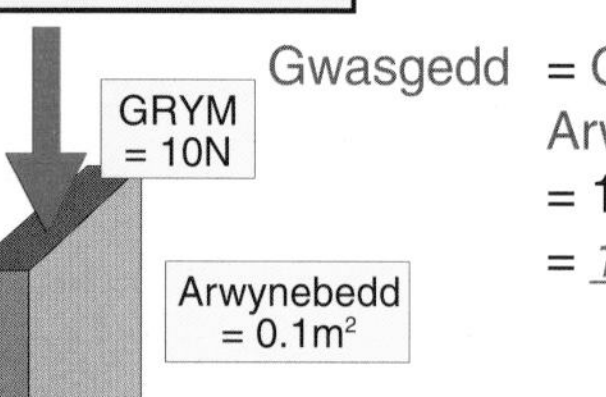

Gwasgedd = Grym ÷ Arwynebedd
= 10N ÷ 0.1m²
= *100N/m²* neu *100Pa*

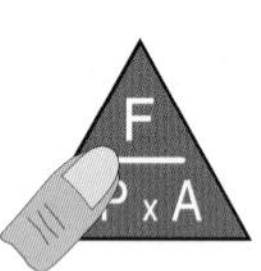

Ar gyfer Grym penodol – mae Arwynebedd Mawr yn golygu Gwasgedd Bach

Mae'r gwasgedd yn fach ym mhob un o'r enghreifftiau isod oherwydd bod yr arwynebedd yn fawr. Mae hyn y golygu bod y grym wedi ei wasgaru dros arwynebedd mwy felly mae'r gwasgedd yn isel.

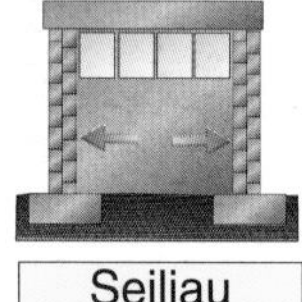

Seiliau

Esgidiau eira

Eliffant ar 4 troed

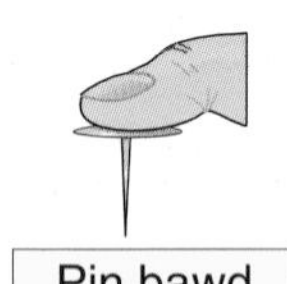
Pin bawd

Ar gyfer Grym penodol – mae arwynebedd Bach yn golygu Gwasgedd Mawr

Mae'r gwasgedd yn fawr ym mhob un o'r enghreifftiau isod oherwydd bod yr arwynebedd yn fach. Mae hyn yn golygu bod y grym wedi ei grynodi ar arwynebedd bach a HEB ei wasgaru felly mae'r gwasgedd yn uchel.

Sodlau uchel

Cyllyll miniog

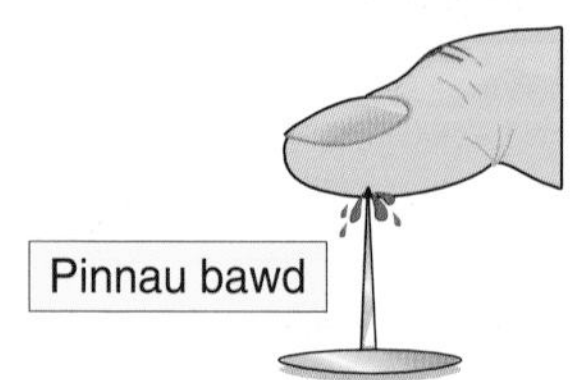
Pinnau bawd

Gwasgedd uchel iawn

Esgidiau eira – defnyddiol tu hwnt...

Ydy, mae'r dudalen hon yn un ddifyr, ond mae'n rhaid i chi fedru egluro'r cyfan.
Er enghraifft: 1) Eglurwch sut y mae esgidiau eira'n gweithio. 2) Pam y mae cyllyll miniog yn torri'n well na rhai di-fin? 3) Cyfrifwch wasgedd 75N ar arwynebedd o $25cm^2$. Mae'r pwysedd yn cynyddu!

(Ateb C.3. ar dud104)

Unedau a Fformiwlâu

Mae'r Wyddor Ffiseg yn Egluro pob dim

Dangosir yr holl fesurau sy'n rhaid i chi eu gwybod (hyd yn hyn!) isod.
Fe'u rhestrir i gyd ynghyd â'u symbol (a gaiff ei ddefnyddio mewn fformiwlâu) a'u huned safonol.
Mae'n rhaid i chi ddechrau ysgrifennu'r UNED gywir ar ôl pob rhif neu ateb a gewch.
Fe sylwch ar rai fformiwlâu bach hefyd. Byddwch chi'n dod ar draws llawer mwy o fformiwlâu ffiseg yn y ddwy flynedd nesaf – rhywbeth i chi edrych ymlaen ato.

	Mesur	Symbol	Uned Safonol	Fformiwla
1	Pellter	p neu r	metr, m	
2	Arwynebedd	A	metr^2, m^2	Arwynebedd = hyd x lled
3	Cyfaint	V	metr^3, m^3	Cyfaint = hyd x lled x uchder
4	Màs	m	cilogram, kg	
5	Dwysedd	D	kg y m^3, kg/m^3	D = m/V
6	Grym	F	Newton, N	
7	Gwasgedd	P	Pascal, Pa (N/m^2)	P = F/A
8	Amser	t	eiliad, s	
9	Buanedd	b neu v	metr/eiliad, m/s	b = p/t
10	Pwysau (grym)	W	Newton, N	
11	Moment	M	Newton-metr, Nm	M = F x r
12	Egni	E	Joule, J	
13	Cerrynt	I	Amper, A	
14	Gwrthiant	R	Ohm, Ω	
15	Gwahaniaeth Potensial	V	Folt, V	
16	Tymheredd	T	gradd Celsiws, °C	

Po ddyfnaf yr ewch chi i mewn i wyddoniaeth, y mwyaf bydd yn rhaid i chi ddefnyddio'r fformiwlâu hyn i gyd – ac un neu ddau arall hefyd. Dyna pryd y mae'r symbolau a'r unedau yn holl bwysig, a hefyd yn eithaf anodd.
Yr Wyddor Ffiseg yw'r rhain a dweud y gwir, ac os na ddysgwch chi bopeth yn drylwyr yna bydd pethau'n mynd o chwith yn fuan.
O'r holl bynciau, Ffiseg sy'n defnyddio fformiwlâu o hyd – dyna pam y mae pawb mor hoff ohono.
Mae Ffiseg yn hwyl, a pheidiwch chi ag anghofio hynny...

Cofiwch ddefnyddio'r unedau bob tro...

Dyna nhw – un ar bymtheg o fesurau sy'n rhaid i chi eu dysgu. Cuddiwch bopeth ond am y golofn "Mesur" a'r pedwar pennawd, yna llenwch y tabl gyda gweddill y manylion. Wedi i chi lwyddo gyda hynny, defnyddiwch ddau ddarn o bapur er mwyn gadael colofn arall yn dangos (e.e. Symbol) a chwblhewch weddill y manylion. Mwynhewch. ☺

Crynodeb Adolygu ar gyfer Adran Deg

Mae Adran Deg yn sôn am rymoedd a mudiant. Mae'r gwaith i gyd yn eithaf hawdd a dweud y gwir, a bydd y cwestiynau isod yn profi a ydych chi wedi dysgu'r ffeithiau sylfaenol ai peidio. Os na fedrwch chi ateb rhai o'r rhain, yna dydych chi ddim wedi dysgu'r gwaith – does dim llawer o angen "deall" yma. Mae ffeithiau syml yn ffeithiau syml – rydych chi naill ai wedi eu dysgu neu dydych chi ddim. Peidiwch â cheisio osgoi eu dysgu trwy ddweud nad ydych chi'n "deall" – dysgwch.

Os ydych chi'n cael trafferth dysgu'r gwaith, astudiwch un dudalen ar y tro. Dechreuwch trwy ddysgu rhan ohoni yna'i chuddio ac ysgrifennu popeth i lawr eto. Yna dysgwch ddarn arall a gwnewch yr un fath. Mae'r dull hwn dipyn yn well na dull arferol disgyblion 14 oed sef: "Wel, dwi am ddarllen hwn unwaith, bydd hynny'n ddigon."

1) Beth yn union yw buanedd? Ysgrifennwch y triongl fformiwla ar gyfer buanedd.
2) Sut all BYPDA eich helpu i gofio beth yw buanedd?
3) Mae cythraul bach drwg yn fflicio baw trwyn ar draws yr ystafell. Mae'n teithio 5m mewn 2 eiliad. Cyfrifwch fuanedd y baw trwyn.
4) Rydych chi'n rhedeg 100m mewn 20 eiliad ar ddiwrnod chwaraeon. Fedrwch chi redeg yn gynt na'r baw trwyn a gafodd ei fflicio uchod?
5) Os yw car yn teitho ar fuanedd o 40 mya, pa mor bell y bydd yn teithio mewn 15 munud?
6) A fedrwch chi weld grymoedd? Sut y gwyddoch eu bod nhw yno?
7) Beth yw unedau grym? Beth fyddech chi'n ei ddefnyddio i fesur grym?
8) Beth yw'r pum peth y gall grymoedd beri i wrthrychau ei wneud?
9) Beth a gynhyrhchir gan rymoedd cytbwys? Beth y mae grymoedd anghytbwys yn ei wneud?
10) Beth yw gwrthiant aer? Beth yw'r siâp gorau er mwyn osgoi gwrthiant aer?
11) Beth sy'n digwydd i fuanedd dafad wrth iddi neidio o awyren?
12) Wrth i'r ddafad symud yn gynt, beth sy'n digwydd i'r gwrthiant aer?
13) Beth sy'n digwydd i'r gwrthiant aer wrth i'r parasiwt agor?
14) A yw'r buanedd yn newid wedyn? Pa bryd bydd buanedd y ddafad yn gyson?
15) Beth allai ddigwydd pe na bai'r ddaear yn darparu grym ar i fyny sy'n hafal i bwysau'r ddafad?
16) Rhestrwch bedwar pwynt da ynglŷn â ffrithiant. Rhestrwch ddau bwynt drwg ynglŷn â ffrithiant.
17) Beth yw pwynt colyn? Rhowch enw arall arno.
18) Beth yw lifer? Sut y gall lifer eich helpu i rolio craig?
19) Pa reol bwysig sy'n rhaid i chi ei dysgu ynglyn â liferi a grymoedd troi?
20) Tynnwch ddiagramau a labelwch bump enghraifft o liferi, gan ddangos y saethau ar gyfer ymdrech a llwyth.
21) Beth yw moment? Dangoswch y fformiwla ar gyfer moment.
22) Beth yw ystyr "momentau cytbwys"?
23) Gosodir grym o 100N 1m i ffwrdd o ganol si-so. Pa mor bell i ffwrdd o'r canol y dylid gosod grym o 50N er mwyn cydbwyso'r si-so?
24) Beth yw gwasgedd? Dangoswch y fformiwla ar gyfer cyfrifo gwasgedd.
25) Eglurwch sut y gall eliffant gerdded ar dywod amheus, tra byddai car yn suddo.
26) Ceir grym o 200N dros arwynebedd o $2m^2$. Cyfrifwch y gwasgedd.
27) Ceir grym o 200N dros arwynebedd o $10cm^2$. Cyfrifwch y gwasgedd mewn N/cm^2.
28) Pam y byddai eliffant sy'n gwisgo sodlau uchel yn chwarae hafoc â llawr pren eich mam?

(Atebion i C.3, C.4, C.5, C.23, C.26 a C.27 ar dud. 104)

Priodweddau Goleuni

Mae'r dudalen hon yn crynhoi'r gwaith sylfaenol ar oleuni. Dysgwch hi'n dda.

Mae Goleuni o Hyd yn Teithio mewn Llinellau Union Syth

1) Camera Syml yw'r Camera Twll Pin

1) Mae'r goleuni'n teithio mewn LLINELL SYTH o'r ddafad at y sgrin papur dargopïo trwy'r twll pin. Gan fod y twll yn fach dim ond un pelydryn sy'n mynd i mewn o bob pwynt ar y ddafad.

2) Mae delwedd y ddafad a welir gan y ffermwr â'i ben i lawr ac wedi gwyrdroi. Mae hyn oherwydd bod y pelydrau golau yn croesi y tu mewn i'r camera, fel y dangosir yma:

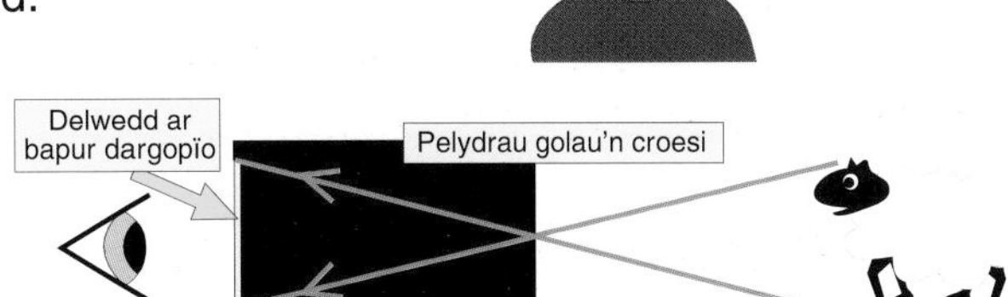

2) Mannau lle Nad oes Goleuni'n Disgleirio yw Cysgodion

1) Gallwch weld trwy rywbeth tryloyw. NI allwch weld trwy rywbeth di-draidd.
2) Mae goleuni'n teithio mewn llinellau syth o'r bwlb at y sgrin – ond mae'n gadael ardal dywyll (h.y. cysgod) lle na all deithio trwy'r gwrthrych di-draidd.
3) Mae'r cysgod y ffordd gywir ac mae'n tyfu wrth i'r gwrthrych nesáu at y ffynhonnell olau.
4) Pe na bai'r goleuni'n teithio mewn LLINELLAU SYTH ni fyddai cysgodion. ...a phroblemau gwaeth...

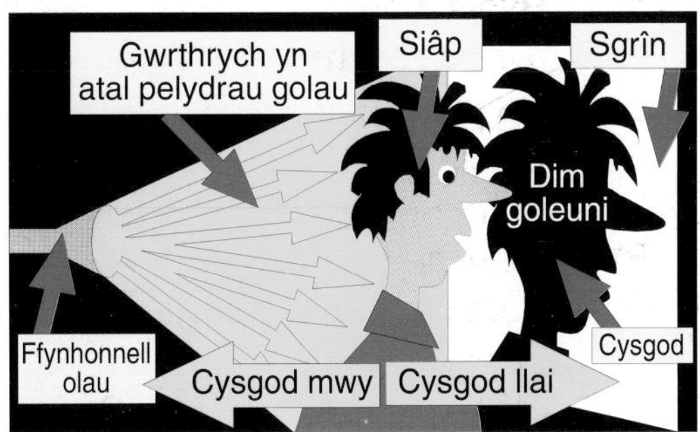

3) Mae Goleuni'n Teithio Lawer Iawn Cynt na Sain

1) Mae goleuni'n teithio'n hynod o gyflym – lawer iawn cynt na sain.
2) Wrth danio pistol cychwyn (peth pellter i ffwrdd), fe welwch chi'r mwg yn gyntaf a chlywed y glec wedyn.
3) Mae hyn yn digwydd oherwydd bod y goleuni yn eich cyrraedd cyn y sain.

4) Rydym ni'n Gweld pethau oherwydd bod Goleuni yn Adlewyrchu i mewn i'n Llygaid

1) Caiff goleuni ei gynhyrchu gan WRTHRYCHAU GOLEUOL fel yr Haul, canhwyllau, bylbiau golau, fflamau a thanau bach diniwed.
2) Mae goleuni'n adlewyrchu oddi ar WRTHRYCHAU ANOLEUOL , sef popeth arall, e.e. y Lleuad, planedau, chi, fi, defaid, llyfrau ac ati.
3) Mae goleuni'n adlewyrchu oddi ar y gwrthrychau hyn I MEWN I'CH LLYGAID, a dyna sut fedrwn ni weld.

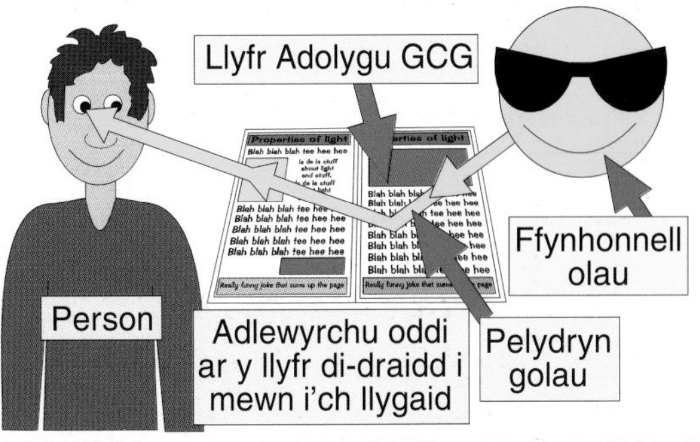

Cysgodion – felly dyna lle nad yw'r Haul yn disgleirio...

Wel, dyna ni. Pedwar pennawd ar gyfer pedwar priodwedd symlaf goleuni. Rhaid i chi ddysgu popeth cystal fel y medrwch chi guddio'r dudalen ac ysgrifennu pob dim i lawr oddi ar eich cof. Unwaith eto, yr un hen ddull: dysgu ychydig o waith, cuddio'r dudalen, ysgrifennu popeth i lawr. Ewch yn ôl i ddysgu popeth rydych chi wedi ei anghofio. Yna dechreuwch eto... a daliwch ati.

Adlewyrchiad a Phlygiant

Rydych chi'n hen gyfarwydd â drychau mae'n siŵr. Wel, dyma rai ffeithiau i chi:

Mae gan Ddrychau Arwynebau Sgleiniog sy'n Adlewyrchu Goleuni

1) Mae goleuni'n teithio mewn pelydrau sy'n adlewyrchu oddi ar ddrychau a bron popeth arall.
2) Mae gan ddrychau arwyneb llyfn, sgleiniog dros ben sy'n adlewyrchu'r goleuni i gyd i ffwrdd ar yr un ongl gan roi adlewyrchiad clir.
3) Mae arwynebau garw yn ymddangos yn afloyw oherwydd caiff y goleuni ei adlewyrchu'n ôl mewn nifer o wahanol gyfeiriadau. Gelwir hyn yn adlewyrchiad tryledol.
4) Dysgwch DDEDDF ADLEWYRCHIAD.

ONGL DRAWIAD = ONGL ADLEWYRCHIAD

Ongl i = Ongl r

Papur

Afloyw

Ochr sgleiniog y drych

Ochr afloyw'r drych

Pelydryn adlewyrchol

ongl r

ongl i

Normal

Pelydryn trawol

Gwnewch yn siŵr eich bod chi'n tynnu llinellau syth a bod yr onglau yr un peth wrth dynnu'r diagramau pelydrau hyn – defnyddiwch onglydd.

Dibenion Drychau

1) Sicrhau eich bod chi'n dal yn ddel.
2) Ôl-ddrychau mewn ceir, ac ati.
3) Perisgopau – a ddefnyddir mewn llongau tanfor.

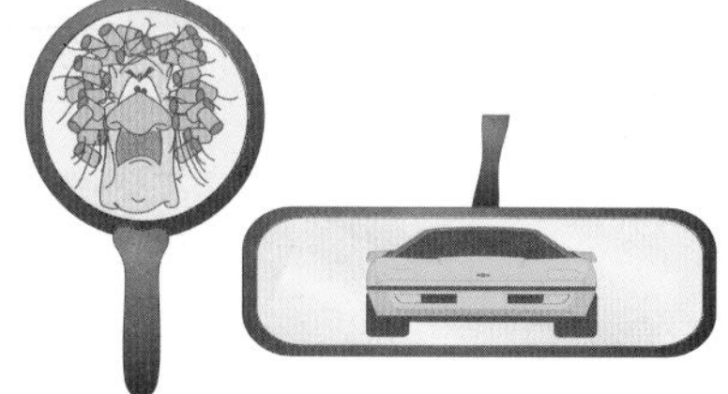

Ceir Plygiant pan fo Goleuni'n Plygu wrth iddo fynd i mewn i Wydr

1) Ni all goleuni deithio trwy ddefnydd di-draidd *(opaque)*, ond gall deithio trwy unrhyw beth tryloyw *(transparent)*.
2) Wrth i oleuni deithio o un defnydd tryloyw i mewn i un arall, mae'n plygu.
3) Gelwir unrhyw sylwedd y mae goleuni'n teithio trwyddo yn gyfrwng. (Lluosog = cyfryngau).

(...pethau sy'n cludo gwybodaeth)

DYSGWCH Y RHAIN YN DDA

Wrth i oleuni fynd o gyfrwng LLAI dwys i gyfrwng MWY dwys: Mae goleuni'n plygu TUAG AT Y NORMAL

Enghraifft: Aer i wydr.

Wrth i oleuni fynd o gyfrwng MWY dwys i gyfrwng LLAI dwys: Mae goleuni'n plygu I FFWRDD ODDI WRTH Y NORMAL

Enghraifft: Gwydr i aer.

1) Mae goleuni'n plygu – fel car yn taro tywod ar ongl. Mae'r olwynion ar y dde yn arafu yn gyntaf ac mae hyn yn troi'r car i'r dde – TUAG AT Y NORMAL.
2) Wrth adael y tywod yr olwyn dde sy'n cyflymu yn gyntaf ac mae hyn yn troi'r car i'r chwith – ODDI WRTH Y NORMAL.
3) Os yw dwy olwyn y car yn taro'r tywod gyda'i gilydd yna byddant yn arafu gyda'i gilydd, felly bydd y car yn mynd trwyddo'n syth HEB DROI.
4) Mae pelydrau golau yn gwneud union yr un peth.

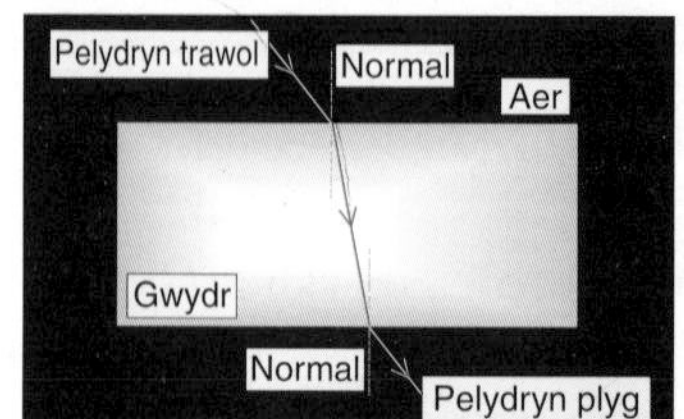

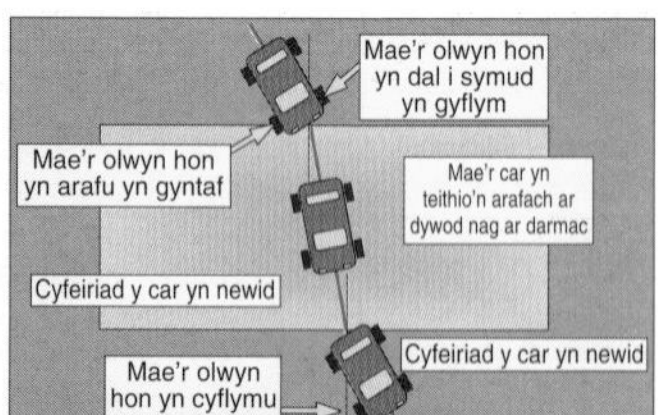

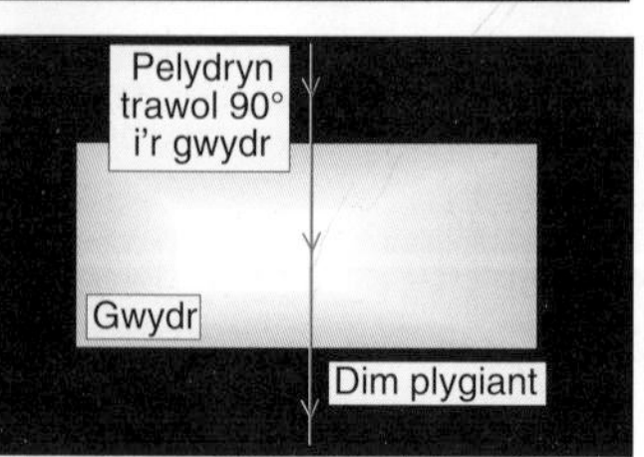

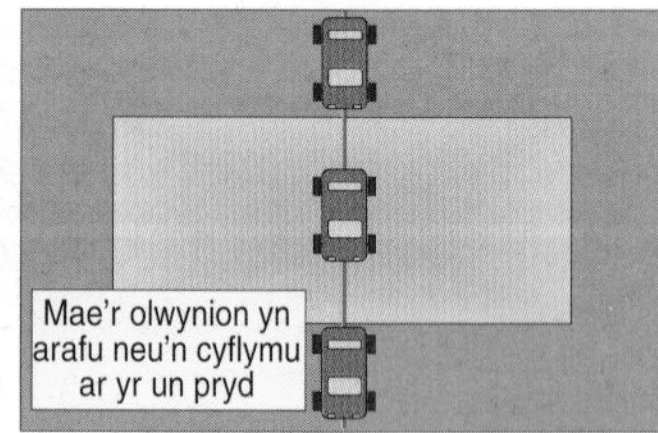

Gallwch weld trwy rai cyfryngau'n syth...

Hmm, adlewyrchiad a phlygiant. Yn gyntaf rhaid i chi sylwi eu bod yn wahanol. Ni ddylai hynny fod yn rhy anodd. Nawr dysgwch ystyr y ddau air. Mae dau bennawd pwysig yma ac ychydig ddiagramau pwysig. Dysgwch ac ysgrifennwch...

Lliw

NID Un Lliw yn Unig yw Golau Gwyn

1) Tipyn o syndod dwi'n siŵr – ond mewn gwirionedd cymysgedd o liwiau yw golau gwyn.
2) Mae hyn yn dangos yn glir wrth i olau gwyn daro prism neu ddiferyn o law.
3) Caiff ei wasgaru (h.y. ei hollti) yn enfys cyfan o liwiau.
4) Enw cywir yr effaith enfys hwn yw sbectrwm.

Mae Gwasgaru Golau Gwyn yn rhoi Sbectrwm

Dysgwch y drefn y daw'r lliwiau allan:

Coch Oren Melyn Gwyrdd Glas Indigo Fioled

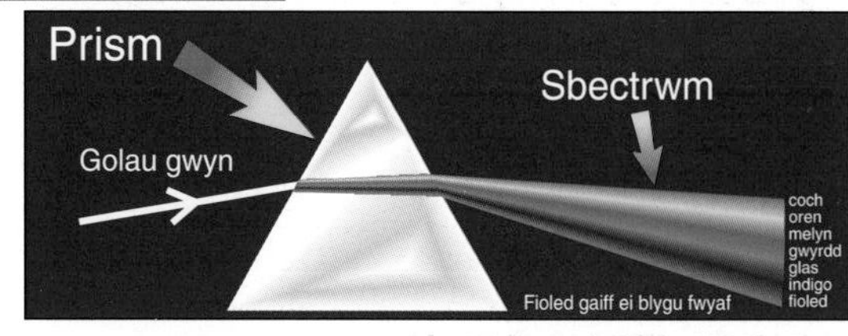

Hidlyddion Lliw – Dim ond eu Lliw eu Hun sy'n gallu mynd Trwyddynt

1) Pwrpas hidlydd yw caniatáu i olau o un lliw penodol yn unig deithio trwyddo.
2) Caiff y lleill i gyd eu HAMSUGNO gan yr hidlydd – felly nid ydynt yn mynd trwyddo.

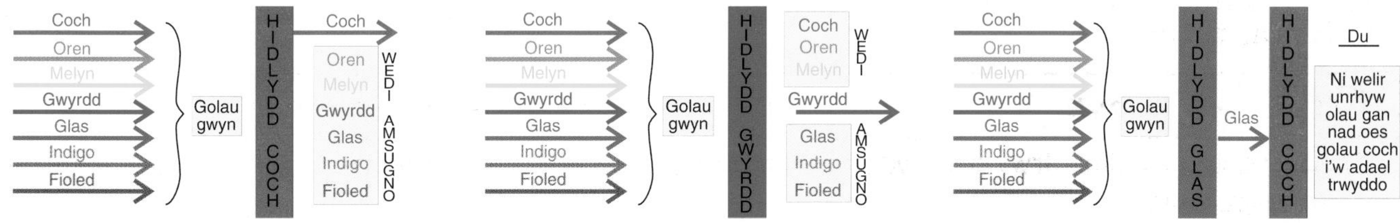

Gwrthrychau Lliw – Dim ond y Lliw Hwnnw y maent yn Adlweyrchu

1) Mae jîns glas yn las oherwydd eu bod yn adlewyrchu golau glas ac yn amsugno pob lliw arall.
2) Mae gwrthrychau gwyn yn adlewyrchu POB lliw.
3) Mae gwrthrychau du yn amsugno POB lliw.

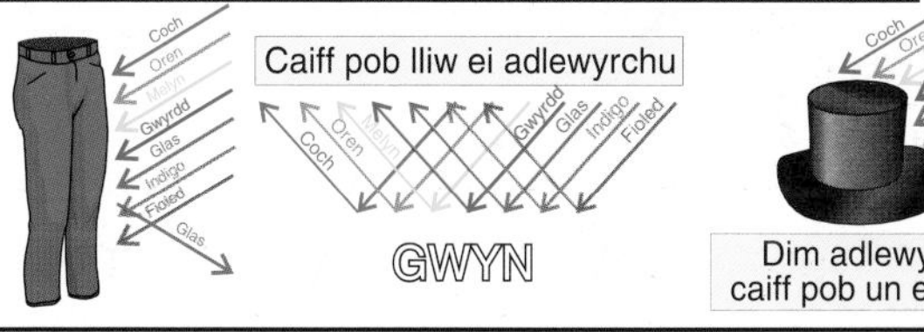

Mae Gwrthrychau'n ymddangos eu bod yn Newid Lliw mewn Golau Lliw

MEWN GOLAU GWYN

1) Mae'r esgid yn ymddangos yn goch – mae'n adlewyrchu golau coch ac yn amsugno pob lliw arall.
2) Mae'r carrai yn ymddangos yn wyrdd – mae'n adlewyrchu golau gwyrdd ac yn amsugno pob lliw arall.

MEWN GOLAU COCH

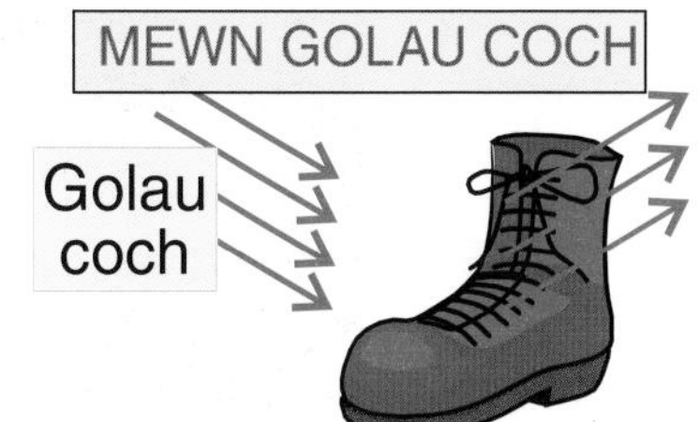

1) Mae'r esgid yn ymddangos yn goch – mae'n adlewyrchu'r golau coch.
2) Mae'r carrai yn ymddangos yn ddu – does dim golau gwyrdd i'w adlewyrchu ac mae'n amsugno'r golau coch.

MEWN GOLAU GWYRDD

1) Mae'r esgid yn ymddangos yn ddu – does dim golau coch i'w adlewyrchu ac mae'n amsugno'r golau gwyrdd.
2) Mae'r carrai yn ymddangos yn wyrdd – mae'n adlewyrchu'r golau gwyrdd.

Tynnu Lliwiau – mae'n haws na thynnu rhifau...

Esgidiau coch â chareiau gwyrdd? O diar. Mae'r lliwiau hyn yn hynod o glyfar. Ceisiwch ddeall bopeth sydd ar y dudalen hon – rydych chi'n eithaf tebygol o gael y math hwn o gwestiwn mewn arholiad. Er enghraifft gallant ofyn i chi pam y mae anorac las yn edrych yn rhyfedd mewn disgo. Dysgwch yr holl wybodaeth nawr!

Sain

Ni all Sain Deithio trwy Wactod

Arbrawf y Glochen – Sugnwch yr Aer Allan ac mae'n Tawelu

Gellir clywed y gloch yn canu trwy'r jar oherwydd bod y clychau dirgrynol yn peri i'r aer y tu mewn i'r jar DDIRGRYNNU. Mae hyn yn peri i'r jar ddirgrynu, sydd yn ei dro yn peri i'r aer y tu allan ddirgrynu – ac wedyn rydym ni'n ei glywed.

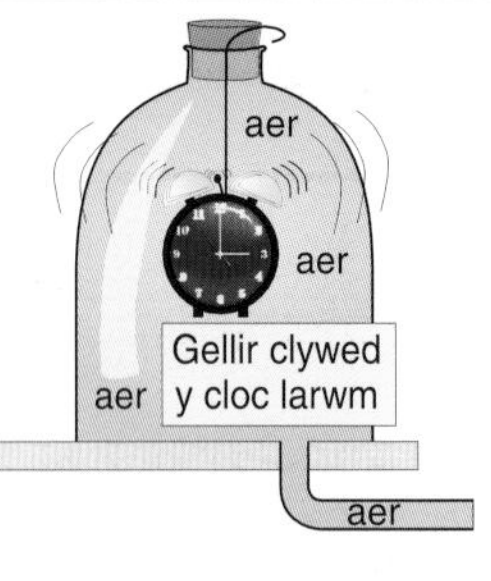

Erbyn hyn ni ellir clywed y larwm oherwydd er bod y clychau'n taro does DIM aer yn y jar i gludo'r dirgryniadau. Os nad oes unrhyw beth i ddirgrynu ni all y sain deithio.

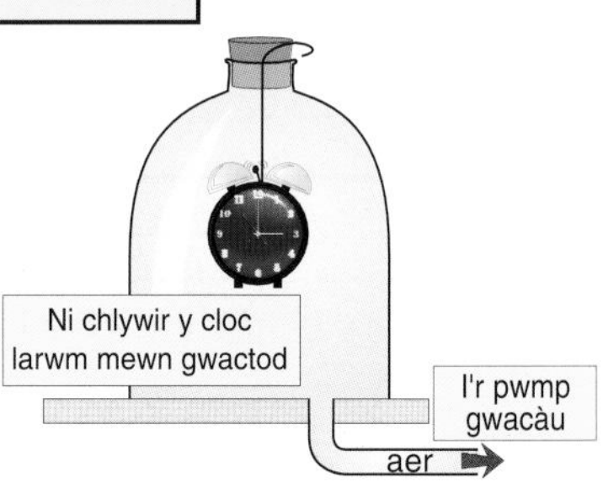

Mae'n rhaid i Rywbeth Ddirgrynu er mwyn i Sain Deithio

1) Mae angen cyfrwng ar sain er mwyn iddo deithio oherwydd bod yn rhaid i rywbeth basio'r dirgryniadau sain ymlaen.
2) Mae sain yn cludo egni – fel y mae'r gwydr yn dangos.
3) Gellir ei adlewyrchu a'i blygu yn union fel golau. Caiff atsain ei adlewyrchu oddi ar arwyneb.
4) Mae sain yn teithio dipyn yn arafach na golau.

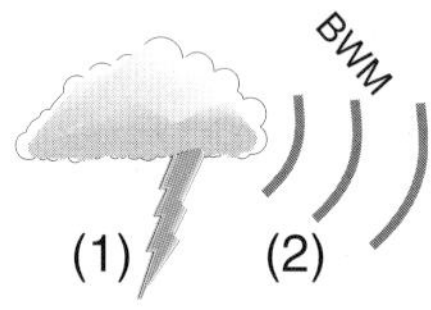

Cryfder Sain yw'r Osgled

1) Os gwelir sain ar osgilosgop dyma sut olwg sydd arno – ton.
2) Osgled sain yw uchder y don.
3) Mae'r osgled yn dangos faint o egni sydd gan y sain.
4) Mae osgled mawr yn golygu bod gan y sain lawer o egni.
5) Mae osgled mawr hefyd yn golygu bod y don yn GRYFACH. Felly mae gan don a chanddi fwy o egni osgled mwy ac mae'n gryfach.
6) Mae gan sibrydiad osgled bach – mae gan waedd osgled mawr.

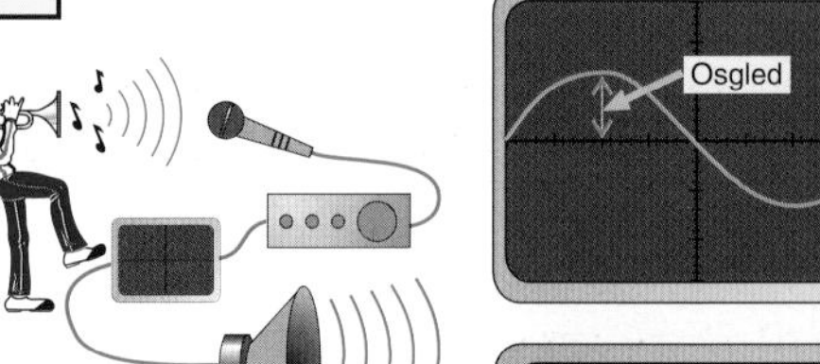

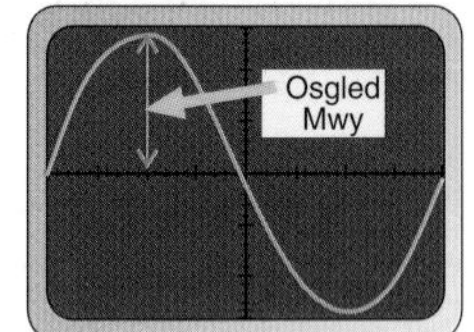

Cryfach

Traw Sain yw'r Amledd

1) Amledd sain yw NIFER Y TONNAU CYFAN sy'n mynd heibio i bwynt bob eiliad.
2) Mae'n fesur o draw y nodyn.
3) Mae amledd uchel yn golygu nodyn â thraw uchel.
4) Mae amledd uchel hefyd yn golygu mwy o ddirgryniadau yr eiliad. Mae mwy o donnau yr eiliad yn golygu TRAW UWCH.
5) Mae buwch sy'n brefu yn cynhyrchu seiniau ag amledd isel tra bo plentyn yn sgrechian yn cynhyrchu seiniau ag amledd uchel. (Yn rhy aml...)

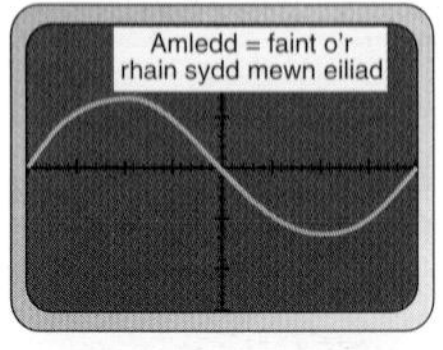

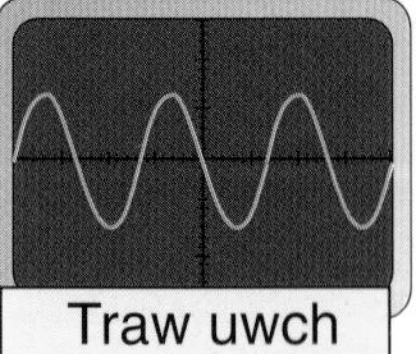

Traw uwch

Gwersi yn y Gofod – tawelwch pur...

Pedwar pennawd, amryw o ddiagramau difyr ac un neu ddau manylyn diddorol. Dyna dudalen wych. Os dysgwch chi'r penawdau byddwch chi bron â bod yno. Gwnewch hynny'n gyntaf yna dysgwch y diagramau ac ysgrifennwch y cyfan i lawr oddi ar eich cof. Yna gwnewch yr un fath gyda'r manylion. Os gwnewch chi hynny am bum munud, fe fyddwch chi'n gwybod dipyn mwy nag oeddech chi gynt.

Clyw

Mae Tonnau Sain yn peri i Bilen y Glust Ddirgrynu

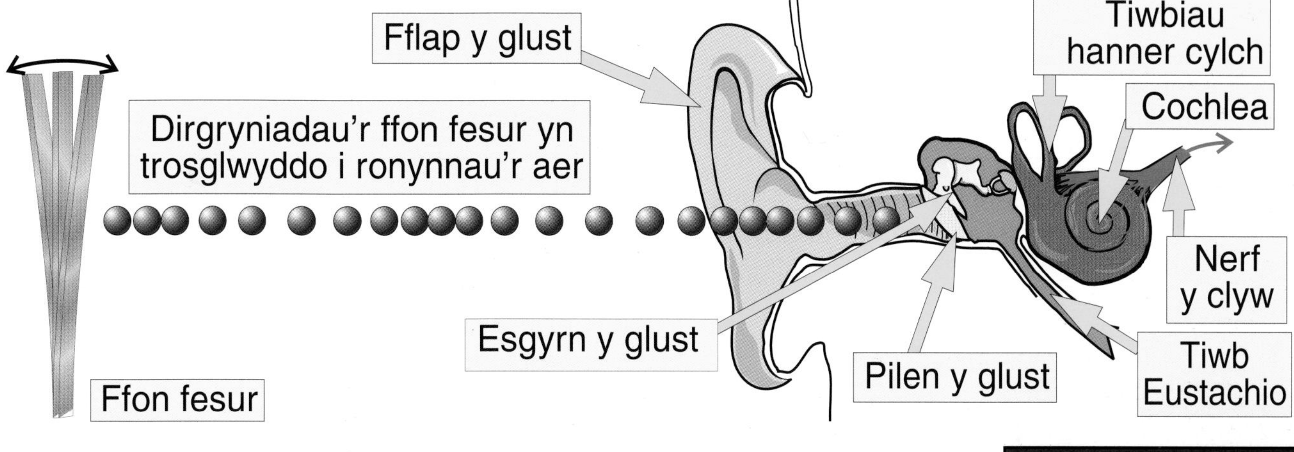

Mae gan bobl gwahanol Amrediadau Clywadwy

Mae Amrediad Clywadwy Traw yn Amrywio

1) Mae rhai pobl yn methu â chlywed seiniau â thraw uchel.
2) Caiff clyw gwael fel hyn ei achosi gan y canlynol:
   a) Cwyr yn y glust.
   b) Niwed i'r nerfau.
   c) Niwed a achoswyd gan salwch a heintiau.
   ch) Henaint a dirywiad cyffredinol.
3) Gall cŵn, ystlumod a dolffiniaid glywed amleddau tipyn uwch na phobl, fel y gwelwch o'r siart.

Mae Rhai Pobl yn Methu â chlywed Seiniau Tawel

1) Ond roeddech chi'n siŵr o wybod hynny eisoes… fe ddywedais i **roeddech chi'n siŵr o wybod hynny eisoes**.
2) Caiff cryfder sain ei fesur mewn decibelau, (dB).
3) Mae pobl ifainc yn tueddu i glywed seiniau tawel dipyn yn well na phobl hŷn.
4) Os oes gan rywun glyw da mae eu HAMREDIAD CLYWADWY yn dda. Mae'n hawdd niweidio'r clyw gyda gormod o synau uchel fel peiriannau swnllyd neu gerddoriaeth uchel…

20 dB 40 dB 60 dB 110 dB 120 dB

DEF SHEPARD

Niwed i'r glust yn debygol

Tiwb Eustachio – ai yn Llundain mae hwnnw tybed...

Wel, am andros o ddiagram cymhleth ar ben y dudalen. Gwnewch yn siŵr eich bod chi'n deall ein bod ni'n clywed pethau oherwydd bod yr aer yn cludo'r dirgryniadau i mewn i'n clustiau. Dysgwch bopeth ynglŷn ag amrediadau clywadwy hefyd, ar gyfer traw yn ogystal â chryfder sain.

Crynodeb Adolygu ar gyfer Adran Un ar Ddeg

Mae adran un ar ddeg yn sôn am bopeth sy'n rhaid i chi ei wybod ynglyn â goleuni a sain. Mae nifer mawr o eiriau ynddi – a rhai diagramau pwysig hefyd. Tydi Gwyddoniaeth byth yn hawdd wrth gwrs, ac rydych chi'n siŵr o'i gweld hi'n anodd dysgu rhai o'r ffeithiau. Ond fel y gwyddoch yn iawn "Dyfal donc a dyrr y garreg" – neu mewn geiriau eraill, os daliwch chi ati'n ddigon hir, rydych chi'n siŵr o ddysgu rhywbeth. Mae gormod o bobl yn taeru bod gwaith caled yn waith diflas, ond tydi hynny ddim yn wir o hyd. Beth am fentro?

1) Sut y mae goleuni'n teithio?
2) Brasluniwch ddiagram o gamera twll pin.
3) Defnyddiwch ddiagram i esbonio pam y mae'r ddelwedd â'i ben i lawr a thu chwith.
4) Beth yw ystyr di-draidd?
5) Beth yw ystyr tryloyw?
6) Beth yw cysgod?
7) Sut allech chi wneud cysgod gwrthrych yn fwy?
8) Ai goleuni neu sain sy'n teithio gyflymaf? Rhowch dystiolaeth sy'n dangos hyn.
9) Beth yw ystyr goleuol ac anoleuol?
10) Disgrifiwch sut y mae goleuni o'r Haul yn cyrraedd gwrthrych ac yna'n cyrraedd ein llygaid.
11) Enwch dri pheth sy'n cynhyrchu goleuni. Enwch dri pheth sy'n adlewyrchu goleuni.
12) Beth yw drych?
13) Beth yw ystyr adlewyrchiad tryledol?
14) Beth yw deddf adlewyrchiad?
15) Rhowch dri diben ar gyfer drychau. Brasluniwch yr un a geir mewn llongau tanfor.
16) Beth yw plygiant?
17) Beth yw ystyr y gair "cyfrwng"?
18) Beth sy'n digwydd wrth i oleuni symud o gyfrwng llai dwys i gyfrwng mwy dwys?
19) Beth sy'n digwydd wrth i oleuni symud o gyfrwng mwy dwys i gyfrwng llai dwys?
20) Eglurwch yn eich geiriau eich hun pam y mae goleuni'n "plygu" wrth iddo fynd i flocyn gwydr.
21) Rhowch enw arall ar wasgaru golau.
22) Sut allech ddangos nad un lliw yn unig yw golau gwyn?
23) Beth yw trefn lliwiau'r sbectrwm?
24) Pa liw gaiff ei blygu fwyaf trwy brism? Pa un gaiff ei blygu leiaf?
25) Golau o ba liw all deithio trwy hidlydd coch?
26) Wrth i olau gwyn daro hidlydd glas, yna hidlydd coch, does dim golau'n mynd trwyddo. Pam?
27) Pam y mae gwrthrych glas yn ymddangos yn las mewn golau gwyn?
28) Beth sy'n digwydd i'r holl liwiau mewn golau gwyn wrth iddynt daro gwrthrych du?
29) Mae esgidiau coch yn ymddangos yn goch mewn golau gwyn. Pa liw fyddan nhw mewn golau coch a pham?
30) Pa liw fyddai careiau gwyrdd mewn golau coch a pham?
31) Pa liw fyddai esgidiau coch mewn golau gwyrdd a pham?
32) Pam na fedrwch chi glywed cloch sy'n canu mewn gwactod?
33) Beth sy'n rhaid i sain ei gael cyn y gall symud o le i le?
34) Tynnwch ddiagram wedi ei labelu o'r glust. Eglurwch sut y gellir clywed ffon fesur wedi ei fflicio.
35) Beth yw ystyr amrediad clywadwy? Pwy sydd fel arfer yn meddu ar y amrediadau clywadwy gorau?
36) Beth yw unedau cryfder sain? Ar ba gryfder sain allai niwed i'r glust gychwyn?

Dydd, Nos a'r Pedwar Tymor

Mae Dydd a Nos yn digwydd oherwydd Cylchdroi Cyson y Ddaear

1) Mae'r Ddaear yn cwblhau un cylchdro cyfan mewn 24 awr. A dyna yw diwrnod – un cylchdro cyfan o'r Ddaear.
2) Nid yw'r Haul yn symud, felly wrth i'r Ddaear gylchdroi bydd unrhyw fan ar ei hwyneb (fel Cymru er enghraifft) yn wynebu'r Haul weithiau (dydd) ac yn wynebu i ffwrdd tuag at ofod tywyll ar adegau eraill (nos).

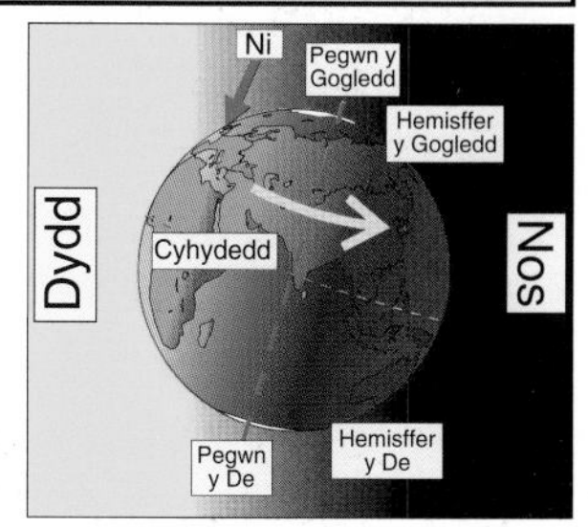

Gogwydd y Ddaear sy'n Achosi'r Tymhorau

1) Mae'n cymryd 365¼ diwrnod i droi unwaith o gwmpas yr Haul. Dyma un flwyddyn wrth gwrs. (Cawn wared o'r ¼ diwrnod ychwanegol bob blwyddyn naid). Mae pedwar tymor ym mhob blwyddyn.
2) Gogwydd echelin y Ddaear sy'n achosi'r tymhorau.
   Mae'r gogwydd hwn yn effeithio ar y Ddaear mewn dwy ffordd sy'n newid effaith cynhesu'r Haul yn fawr:

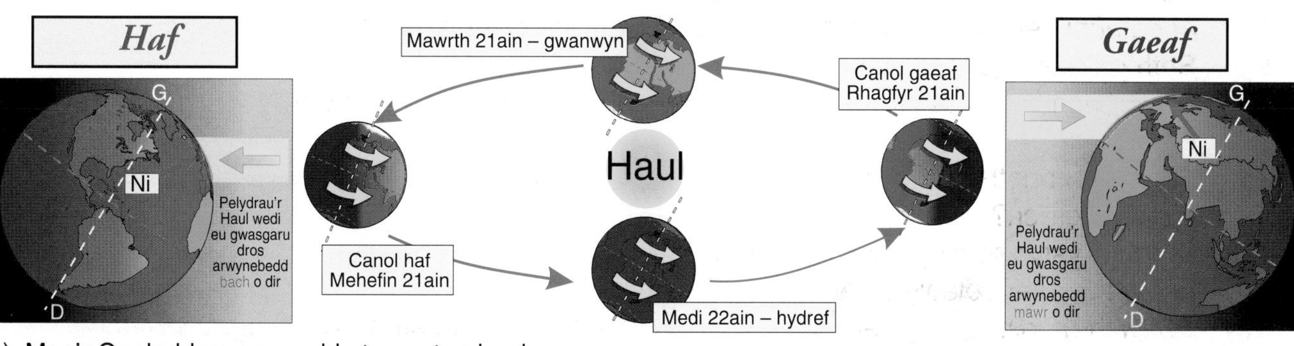

1) Mae'r Gogledd yn gogwyddo tuag at yr haul.
2) Edrychwch yn ofalus ac fe welwch fod hanner gogleddol y Ddaear yn treulio mwy o amser mewn goleuni nag ydyw mewn tywyllwch, h.y. dyddiau'n hirach na nosau.
3) Yn ogystal â hyn mae pelydrau'r haul yn gorchuddio ARWYNEBEDD BACH o dir, fel y dangosir.
4) Oherwydd hyn mae'n cynhesu ac fe gawn ni haf – hwre!

1) Erbyn hyn mae'r gogledd yn gogwyddo oddi wrth yr haul.
2) Mae'r gogledd yn treulio llai o amser mewn goleuni ac felly mae'r dyddiau'n fyrrach na'r nosau.
3) Yn ogystal â hyn mae pelydrau'r haul yn gorchuddio arwynebedd mwy o dir ac felly caiff y gwres ei wasgaru.
4) Oherwydd hyn mae'n oerach ac fe gawn ni aeaf.

Nid yw'r Haul na'r Sêr yn symud – y Ddaear sy'n Cylchdroi

1) Mae'r Haul yn "codi" yn y DWYRAIN – bob bore. (Felly "Siapan – Tir Codiad Haul".)
2) Mae'r Haul yn "machlud" yn y GORLLEWIN – bob gyda'r nos.
3) Mae'r Haul ar ei uchaf yn yr awyr ar ganol dydd. (12.00 hanner dydd, ond 1.00 y prynhawn yn ystod Amser Haf Gwledydd Prydain.)
4) Felly mae cysgodion ar eu byrraf ar ganol dydd.
5) Yn ystod yr haf mae'r Haul yn codi'n uchel iawn yn yr awyr.
6) Dyna pam y mae cysgodion mor fyr yn yr haf.

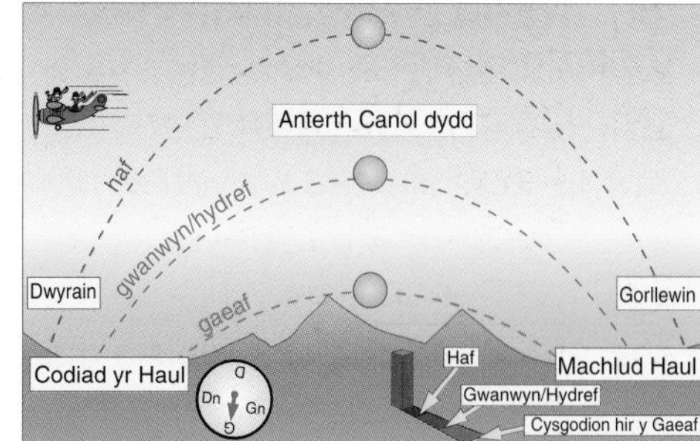

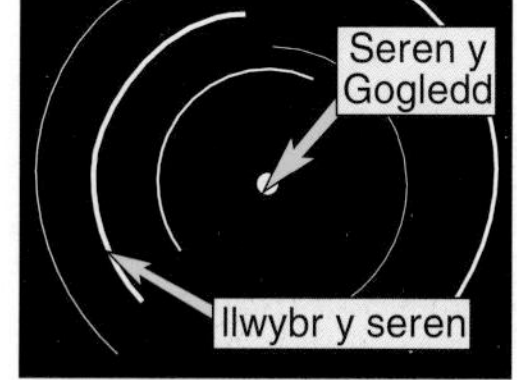

Mae'r llun hwn fel dinoethiad hir wedi ei dynnu dros nifer o oriau yn ystod y nos. Mae'n dangos bod sêr yn ymddangos fel pebaent yn symud ar hyd llwybrau cylchol o amgylch awyr y nos. Mae Seren y Gogledd sydd yng ngogledd yr awyr yn "sefydlog" tra bo'r sêr eraill yn "cylchdroi" o'i hamgylch yn araf. Cylchdro'r Ddaear sy'n achosi hyn. (Mae'r sêr yno yn ystod y dydd yn ogystal â'r nos, ond eu bod yn rhy bŵl i'w gweld yn ystod golau ddydd.)

Mae gen i bendro nawr...

Wel, mae hyn i gyd yn hwyl – dim byd tebyg i wyddoniaeth ddiflas. Mae hyd yn oed hyn yn ddiddorol! Beth bynnag, dysgwch y penawdau, y diagramau, y manylion – ac ysgrifennwch.

Lloerenni

Rhywbeth sy'n Troi o Gwmpas Planed yw Lloeren

1) Mae lleuadau'n "lloerenni naturiol" oherwydd eu bod yn wrthrychau naturiol sy'n troi o gwmpas planedau.
2) Mae ein Lleuad ni'n troi o gwmpas y Ddaear mewn 28 niwrnod. Mae'n teithio'n wrthglocwedd – i'r un cyfeiriad ag y mae'r Ddaear yn cylchdroi.
3) Mae'n ymddangos fel pebai siâp y Lleuad yn newid wrth iddi deithio o amgylch y Ddaear (dros gyfnod o 28 niwrnod) fel y mae'r diagram yn dangos.
4) Y rheswm am hyn yw ein bod yn gweld y rhan o'r lleuad sy'n adlewyrchu goleuni o'r Haul.
5) Gwelwn wahanol feintiau o ochr heulog y Lleuad wrth iddi orbitio'r Ddaear. Mae'n ymddangos fel petai'n newid ei sîap am na allwch chi weld y darnau tywyll.

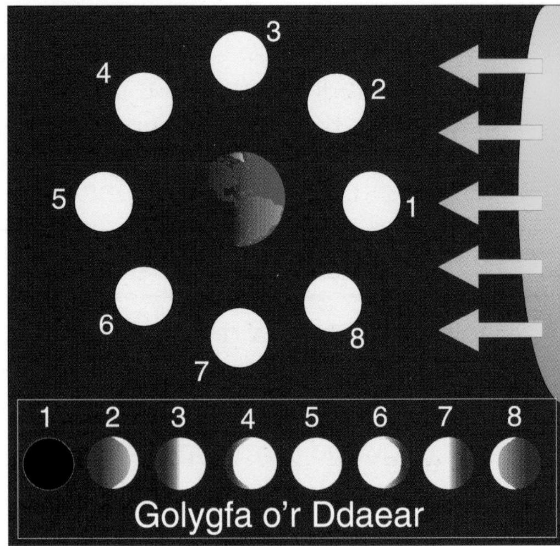

Atyniad Cyrff yw Disgyrchiant

1) Os oes gan rywbeth fàs fe fydd yn atynnu unrhyw beth arall a chanddo fàs. Neu, o'i ddweud mewn ffordd arall, caiff popeth yn y Bydysawd ei atynnu at bopeth arall gan rym disgyrchiant. (Ond dim ond os yw un o'r pethau hynny'n fawr iawn fel planed y byddwch chi'n sylwi ar hyn.)
2) Caiff y Ddaear a'r Lleuad eu hatynnu gan ddisgyrchiant – hwn sy'n cadw'r Lleuad yn ei horbit.
3) Po drymaf yw'r gwrthrych (neu'r corff) y cryfa yw grym disgyrchiant (felly mae gan blanedau mawr ddisgyrchiant uchel).
4) Po bellaf yw'r gwrthrychau o'i gilydd y gwannaf yw'r atyniad disgyrchiant.

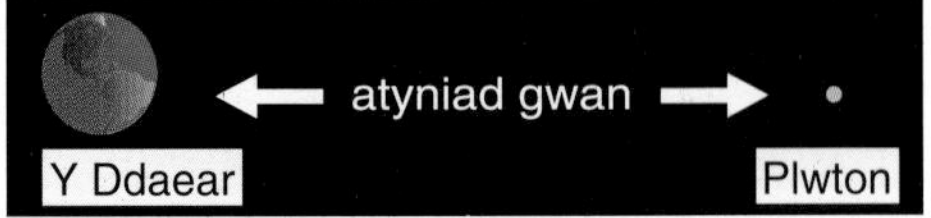

Mae gan Loerenni Artiffisial Bedwar Prif Ddiben

1) Cyfathrebu a Mordwyo

Caiff signalau radio, teledu a theleffon eu hanfon o amgylch y byd.

2) Monitro'r Tywydd

Arsyllir ar systemau tywydd er mwyn helpu rhagweld y tywydd.

3) Arsyllu ar y Ddaear

Mae gan loerenni sbïo ddibenion milwrol ac mae ffotograffau lloeren yn gymorth wrth geisio mapio'r tir.

4) Fforio Cysawd yr Haul

E.e. Mae telesgop Hubble yn troi o gwmpas y Ddaear. Mae ganddo olygfa glir o'r Bydysawd o'r fan honno, heb i'r atmosffer amharu arno.

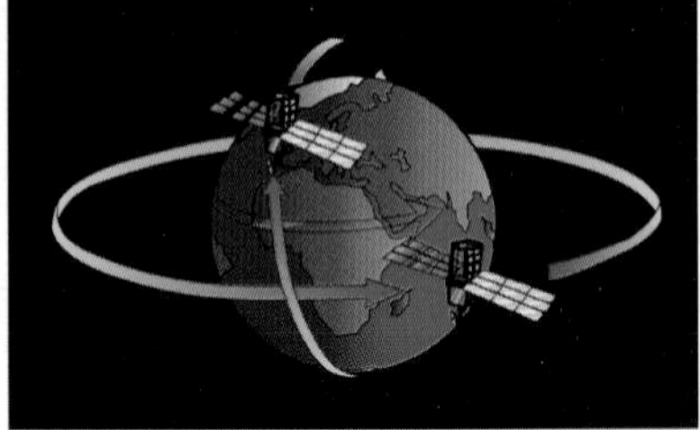

Ym mhle fyddem ni heb ddisgyrchiant...

Mae tair adran ar y dudalen hon sy'n cynnwys diagramau difyr – a rhai manylion cas hefyd. Ceisiwch ysgrifennu traethawd byr wrth adolygu'r tro hwn. Dylai traethawd byr gynnwys yr holl fanylion pwysig sydd mewn adran. Yna edrychwch yn ôl gan ailddarllen i weld beth rydych chi wedi ei golli. Yna ceisiwch eto, ac eto nes bod y cyfan wedi ei ddysgu.

Cysawd yr Haul

Mae Naw Planed yng Nghysawd yr Haul

Mae'n rhaid i chi wybod trefn y planedau:

Mercher, Gwener, Daear, Mawrth, (Asteroidau), Iau, Sadwrn, Wranws, Neifion, Plwton

1) Rhywbeth sy'n troi o gwmpas seren yw planed.
2) Seren fechan yw'r Haul (sydd yng nghanol Cysawd yr Haul). Un o'r naw planed sy'n troi o gwmpas yr Haul yw'r Ddaear.
3) Mae'r Haul yn anferthol a chanddo fàs enfawr – felly mae ei ddisgyrchiant yn gryf iawn. Tyniad disgyrchiant yr Haul sy'n cadw'r holl blanedau yn eu horbitau.
4) Mae'r planedau i gyd yn symud mewn orbitau eliptigol (hirgrwn).
5) Nid yw planedau'n rhyddhau golau, ond mae'r Haul a sêr eraill yn ei ryddhau.
6) Mae'r Haul yn rhyddhau meintiau anferthol o wres a golau.

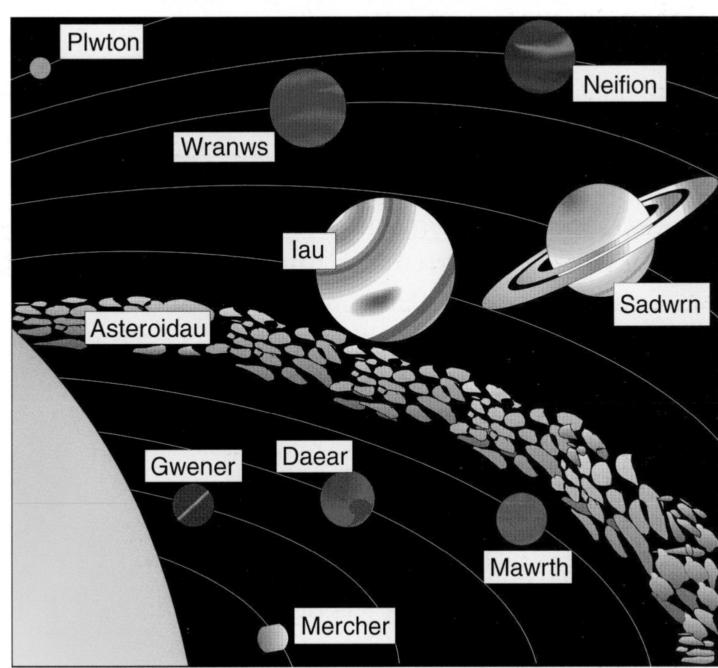

Gwybodaeth Bwysig ynglŷn â'r Planedau

Does dim rhaid i chi ddysgu pob manylyn bach yn y tabl hwn. Beth sy'n rhaid i chi ei wneud yw sicrhau bod gennych syniad sut mae'r planedau'n cymharu gyda'i gilydd, e.e. mwyaf, lleiaf, pellaf, agosaf ac ati.

	PLANED	MAINT CYMHAROL	MÀS CYMHAROL	PELLTER CYMEDRIG O'R HAUL	AMSER ORBIT
PLANEDAU MEWNOL	MERCHER	0.4 (e.e. cm) (rhag ofn eich bod chi am dynnu llun...)	0.05 (masau'r Ddaear)	58 (miliynau o km)	88d (d = diwrnod Daearol)
	GWENER	0.9	0.8	108	225d
	DAEAR	1.0	1.0	150	365d
	MAWRTH	0.5	0.1	228	687d
PLANEDAU ALLANOL	IAU	11.0	318.0	778	12b (b = blwyddyn Ddaearol)
	SADWRN	9.4	95.0	1430	29b
	WRANWS	4.0	15.0	2870	84b
	NEIFION	3.8	17.0	4500	165b
	PLWTON	0.2	0.003	5900	248b

Y Tu Hwnt i Gysawd yr Haul

1) Mae'r rhan fwyaf o'r sêr a welwch chi yn ystod y nos yn ein galaeth ni – y Llwybr Llaethog.
2) Mae'r Bydysawd yn cynnwys miliynau o alaethau. Mae'r lleill mor bell i ffwrdd nes eu bod yn ymddangos yn sêr bach.

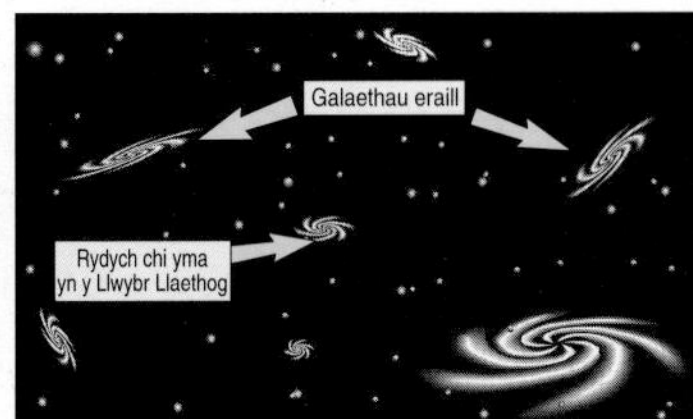

Asteroidau Wranws – na, dim byd doniol yn fan yna...

Gwnewch yn siŵr eich bod chi'n gwybod ystyr y gwahanol dermau: planed, seren, galaeth ac ati. Gwnewch yn siŵr hefyd eich bod chi'n dysgu enw pob un o'r planedau yng Nghysawd yr Haul. Po fwyaf y dysgwch chi am y planedau y gorau. Efallai y cewch chi ychydig o ddata yn yr arholiad – ond bydd o help mawr os ydyw eisoes yn gyfarwydd i chi.

Crynodeb Adolygu ar gyfer Adran Deuddeg

Dim ond tair tudalen o wybodaeth sydd yn Adran Deuddeg – dim llawer a dweud y gwir o gofio ein bod ni'n trafod y Bydysawd i gyd! Rydych chi'n siŵr o gael cwestiwn neu ddau yn yr arholiad yn sôn am hyn i gyd, yn enwedig Cysawd yr Haul. Maen nhw hefyd yn hoffi holi am y Ddaear a'r Haul. Felly dylech fedru esbonio'n union beth sy'n digwydd wrth i chi wylio'r wawr yn torri yn y bore neu'r Haul yn machlud gyda'r nos; neu esbonio pam y mae'n oerach yn y gaeaf a pham nad yw'r Haul yn codi mor uchel i'r awyr.
Mae'n syndod cymaint o bobl sy'n methu ag ateb y cwestiynau diddorol hyn. Dysgwch yr atebion diddorol nawr...

1) Faint o amser mae'n cymryd i'r Ddaear gwblhau un cylchdro cyfan ar ei echelin ei hun?
2) Faint o amser mae'n cymryd i'r Ddaear gwblhau un orbit cyfan o gwmpas yr Haul?
3) Esboniwch beth yn union yw "dydd" a "nos".
4) A yw'n "ddydd" ym mhob man ar y Ddaear ar yr un pryd?
5) Sawl tymor sydd? Enwch y tymhorau yn y drefn gywir (gan ddechrau ym mis Ionawr).
6) Rhowch ddau reswm pam y mae'n boethach (i fod) ym Mhrydain yn yr haf nag yn y gaeaf.
7) Rhowch ddau reswm pam y mae'n oerach yn y gaeaf ym Mhrydain.
8) Lluniwch gwmpawd gan ddangos Gogledd, De, Dwyrain a Gorllewin yn y mannau cywir.
9) Ym mha ran o'r awyr y mae'r Haul yn codi?
10) Ym mha ran o'r awyr y mae'r Haul yn machlud?
11) Ble mae "Land of the Rising Sun"? Pam y cafodd yr enw hwn?
12) Ar ba adeg o'r dydd y bydd yr Haul ar ei uchaf yn yr awyr?
13) Ym mha dymor y mae'r Haul yn codi uchaf yn yr awyr?
14) Ym mha dymor y mae'r cysgodion yn tueddu i fod ar eu hiraf?
15) Ar ba adeg o'r dydd y mae cysgodion o hyd ar eu byrraf?
16) Pam y gwelir llwybrau cylchol ar gyfer sêr eraill ar ffotograffau o Seren y Gogledd?
17) Beth sydd yng nghanol Cysawd ein Haul ni?
18) Rhestrwch drefn y planedau yng Nghysawd yr Haul gan ddechrau gyda'r agosaf ato.
19) Pa blaned yw'r "drydedd graig o'r Haul"?
20) Beth sy'n cadw'r planedau mewn orbit o gwmpas yr Haul?
21) Beth yw orbit eliptigol?
22) Pa blaned yn eich tyb chi yw'r boethaf, Mercher neu Plwton?
23) Tynnwch luniau o'r planedau wrth raddfa, gan ddefnyddio'r meintiau cymharol ar dud. 97.
24) Rhestrwch yr holl blanedau sydd a) yn fwy na'r Ddaear b) yn llai na'r Ddaear.
25) Pa blaned yw'r bellaf o'r Ddaear? Pa blaned sydd â'r flwyddyn hiraf?
26) A oes cysylltiad rhwng yr amser a gymerir i droi o amgylch yr Haul a'r pellter o'r Haul?
27) Beth yw lloeren? Faint o amser mae'n cymryd i'r Lleuad orbitio'r Ddaear?
28) Beth fydd safle'r Lleuad mewn perthynas â'r Ddaear a'r Haul yn ystod lleuad lawn?
29) Pa rym sy'n cadw'r Lleuad i deithio o amgylch y Ddaear?
30) Beth yw disgyrchiant?
31) Pa un yw'r blaned fwyaf? Pa un yw'r blaned leiaf?
32) Ar ba blaned bydd disgyrchiant gryfaf?
33) Beth yw lloerenni artiffisial?
34) Enwch bedwar diben ar gyfer lloerenni artiffisial.

Wyth Math o Egni

Mae wyth math o egni. Gwnewch yn siŵr y gallwch chi adnabod pob math gan roi enghraifft.

1) Egni Trydanol

Mae hwn yn ddefnyddiol tu hwnt oherwydd caiff ei drawsnewid yn hawdd yn ffurfiau eraill – os oes cerrynt yn llifo, mae egni trydanol yn bresennol.

2) Egni Golau

Mae popeth GOLEUOL yn rhyddhau egni golau – fel yr Haul, bylbiau golau a chanhwyllau... a thanau bach diniwed.

3) Egni Sain

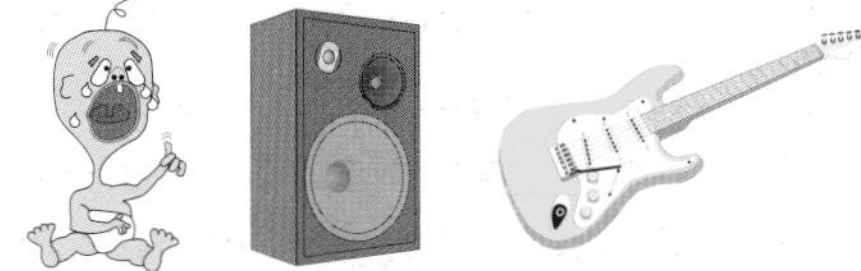

Mae popeth SWNLLYD yn rhyddhau egni sain – fel tannau llais, seinyddion ac offerynnau.

4) Egni Cinetig (Symudiad)

Mae gan bopeth sy'n SYMUD egni cinetig...

5) Egni Thermol (Gwres)

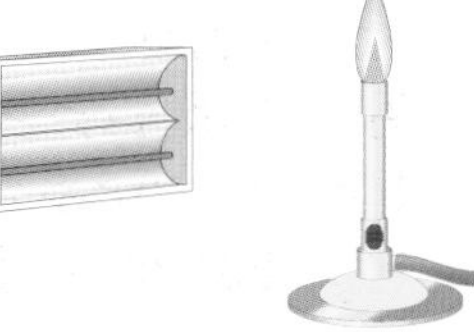

Mae gan bopeth sydd ar dymheredd uwch na SERO ABSOLIWT (-273°C) egni gwres – sy'n golygu wrth gwrs bod gan bopeth rhywfaint o egni gwres. Po boethaf yw rhywbeth y mwyaf o egni gwres sydd ganddo.

6) Egni Potensial Disgyrchiant

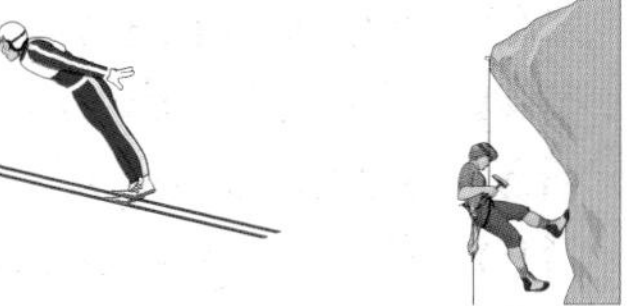

Mae gan bopeth sydd UWCHBEN Y DDAEAR egni potensial, h.y. popeth a all syrthio, fel sgïwr sy'n neidio, awyrennau a dringwyr.

7) Egni Elastig

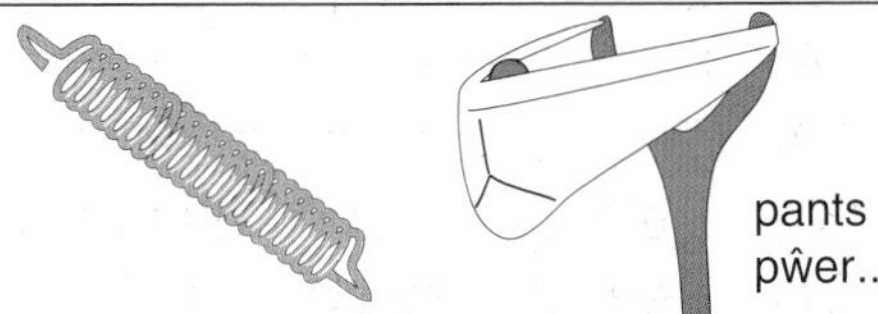

Mae gan bopeth sydd wedi ESTYN egni elastig, fel bandiau rwber, sbringiau, elastig niceri ac ati.

pants pŵer...

8) Egni Cemegol

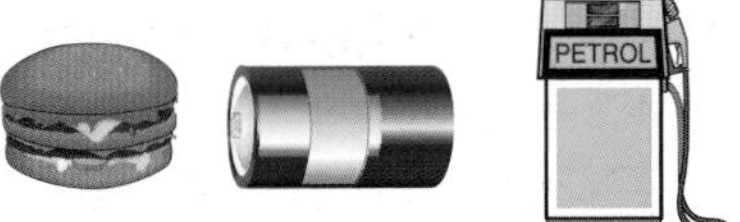

Unrhyw beth sy'n cynnwys EGNI WEDI STORIO y gellir ei ryddhau trwy adwaith cemegol – fel bwyd, tanwyddau a batrïau.

Mae Gwres a Thymheredd yn Wahanol

Mesur pa mor boeth yw rhywbeth y mae TYMHEREDD – caiff ei fesur mewn graddau Celsiws, (°C).
NID yw GWRES yr un peth. Ffurf ar egni yw gwres a chaiff ei fesur mewn jouleau, (J).
Mae gwres (egni) yn llifo rhwng pethau sydd ar wahanol dymereddau. Nid ffurf ar egni yw tymheredd, - nid yw tymheredd yn llifo. Wrth i egni gwres lifo, mae'r tymheredd yn codi neu'n disgyn.

Mathau o Egni – dwi wedi blino ar ôl hyn i gyd...

Dyna ni felly, wyth math o egni i'w dysgu a bod yna wahaniaeth pendant rhwng gwres a thymheredd. Dysgwch yr wyth math yna cuddiwch y dudalen a'u hysgrifennu i lawr. Gwnewch yn siŵr y gallwch chi restru tair enghraifft ar gyfer pob math.

Trosglwyddo Egni

Gellir Trosglwyddo Egni o Un Math i Un Arall

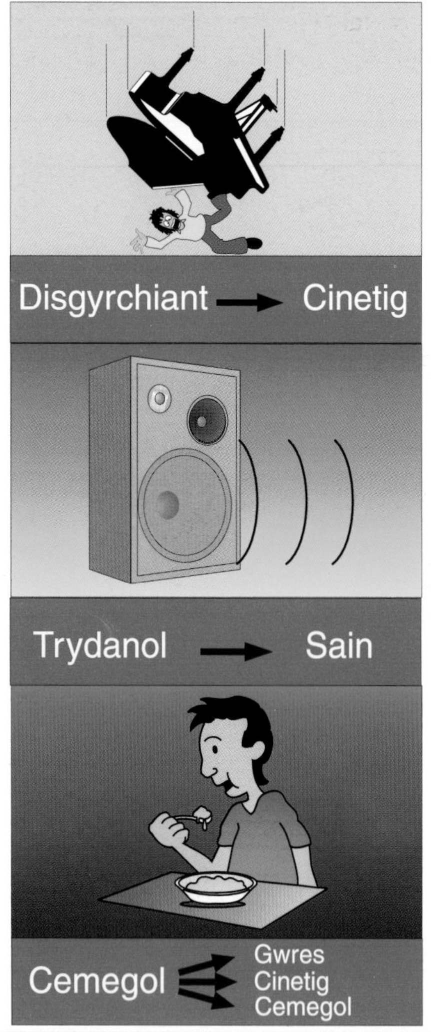

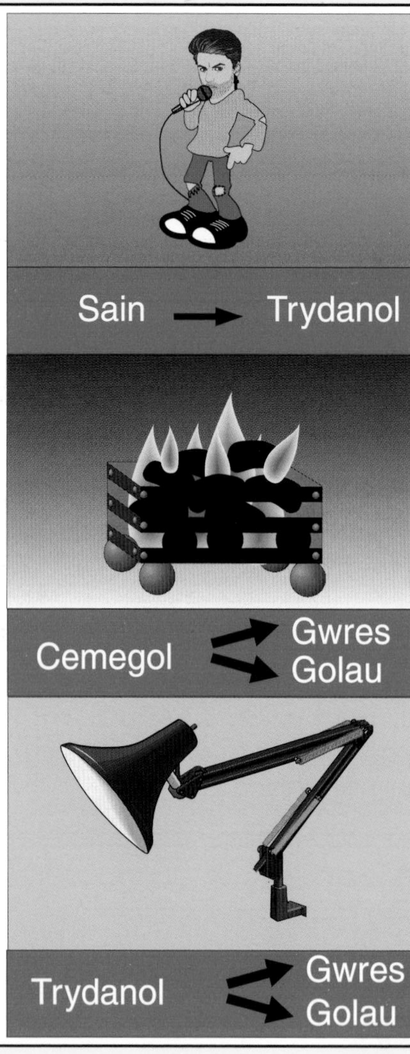

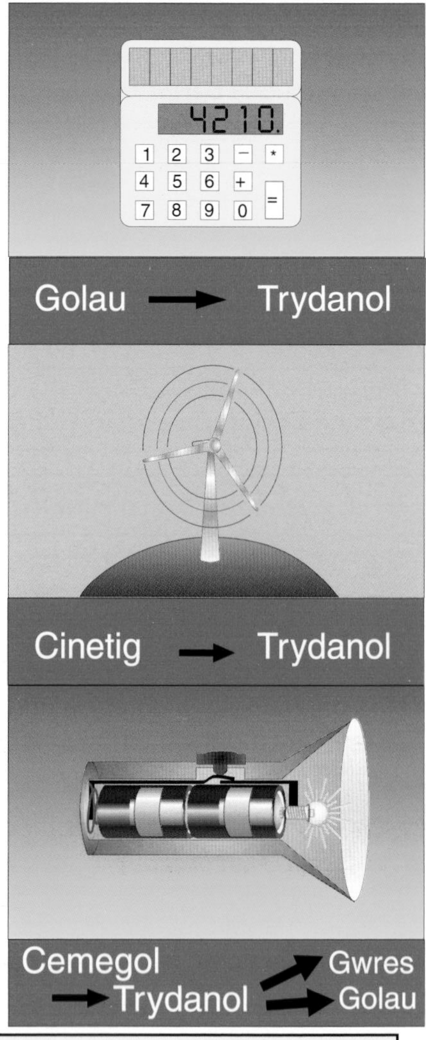

Caiff Gwres ei drosglwyddo dim ond os oes Gwahaniaeth yn y Tymheredd

Gellir trosglwyddo gwres mewn tair ffordd arbennig:

1) Dargludiad Gwres

Yma mae gronynnau dirgrynnol yn pasio'r egni dirgrynnol ychwanegol ymlaen i ronynnau cyfagos.

2) Darfudiad Gwres

Yma mae'r peth sydd wedi ei wresogi yn symud yn ei gyfanrwydd i ardal oerach ac yn mynd â'r gwres gydag ef.

Cerrynt darfudol

Grisialau porffor mewn dŵr

Gwres

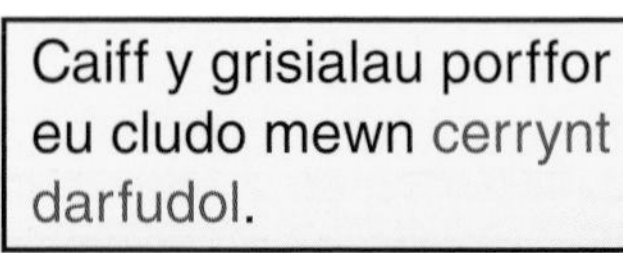

Caiff y grisialau porffor eu cludo mewn cerrynt darfudol.

3) Pelydriad Gwres

Mae pob gwrthrych poeth yn pelydru gwres i'w hamgylchynau trwy gyfrwng tonnau gwres anweladwy. Does dim angen gronynnau ar y "pelydriad gwres" felly gall gwres deithio ar draws gwactod.

Mae egni fel y Gynghrair Uchaf – caiff popeth ei drosglwyddo...

Ceir "trosglwyddiad egni" wrth i egni newid o un ffurf yn ffurf arall. Mae angen rhyw fath o "ddyfais" bob tro. Dysgwch y naw enghraifft uchod yn dda. Ar y llaw arall mae "trosglwyddo gwres" yn egluro sut y mae gwres yn symud o le i le. Mae yna wahaniaeth bach pwysig.

Adnoddau Egni

Yr Haul yw Ffynhonnell Pob Un o'r Adnoddau Egni Hyn

Mae'r rhan fwyaf o'r egni sydd o'n cwmpas wedi tarddu o'r Haul. Mae egni'r Haul yn cyrraedd y Ddaear a chaiff ei drawsnewid yn nifer o ffurfiau cyn i ni eu trawsnewid (neu "defnyddio") er mwyn cyflenwi ein gofynion egni.

Dysgwch y Chwe Chadwyn Trosglwyddo Egni

1) Egni'r Haul → Glo, Olew a Nwy (Tanwyddau Ffosil)

Haul → egni golau → ffotosynthesis → planhigion ac anifeiliaid marw → TANWYDDAU FFOSIL

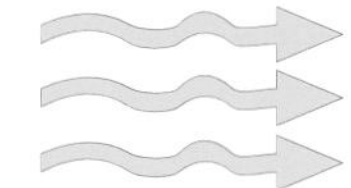

2) Egni'r Haul → Pren (Biomàs)

Haul → egni golau → planhigion → ffotosynthesis   BIOMÀS (pren)

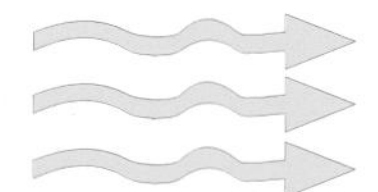

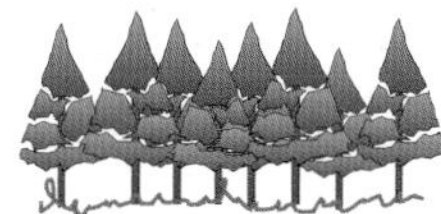

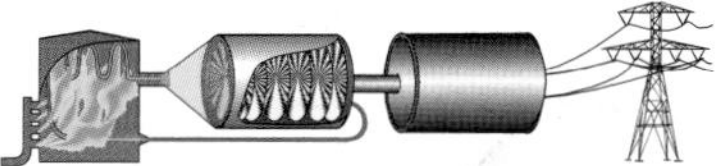

3) Egni'r Haul → Bwyd

Haul → egni golau → planhigion → ffotosynthesis → BIOMÀS (bwyd)

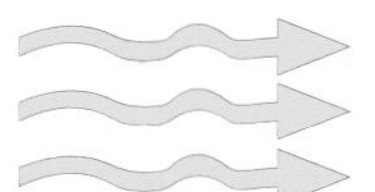

4) Egni'r Haul → Pŵer Gwynt

Haul → gwresogi'r atmosffer → achosi GWYNTOEDD

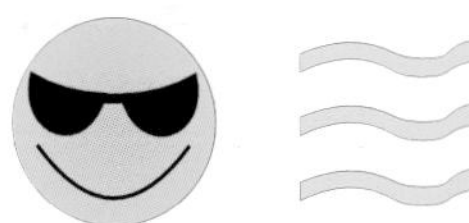

5) Egni'r Haul → Pŵer Tonnau

Haul → cynhesu'r atmosffer → achosi GWYNTOEDD → gan greu TONNAU

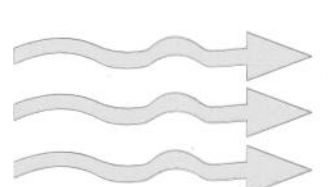
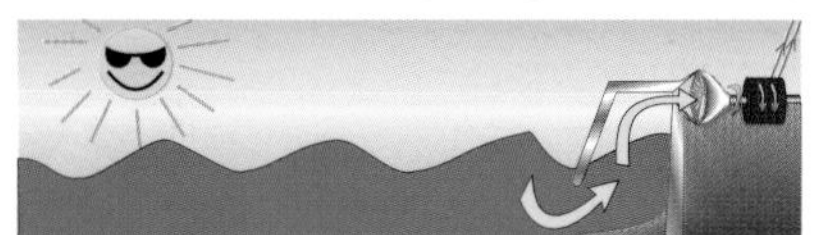

6) Egni'r Haul → Batrïau

Haul → cynhesu'r byd → achosi ADWEITHIAU CEMEGOL → i wneud BATRÏAU CEMEGOL

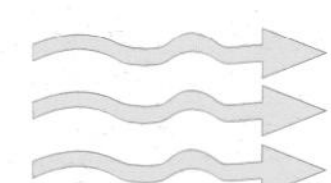

=

Yr holl egni hyn yn rhad ac am ddim – byddan nhw'n ei breifateiddio cyn hir...

Mae cwestiynau ar "egni'r Haul" yn boblogaidd iawn mewn arholiadau.
Mae'n rhaid i chi fod yn ymwybodol bod ein hegni ni bron i gyd wedi dod yn wreiddiol o'r Haul - dangosir hyn gan y chwe chadwyn trosglwyddo egni. Dysgwch bob un.

Generadu Trydan

Mae Pwerdai yn Generadu Trydan ar gyfer y Genedl gyfan

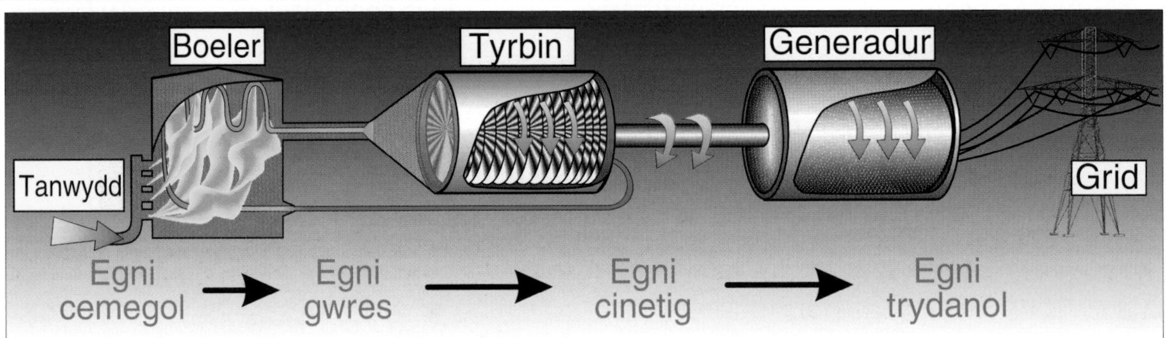

1) Caiff tanwydd fel glo, olew a nwy naturiol eu llosgi yn y boeler. Mae hyn yn rhyddhau egni gwres. Ni chaiff petrol ei losgi mewn pwerdai yn bendant – byddai'r rhy ddrud. Caiff olew ei losgi.
2) Defnyddir hwn i wresogi dŵr sydd wedyn yn newid yn ager ar wasgedd uchel.
3) Defnyddir yr ager i yrru tyrbinau enfawr sy'n debyg i wyntyllau mawr.
4) Mae'r tyrbinau hyn wedi eu cysylltu at eneradur sy'n troelli fel dynamo mawr.
5) Mae hyn yn cynhyrchu trydan a gaiff ei fwydo i'r grid cenedlaethol ac allan i'n cartrefi i ddarparu egni ar gyfer ein setiau teledu, sychwyr gwallt ac ati. Mae hefyd yn cyflenwi nifer o ddiwydiannau.

Bydd Adnoddau Egni Anadnewyddadwy yn DOD I BEN

1) Ffurfiwyd tanwyddau ffosil dros filiynau o flynyddoedd – ond dim ond munudau sydd eu hangen i'w llosgi.
2) Wedi iddynt ddod o'r ddaear, dyna ni, wedi mynd, (os nad ydych chi am aros ychydig filiynau o flynyddoedd tra bo rhagor yn ffurfio).
3) Fe ddaw amser pan na fedrwn ni ddod o hyd i ragor ac yna bydd gennym ni broblem.
4) Yn anffodus mae olew crai yn hanfodol ar gyfer gwneud pob math o blastigion a moddion defnyddiol felly nid yw'n syniad rhy dda ei losgi o hyd. Dyma'r ATEB:

i) ARBED EGNI (e.e. diffodd goleuadau, gyrru ceir a chanddynt beiriannau bychain, ac ati).
ii) DEFNYDDIWCH BETHAU ADNEWYDDADWY. Mae adnoddau egni fel pŵer gwynt, biomàs, pŵer tonnau, pŵer solar, pŵer llanw, pŵer trydan dŵr a phŵer geothermol i gyd yn adnewyddadwy.

Ni fydd Adnoddau Egni Adnewyddadwy yn DOD I BEN

...cyhyd â bo'r Haul yn dal i wenu...

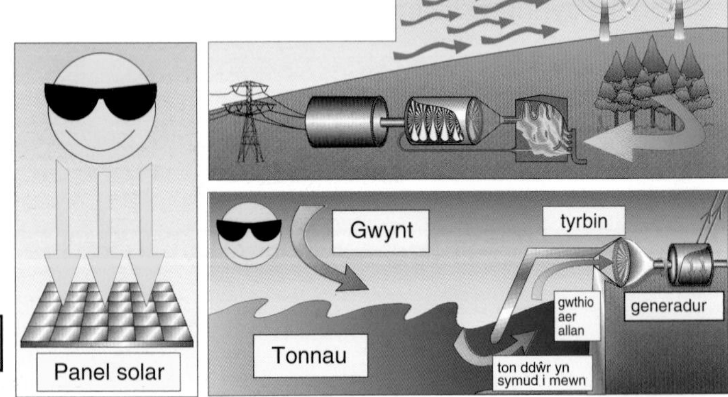

1) Bydd y gwynt o hyd yn chwythu

- gan droi tyrbinau sy'n generadu trydan.

2) Bydd planhigion o hyd yn tyfu

- a gellir eu llosgi i ryddhau egni gwres.

3) Bydd tonnau o hyd yn ffurfio

- gan yrru generaduron i gynhyrchu trydan.

4) Bydd Celloedd Solar o hyd yn gweithio

- gan newid golau yn egni trydanol.

Meddyliwch yn galed – eich cenhedlaeth chi a gaiff ei heffeithio...

Peidiwch â galw adnoddau egni adnewyddadwy yn rhai y gellir eu "hailddefnyddio" – na! na! na! na! na! Ni ellir eu defnyddio eto, ond maent yn ADNEWYDDADWY. Byddant yn adnewyddu eu hunain, yn union fel y bydd coed yn aildyfu o'u hailblannu, ac ati. Ond wedi llosgi coeden, fedrwch chi ddim ailddefnyddio'r goeden honno. Dysgwch y ffeithiau'n drylwyr.

Cadwraeth Egni

Dim ond ers oddeutu dau neu dri chan mlynedd y mae gwyddonwyr wedi bod yn astudio egni, ond yn yr amser byr hwnnw maent wedi ffurfio bron i ddau "Egwyddor Eithaf Pwysig" sy'n ymwneud ag egni. Dysgwch nhw'n drylwyr.

EGWYDDOR CADWRAETH EGNI

Ni ellir CREU na DINISTRIO egni – ond caiff ei DRAWSNEWID o un ffurf yn un arall.

Mae hyn yn gloywgu nad yw egni byth yn diflannu – mae o hyd yn trawsnewid yn ffurf arall. Dyma egwyddor ddefnyddiol arall:

DIM OND wrth DRAWSNEWID o un ffurf yn un arall y mae egni yn DDEFNYDDIOL.

Meddyliwch yn ofalus – mae pob peiriant defnyddiol yn defnyddio un math o egni ac yn rhyddhau math arall.

Mae'r rhan fwyaf o Drosglwyddiadau Egni yn Amherffaith

1) Mae dyfeisiau defnyddiol yn ddefnyddiol oherwydd eu bod yn trawsnewid egni o un ffurf yn un arall.
2) Caiff peth egni ei golli mewn rhyw fodd bob tro, gan amlaf ar ffurf gwres.
3) Fel y gwelwch yn y diagram, mae egni a gaiff ei fewnbynnu bob tro'n dod allan yn rhannol ar ffurf egni defnyddiol ac yn rhannol ar ffurf egni gwastraff – ond ni chaiff unrhyw egni ei ddinistrio:

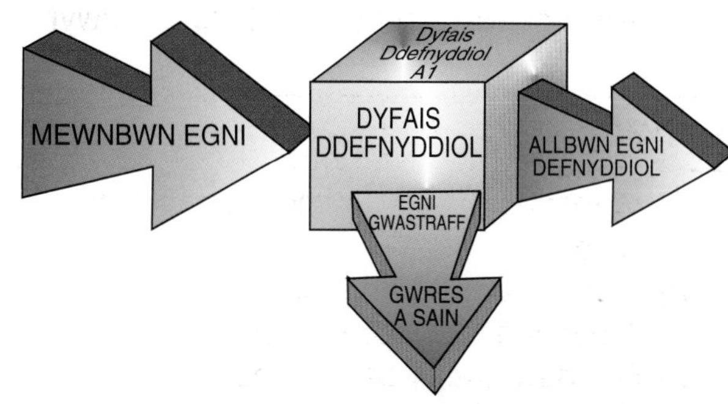

Cyfanswm MEWNBWN yr Egni = Yr Egni DEFNYDDIOL + Yr Egni GWASTRAFF

Pedair Enghraifft Bwysig Dros Ben

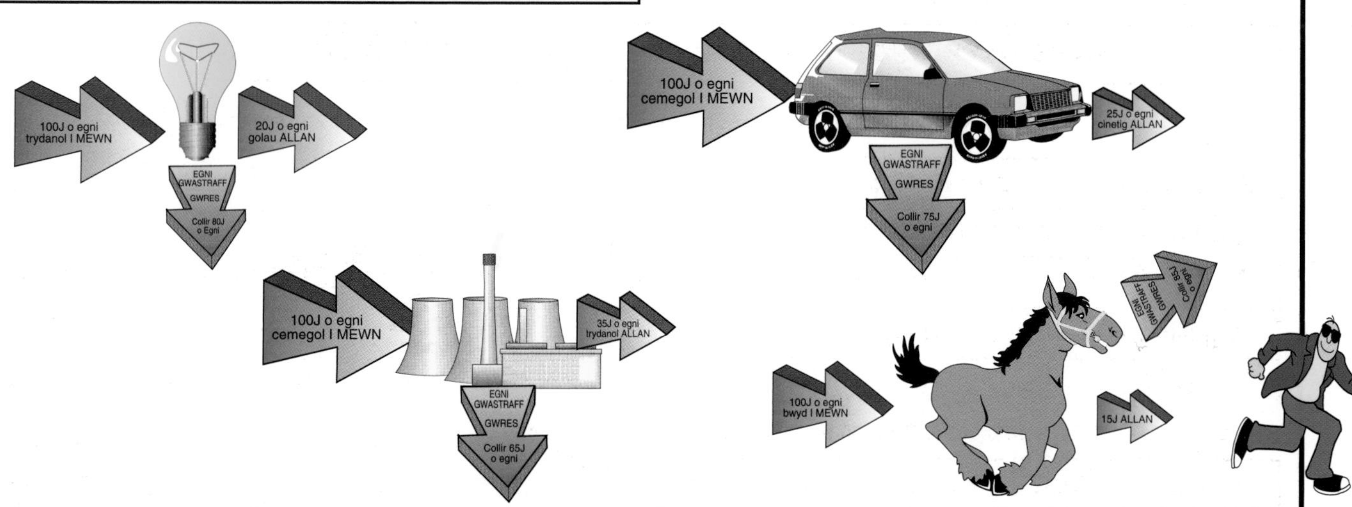

Fedrwch chi ddim cael gwared o'r hen egni yma...

Cofiwch, ni chaiff egni byth ei golli'n llwyr – os ydych chi'n meddwl eich bod chi wedi colli ychydig, mae'n siŵr ei fod wedi dianc i rywle ar ffurf rhywbeth llai defnyddiol h.y. gwres neu sain. Mae egni yn rhyfedd iawn, mae'n hedfan o'ch cwmpas ym mhobman bob dydd, ar ffurfiau gwahanol, ond fedrwch chi mo'i weld – dim ond ei effaith. Yn union fel ADOLYGU.

Crynodeb Adolygu ar gyfer Adran Tair ar Ddeg

Dyma'r set olaf o Gwestiynau Adolygu, felly gadewch i mi eich atgoffa unwaith eto... Mae'r cwestiynau'n sylfaenol, yn greulon ac yn gryno. Mae'n rhaid i chi fedru eu hateb i gyd gan mai dim ond y ffeithiau sylfaenol y maent yn eu profi. Does dim angen deall i'w hateb – does ond yn rhaid i chi ddysgu'r gwaith. Felly rhaid i chi ddal ati i ymarfer drosodd a thro. Chwiliwch yn yr adran briodol er mwyn ateb y rhai anodd, gan ddysgu'r gwaith ar gyfer y tro nesaf. Mwynhewch.

1) Beth yw'r wyth prif fath o egni? Rhowch ddwy enghraifft ar gyfer pob un.
2) A all tymereddau lifo? Esboniwch y gwahaniaeth rhwng gwres a thymheredd.
3) Mae microffon yn trawsnewid egni sain yn... beth?
4) Pa fath o egni a storir mewn batri? Pa fath o egni sydd mewn bwyd?
5) Mae tyrbin gwynt yn trawsnewid egni cinetig yn... beth?
6) Beth yw unedau egni?
7) Beth yw unedau tymheredd? Pa dymheredd yw sero absoliwt?
8) Gellir trosglwyddo egni gwres dim ond os oes gwahaniaeth mewn beth?
9) Beth yw dargludiad? Rhowch enghraifft o ddargludydd.
10) Beth yw darfudiad? Disgrifiwch arbrawf sy'n dangos ceryntau darfudol.
11) Beth yw pelydriad? Brasluniwch sut y mae egni'r Haul yn pelydru at y Ddaear.
12) Beth yw tanwyddau ffosil? Sut y caiff egni'r Haul ei storio mewn tanwyddau ffosil?
13) Sut y mae egni'r Haul a) yn creu gwynt? b) yn cael ei storio mewn bwyd?
14) Disgrifiwch yn fanwl sut y caiff trydan ei eneradu a'i gyflenwi i'ch catrefi.
15) Enwch dri thanwydd a losgir mewn pwerdai er mwyn generadu trydan.
16) Pam NA chaiff petrol ei losgi mewn pwerdai?
17) Beth yw adnoddau egni anadnewyddadwy? Beth yw adnoddau egni adnewyddadwy?
18) Pam na fydd adnoddau egni adnewyddadwy byth yn dod i ben?
19) Beth sy'n bod ar ddweud y gellir "ailddefnyddio" adnoddau egni?
20) Beth yw'r ddau ddull gorau o leihau faint o danwyddau ffosil a gaiff ei losgi?
21) Rhowch ddwy enghraifft o'r defnydd a wneir o gelloedd solar. Disgrifiwch sut y mae tonnau'n generadu trydan.
22) Beth yw Egwyddor Cadwraeth Egni?
23) Pa bryd y mae egni fwyaf defnyddiol? Pam NAD yw pob trosglwyddiad egni yn berffaith?
24) Ar ba ffurf y mae egni gwastraff fel arfer?

Atebion i Rai Cwestiynau Adolygu

T.31 a) Pryfyn. b) Myriapod. c) Aderyn. ch) Molwsg. d) Mamolyn. dd) Arachnid. e) Planhigion blodeuol (deucotyledon).
T.36 a) Bydd llai o ddyfrgwn yn golygu mwy o benhwyadau a fydd yn bwyta mwy o chwilod dŵr.
b) Bydd mwy o benhwyadau yn golygu llai o ddraenogiadau a allai olygu y caiff llai o chwilod dŵr eu bwyta. **T.45** 1) Sodiwm fflworid. 2) Ïodin. 3) Calsiwm sylffad.
T.62 $2Na + Cl_2$ 2NaCl. **T.67** 1) Tiwb prawf 1. 2) Tiwb prawf 4. **T.86** 3) 75÷ 25 = 3N/cm^2.

Atebion Rhai o'r Cwestiynau Crynodeb Adolygu

Ceir hyd i atebion y rhan fwyaf o'r cwestiynau yn rhan briodol yr adran ond dyma ychydig o help gyda'r rhai anodd iawn.

Crynodeb Adolygu Pedwar.
C.29 a) Molwsg. b) Mamolyn c) Amffibiad. ch) Conwydd (Gymnosbermau). d) Pryfyn. dd) Ymlusgiad. e) Mamolyn. f) Mamolyn.

Crynodeb Adolygu Chwech
C.19 a) Magnesiwm ocsid. b) Calsiwm ocsid. c) Sodiwm clorid. ch) Sylffwr deuocsid. d) Calsiwm carbonad. dd) Copr sylffad.
C.20 a) Sodiwm clorid. b) Magnesiwm clorid. c) Magnesiwm carbonad.

Crynodeb Adolygu Saith
C.2 50g o haearn hylifol. **C.9** 300g o hydoddiant.
C.35 $S + O_2 \rightarrow SO_2$. **C.36** $2Ca + O_2 \rightarrow 2CaO$.

Crynodeb Adolygu Wyth
C.18 a) Asid. b) Bas. c) Bas. ch) Halwyn. d) Asid.

Crynodeb Adolygu Deg
C.3 2.5 m/s. **C.4** 5m/s, (medrwch).
C.5 b = p/t felly p = b x t = 40 x 0.25 = 10 milltir. (15 mun = 0.25 awr).
C.23 50 x r = 100 felly r = 2m. **C.26** 200/2 = 100N/m^2.
C.27 200/10 = 20 N/m^2.

Mynegai

Mynegai

Mynegai

Mynegai